新文京開發出版股份有限公司

新世紀・新視野・新文京 — 精選教科書・考試用書・專業參考書

New Wun Ching Developmental Publishing Co., Ltd.

New Age · New Choice · The Best Selected Educational Publications—NEW WCDP

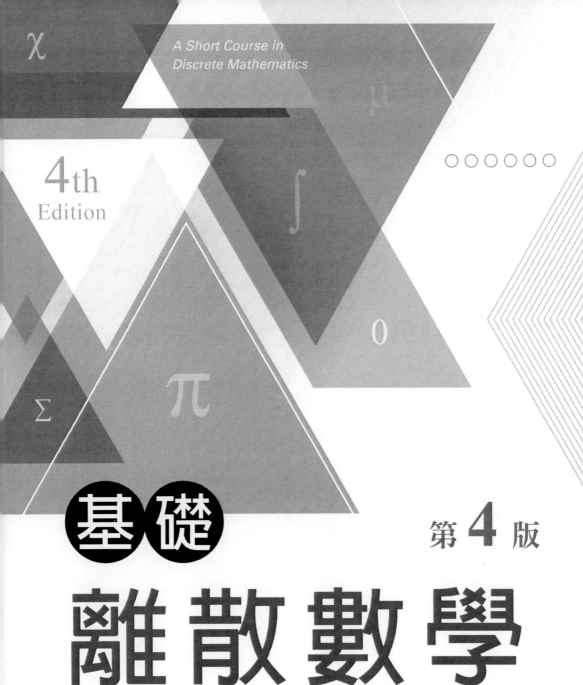

A Short Course in
Discrete Mathematics

4th
Edition

基礎

第4版

離散數學

A Short Course in Discrete Mathematics

黃中彥　編著
黃玉枝　校閱

4 版序

基本上離散數學是一門涵蓋許多古典數學的一門學門，包括邏輯、集合理論、遞迴關係、技術理論（組合理論）、抽象代數、圖形理論等等，這些章節之發展多已有幾個世紀的歷史，期間經歷許許多多的數學大師的研究早已有豐碩的成果至今仍在成長，又因為上個世紀以來離散數學在資訊科技、工程乃至作業研究、經濟、生物科學等許多領域都有大量成功的應用，使得離散數學在各該學門之高等研究中佔有重要關鍵工具的地位，使得本課程不論在理論或應用上都有豐碩的、璀璨的成果，因此在國內外大學已有許多學系將離散數學列為必修課程。本書可供資訊科技、工程、經濟、生物乃至社會等科系一學期二學分課程用，幾乎每章都可自成一門獨立學問，教師可視需要酌取適當內容授課。

為了因應有限授課時間，同時將教材抽象度放低以使學生易於入門，因此在寫作上大致把握以下方向進行：

1. 本書名為基礎離散數學，顧名思義，讀者所需之先備數學知識儘量維持最低要求，只要中學數學知識即可。

2. 本書在理論上力求精簡，每章之例題、習題在難度上均力求放低，具有中等程度的同學都能自行解答八成以上的習題，我們也精選了一些基本的證明問題，提供了同學對定理定義有融會貫通之機會。

本書後附習題詳解，可供同學參考。相信只要認真學習、思考、做作業，同學一定可以由本書打下很好的基礎，由這個基礎，同學可藉參考一些更深入的教材而逐步提升在離散數學上的學養。

作者係在公餘完成本書，加以作者學淺，其中錯植之處在所難免，希望學者專家不吝賜正以及建議，至為感荷。

編著者 敬上

目 錄

Chapter

01

命題代數

1.1　命題與真值表

命題的意義

> **定 義**
>
> 凡是能判斷**真**（truth；記做 T），**偽**（false；記做 F）之敘述稱為**命題**(proposition)。

例如

(1) 「台北在台灣」這個敘述為真(T)。

(2) 「2+3=6」這個敘述為偽(F)。

(3) 「你好嗎？」這個敘述無法判斷其真偽性故不為命題。

　　一般而言，驚嘆句、問句等都無法判斷真偽性，故均不為命題。同時，在古典命題代數，命題值只有真、偽二種。

連詞與複合命題

　　像「1+2=3」，「台北在台灣」等命題都是用簡單句來表達的，我們稱之為**原子命題**(atom proposition)或**本原命題**(primary proposition)，如果這些原子命題用一些連詞串接起來便成為**複合命題**(compound proposition)，基本的連詞有(1)**否定**(negation)(2)**且**(and)及(3)**或**(or)三種。

　　下列都是複合命題的例子：

‧ 台北在台灣且 1+1=2

‧ （台北在台灣且 1+1=2）或（台中在日本或 5–2=6）

邏輯命題內各原子命題透過連詞作用便產生複合命題，如同原子命題，複合命題的值也只有**真**(T)、**偽**(F)兩種。

真值表

我們常用英文字母中 $p, q, r, \cdots$ 表示原子命題，$p, q, r, \cdots$ 又稱為**命題變數**(propositional variables)。將有關命題變數之所有可能組合，連同對應之下命題值可形成一個表，這種表就稱為**真值表**(truth table)。

定理

▶ r 個命題變數之真值表，其可能之命題組合有 2^r 個。

證

因每個命題變數之值有真偽 2 種，故 r 個命題變數之可能值有 2^r 個。

基本連詞

常用的基本連詞有否定、且及或三種，分述如下：

(一) 否定

命題 p 之否定稱為非 p，記做 $\sim p$。若 p 為真(T)時，$\sim p$ 為偽(F)；若 p 為偽(F)時，$\sim p$ 為真(T)，由此，我們可得 $\sim p$ 之真值表為：

p	$\sim p$
T	F
F	T

例 1

敍述「台北市在台灣」因可辨別真偽故為一命題，依常識，這個命題是「真」(T)，其否定是「台北市不在台灣」，這個命題是「偽」(F)。

(二) 且則

若 p, q 為兩個命題，則 p 且 q 記做 $p \wedge q$；只當 p, q 均為真(T)時 $p \wedge q$ 方為真(T)，否則均為偽(F)，其真值表為：

p	q	p	$\wedge$	q
T	T		T	
F	T		F	
T	F		F	
F	F		F	

$p \wedge q$ 也稱為 p 與 q 之**合取**(conjunction)，因此「$\wedge$」也稱為**合取算子**(conjunction operator)。

例 2

判斷下列命題之真偽性
(1)「台北在台灣」且「5+2=6」
(2)「台北在英國」且「5+2=6」
(3)「台北在台灣」且「5+2=7」

解

(1) 台北在台灣為真，5+2=6 為偽
∴「台北在台灣」且「5+2=6」為偽

(2) 台北在英國為偽，5+2=6 為偽

∴「台北在英國」且「5+2=6」為偽

(3) 台北在台灣為真，5+2=7 為真

∴「台北在台灣」且「5+2=7」為真

（三）或則

若 p, q 為兩個命題，則 p 或 q 記做 $p \lor q$，只有當 p, q 均為偽(F)時，$p \lor q$ 為偽(F)，其餘均為真(T)，其真值表為：

p	q	p	$\lor$	q
T	T		T	
F	T		T	
T	F		T	
F	F		F	

$p \lor q$ 也稱為 p 與 q 之**析取**(disjoint)，因此「$\lor$」也稱為**析取算子**(disjoint operator)。

互斥或(exclusive or)以 $p \oplus q$ 表之，它表示：若 p 或 q 中只有一個為真(T)時，其真值方為真，故 $p \oplus q$ 之真值表為

p	q	p	$\oplus$	q
T	T		F	
F	T		T	
T	F		T	
F	F		F	

真值表之進一步例子

 例 3

求 $\sim[p \wedge (\sim q)] \vee q$ 真值表。

解

p	q	$\sim$	$[p$	$\wedge$	$($	$\sim$	$q)]$	$\vee$	q
T	T	T		F		F		T	
F	T	T		F		F		T	
T	F	F		T		T		F	
F	F	T		F		T		T	
①	①	④		③		②		⑤	

表最後一列之①，②，③，④，⑤表示填列之順序，純粹是為方便讀者研習，在實作時可不必寫出。

例 4

求 $(p \vee q) \wedge (\sim p)$ 之真值表。

解

p	q	$(p \vee q)$	$\wedge$	$($	$\sim$	$p)$
T	T	T	F		F	
F	T	T	T		T	
T	F	T	F		F	
F	F	F	F		T	
①	①	②	④		③	

兩個複合命題 $P_1(p_1, p_2 \cdots p_n)$，$P_2(p_1, p_2 \cdots p_n)$，若 P_1, P_2 在所有指派之真值下均有相同的命題值，我們稱 P_1 與 P_2 同義，以 $P_1 \equiv P_2$ 表之。有些書則用 $P_1 \Leftrightarrow P_2$ 表示 P_1 與 P_2 同義，惟讀者使用「$\Leftrightarrow$」時必須注意：

· $\Leftrightarrow$ 是命題同義之符號。

· $\leftrightarrow$ 是命題公式運算之符號。

例 5

用真值表證明 $\sim(p \vee \sim q) \equiv \sim p \wedge q$。

解

p	q	$\sim$	$(p$	$\vee$	$\sim$	$q)$	$\sim$	p	$\wedge$	q
T	T	F		T	F		F		F	
F	T	T		F	F		T		T	
T	F	F		T	T		F		F	
F	F	F		T	T		T		F	
①	①	④		③	②		⑤		⑥	

二行相同

命題代數基本性質

命題代數有一些基本定律，有助於將複雜的命題結構以代數方式進行化簡，現將一些重要定律摘錄於下表。表中之 T 為**恆真** (tautology)，F 為**矛盾** (contradiction) 也就是恆不真。

命題代數基本定律表

交換律	$p \wedge q \equiv q \wedge p$	$p \vee q \equiv q \wedge p$
結合律	$p \wedge (q \wedge r) \equiv (p \wedge q) \wedge r$	$p \vee (q \vee r) \equiv (p \vee q) \vee r$
等冪律	$p \wedge p \equiv p$	$p \vee p \equiv p$
吸收律	$p \wedge (p \vee q) \equiv p$	$p \vee (p \wedge q) \equiv p$
分配律	$p \wedge (q \vee r) \equiv$ $(p \wedge q) \vee (p \wedge r)$	$p \vee (q \wedge r) \equiv$ $(p \vee q) \wedge (p \vee r)$
隸摩根律	$\sim(p \wedge q) \equiv \sim p \vee \sim q$	$\sim(p \vee q) \equiv \sim p \wedge \sim q$
雙重否定	$\sim(\sim p) \equiv p$	
同一律	$p \wedge T \equiv p$	$p \vee F \equiv p$
	$p \wedge F \equiv F$	$p \vee T \equiv T$
互補律	$p \wedge \sim p \equiv F$	$p \vee \sim p \equiv T$

　　讀者可用真值表來證明這些結果。我們將以幾個例子說明上述規則之應用。

證明 $\sim(p \vee \sim q) \equiv \sim p \wedge q$。

解

$$\sim(p \vee \sim q) \equiv \sim p \wedge (\sim(\sim q)) \equiv \sim p \wedge q$$

例 7

證明 $p \wedge (\sim p \vee q) \equiv p \wedge q$。

解

$$p \wedge (\sim p \vee q) \equiv (p \wedge \sim p) \vee (p \wedge q) \equiv F \vee (p \wedge q) \equiv p \wedge q$$

對偶性

細心的讀者在「命題代數基本定律表」或可發現到一個有趣的規則：某一定律之 $\vee$ 換成 $\wedge$，$\wedge$ 換成 $\vee$，T 換成 F，F 換成 T，就可得到另外一個定律，這稱為**對偶性**(duality)。

以分配律 $p \wedge (q \vee r) \equiv (p \wedge q) \vee (p \wedge r)$ 為例，取 $\wedge \rightarrow \vee$、$\vee \rightarrow \wedge$

則 $p \vee (q \wedge r) \equiv (p \vee q) \wedge (p \vee r)$

又如同一律

$p \wedge T \equiv p$，取 $\wedge \rightarrow \vee$，$T \rightarrow F$ 則

$p \vee F \equiv p$

又如本節例 7，$p \wedge (\sim p \vee q) \equiv p \wedge q$ 成立，依對偶性，我們有 $p \vee (\sim p \wedge q) \equiv p \vee q$。

對偶性在爾後之集合論、布林代數等之論證上均極為有用處。

例 8

寫出下列子題之對偶敘述：

(1) $(p \vee q) \wedge \sim (F \vee q)$

(2) $\sim (p \vee q \wedge r) \vee \sim (T \wedge q)$

解

(1) $(p \vee q) \wedge \sim (F \vee q)$ 之對偶敘述為

$(p \wedge q) \vee \sim (T \wedge q)$

(2) $\sim (p \vee q \wedge r) \vee \sim (T \wedge q)$ 之對偶敘述為

$\sim (p \wedge q \vee r) \wedge \sim (F \vee q)$

作業 1A
Homework

求下列(1～4)各題之真值表：

1. $p \vee (\sim p \wedge q)$

2. $\sim[\sim(\sim p)]$

3. $\sim[p \vee (\sim q \wedge p)]$

4. $\sim[\sim p \wedge \sim(p \wedge \sim q)$

5. p, q, r 為三個命題變數，若已知 p, r 為真，q 為偽求下列的題之真偽值：

   (1)$\sim p \wedge (q \wedge \sim r)$，(2)$(p \wedge q) \vee (\sim p \vee r)$，(3)$p \vee (q \wedge r)$。

6. 寫出下列子題之對偶敘述：

   (1)$(p \wedge q) \vee (\sim p \wedge q) \vee (p \wedge \sim q) \vee (p \wedge \sim q)$

   (2)$(p \wedge q \vee F) \vee (\sim p \vee q) \vee (T \wedge p)$

7. 求(1) $p \vee (p \oplus q)$ 之真值表。

   (2)$\sim p \oplus (p \oplus \sim q)$ 之真值表。

8. 判斷下列複合命題之真偽性

   (1) $1 + 1 = 2$ 或 $2 + 3 = 4$

   (2) $1 + 1 = 2$ 且 $2 + 3 = 5$

   (3) $1 + 2 = 5$ 或 $2 + 3 = 4$

   (4) $1 + 3 = 2$ 或太陽從西邊升起。

   (5) 太陽從西邊升起或 $2 + 3 = 5$

9. 求下列複合命題之真值表

   (1) $p \oplus p$

   (2) $p \oplus \sim q$

1.2　條件命題

條件命題之真值表

在日常生活中，我們常會面臨到「在什麼條件下，我們將如何如何」這類問題，本節即討論這類問題之邏輯架構——**條件命題**(conditional proposition)。p, q 為二個本原命題，**若 p 則 q**(if p then q)，記做 $p{\to}q$，式中 p 稱為**前提**(antecedent)，q 為**結果**(concequent)。

> **定義**
>
> 條件命題 $p{\to}q$ 之真值表如下：

p	q	$p{\to}q$
T	T	T
F	T	T
T	F	F
F	F	T

由 $p{\to}q$ 之真值表可知，條件命題之前提為真，其結果必須為真時，該條件命題才為真，若前提為偽，不論其結果是真還是偽，該條件命題均為真。

例 1

下列條件命題除了(2)為偽，其餘均為真。

(1) 若台北在台灣則 1+5=6　　(3) 若台北在英國則 1+5=6

(2) 若台北在台灣則 1+5=4　　(4) 若台北在英國則 1+5=4

例 2

求 $p \vee q \to p \wedge q$ 之真值表。

p	q	$p \vee q$	$\to$	$p \wedge q$
T	T	T	T	T
F	T	T	F	F
T	F	T	F	F
F	F	F	T	F
①	①	②	④	③

下面定理是本節關鍵定理之一。

定 理 ▶▶

下列三個命題為同義

(1) 若 p 則 q　（即 $p \to q$）

(2) $\sim p \vee q$

(3) $\sim q \to \sim p$

證　我們可建立此三命題之真值表如下：

p	q	$p \to q$	$\sim p \vee q$		$\sim q \to \sim p$	
T	T	T	F T		F T	F
F	T	T	T T		F T	T
T	F	F	F F		T F	F
F	F	T	T T		T T	T
①	①	②	③ ④		⑤ ⑦	⑥

三行完全相同

由上述結果可知：

$$p \rightarrow q \equiv \sim p \vee q \equiv \sim q \rightarrow \sim p$$

複合條件命題之代數運算

利用上列定理，我們可以用代數的方式來化簡一些較為複雜的條件命題。

例 3

試證 $p \rightarrow (q \rightarrow p)$ 為恆真。

解

$$p \rightarrow (q \rightarrow p) \equiv \sim p \vee (\sim q \vee p) \equiv \sim p \vee (p \vee \sim q) \equiv (\sim p \vee p) \vee \sim q$$
$$\equiv T \vee \sim q \equiv T$$

例 4

試證 $(p \rightarrow q) \rightarrow q \equiv p \vee q$。

解

$$(p \rightarrow q) \rightarrow q \equiv \sim(\sim p \vee q) \vee q \equiv (p \wedge \sim q) \vee q$$
$$\equiv (p \vee q) \wedge (\sim q \vee q) \equiv (p \vee q) \wedge T \equiv p \vee q$$

雙條件命題真值表

「**若且惟若 p 則 q**」（if and only if p then q，通常以 $p \leftrightarrow q$ 或 p iff q 表之），是一個**雙條件命題**(biconditional proposition)，$p \leftrightarrow q$ 之真值表為：

p	q	$p \leftrightarrow q$
T	T	T
F	T	F
T	F	F
F	F	T

即此雙條件命題只當 p, q 有相同之真偽值時，$p \leftrightarrow q$ 才為真。我們也可說 $p \leftrightarrow q$ 為真時必須 $p \rightarrow q$ 為真且 $q \rightarrow p$ 亦為真。

例 5

試證 $p \leftrightarrow (p \wedge q) \equiv \sim p \vee q \equiv p \rightarrow q$。

 解

$$
\begin{aligned}
p \leftrightarrow (p \wedge q) &\equiv \big(p \rightarrow (p \wedge q)\big) \wedge \big((p \wedge q) \rightarrow p\big) \\
&\equiv \big(\sim p \vee (p \wedge q)\big) \wedge \big(\sim (p \wedge q) \vee p\big) \\
&\equiv [(\sim p \vee p) \wedge (\sim p \vee q)] \wedge [(\sim p \vee \sim q) \vee p] \\
&\equiv [T \wedge (\sim p \vee q)] \wedge [(\sim p \vee \sim q) \vee p] \\
&\equiv (\sim p \vee q) \wedge [\sim q \vee (\sim p \vee p)] \\
&\equiv (\sim p \vee q) \wedge [\sim q \vee T] \\
&\equiv (\sim p \vee q) \wedge T \\
&\equiv \sim p \vee q \\
&\equiv p \rightarrow q
\end{aligned}
$$

我們可用真值表證明如下：

p	q	$p \leftrightarrow (p \wedge q)$		$\sim p$	$\vee q$	$p \rightarrow q$
T	T	T	T	F	T	T
F	T	T	F	T	T	T
T	F	F	F	F	F	F
F	F	T	F	T	T	T

相同

逆命題、否命題與逆否命題

定 義

給定條件命題 $p \rightarrow q$ 我們稱 $p \rightarrow q$ 為**原命題**，其**逆命題**(converse)為 $q \rightarrow p$，**否命題**(inverse)為 $\sim p \rightarrow \sim q$。**逆否命題**(contrapositive)為 $\sim q \rightarrow \sim p$。

原命題、逆命題、否命題與逆否命題之真值表如下，由真值表可知，原命題與逆否命題為等價：

p	q	原命題 $p \rightarrow q$	逆命題 $q \rightarrow p$	否命題 $\sim p \rightarrow \sim q$	逆否命題 $\sim q \rightarrow \sim p$
T	T	T	T	T	T
F	T	T	F	F	T
T	F	F	T	T	F
F	F	T	T	T	T

二個命題 p：台北在台灣，q：5+2=8 則

(1) 條件命題 $p{\rightarrow}q$「若台北在台灣則 5+2=8」

(2) 逆命題 $q{\rightarrow}p$ 為「若 5+2=8 則台北在台灣」

(3) 否命題 ${\sim}p{\rightarrow}{\sim}q$ 為「若台北不在台灣則 $5+2\neq8$」

(4) 逆否命題 ${\sim}q{\rightarrow}{\sim}p$ 為「若 $5+2\neq8$ 則台北不在台灣」。

　　例 6 中僅(1)為偽。

反證法

　　我們常需證明「若 p 則 q」形式之命題，如「若 $x>2$ 則 $x^3>8$」，一般都是在 p 之假設下推證出 q 成立，但有時這種推證法並非容易，此時我們便可用反證法，反證法是令 q 為偽（即${\sim}q$），逐步推證出 p 不成立即 ${\sim}p$ 為真，從而得到與已知之事實互相矛盾的結果。

　　a, b 為二正數，若 $k{\leq}ab$，試證 $a\leq\sqrt{k}$ 或 $b\leq\sqrt{k}$。

【分析】

　　本例直接證明可能會有困難，因此我們試用反證法：令 p_1 表示敘述「$a\leq\sqrt{k}$」，p_2 表示敘述「$b\leq\sqrt{k}$」，因為

$$\sim(p_1\lor p_2)\equiv\sim p_1\land\sim p_2\qquad\therefore p_1\lor p_2\equiv\sim(\sim p_1\land\sim p_2)$$

　　$\sim p_1$ 為 $a>\sqrt{k}$，$\sim p_2$ 為 $b>\sqrt{k}$

解

設 $a > \sqrt{k}$ 且 $b > \sqrt{k}$ 則 $a \cdot b > \sqrt{k} \cdot \sqrt{k} = k$，此與已知條件 $ab \leq k$ 矛盾，$\therefore ab \geq k$ 時我們有 $a \leq \sqrt{k}$ 或 $b \leq \sqrt{k}$。

作業 1B
Homework

1. 試用真值表與命題代數法證明下列命題為恆真：

   (1) $p \wedge (p \rightarrow q) \rightarrow 7$

   (2) $\sim p \rightarrow (p \rightarrow q)$

   (3) $p \rightarrow [q \rightarrow (p \wedge q)]$

2. 用命題 p：學費貴，q：老師好，r：市面上參考書少，表示下列複合命題

   (1) 若學費貴或老師好則市面上參考書少

   (2) 惟若老師好則市面上參考書少

   (3) 老師好之必要條件是學費貴

   (4) 市面上參考書多之充分條件是老師差

3. 用真值表證明：

   (1) $(p \rightarrow q) \wedge (r \rightarrow q) \equiv (p \vee r) \rightarrow q$

   (2) $p \rightarrow (q \vee r) \equiv (p \wedge \sim q) \rightarrow r$

4. 用命題代數法試證明：

   (1) $(p \rightarrow q) \rightarrow q \equiv p \vee q$

   (2) $p \rightarrow (q \vee r) \equiv (p \rightarrow q) \rightarrow (p \rightarrow r)$

5. 用反證法證明：若 $m > 2$ 且 $n > 2$ 則 $m + n > mn$，m, n 為正整數。

6. 求 $p \rightarrow (q \oplus \sim r)$ 之真值表。

7. 寫出命題「$(p \vee \sim q) \rightarrow \sim r$」之逆命題、否命題與逆否命題。

8. 設 $a_1, a_2, \cdots, a_5$ 均為正數，若 $a_1 + a_2 + \cdots a_5 = 13$，且 $a_1 a_2 \cdots a_5 = 6$，試證 $a_1, a_2 \cdots a_5$ 中至少有一個數 ≤ 1

9. 設 $\triangle ABC$ 為銳角三角形，若 $\angle A > \angle B > \angle C$，求證 $\angle B > 45°$。

10. a, b 為實數，若 $a^3 + b^3 = -3$，求證 $a + b \leq 1$。

1.3 命題推理

本節我們將對給定之前提 H_1, H_2, $\cdots Hn$ 成立下提供一套推論規則以得到結論 C，這裡的 H_1, H_2, $\cdots H_n$ 及 C 都是命題。若 $H_1 \wedge H_2 \wedge \cdots \wedge H_n \Rightarrow C$ 則稱 H_1, H_2, $\cdots H_n$ 推出結論 C，要注意的是前提內之 H_1, H_2, $\cdots H_n$ 彼此間都是「且則」關係。因為這種推論是我們根據一套嚴謹的推理規則而來的，所以這種證明稱為有效證明，所得之結論稱為有效結論。

這些規則都有特定名稱，但本書不特意要讀者記誦這些名稱，惟讀者必須對這些規則心領神會，每個規則下都有一些簡單的說明幫助大家理解。

規則一

$$p \rightarrow q$$
$$p$$
$$\overline{\therefore q}$$

當「『若 p 則 q』且 p」同時成立時，將導致 q 成立。例如：若甲是中國人(p)則甲是黃種人(q)，現在甲是中國人(p)，故可得到甲是黃種人之結論(q)。

規則二

$$p \rightarrow q$$
$$\sim q$$
$$\overline{\therefore \sim p}$$

因 $p \rightarrow q$ 與 $\sim q \rightarrow \sim p$ 同義，現 $\sim q$ 成立，根據(1)之推論可得 $\sim p$ 之結果。例如：若甲是中國人(p)則甲是黃種人(q)，現在甲不是黃種人($\sim q$)故可得到甲不是中國人之結論($\sim p$)，事實上規則 1, 2 是互通的。

規則三

$$p \rightarrow q$$

$$q \rightarrow r$$

$$\therefore p \rightarrow r$$

例如「若甲是廣東人(p)則甲是中國人(q)」，且「若甲是中國人(q)則甲是亞洲人(r)」，現已知甲是廣東人(p)，因而可推得甲是亞洲人(r)。規則三可推廣為：$p_1 \rightarrow p_2$, $p_2 \rightarrow p_3$, $p_3 \rightarrow p_4$ 則 $p_1 \rightarrow p_4$ 成立。

規則四

$$p \lor q$$

$$\sim p$$

$$\therefore q$$

例如：甲是基督徒(p)或佛教徒(q)，現在甲不是基督徒$(\sim p)$，所以甲是佛教徒(q)。

規則五

$$\frac{p \land q}{\therefore p}$$ 或 $$\frac{p \land q}{\therefore q}$$

例如：甲是男生(p)且甲是基督徒(q)，因而可推知甲是男生(p)，當然也可推知甲是基督徒(q)。

規則六

$$p$$

$$q$$

$$\therefore p \land q$$

例如：甲是中國人(p)與甲是佛教徒(q)均成立，因而可推知甲是中國人且甲是佛教徒$(p \land q)$。

規則七

$$p$$

$$\therefore p \lor q$$

例如：甲是中國人(p)因而可推論出甲是中國人(p)或甲是日本人(q)。

規則八

$$p \rightarrow q$$

$$p \rightarrow r$$

$$\therefore p \rightarrow q \land \text{r}$$

例如：若甲是男生(p)，則甲要服兵役(q)，若甲是男生則甲要就業，因而推知若甲為男生則甲要服兵役且就業。

規則九

$$p \rightarrow q$$

$$\frac{r \rightarrow q}{\therefore p \lor r \rightarrow q}$$

例如：若甲是理學院大一生(p)，則甲要修微積分(q)，若甲為工學院大一生(r)，則甲要修微積分，因而推知：若甲是理學院大一生或甲是工學院大一生，則甲要修微積分。

我們將應用上述規則進行一些有趣的命題推理。

例 1

(1) 若甲用功則甲考試成績好。

(2) 若甲考試成績好則甲有一筆獎金。

(3) 甲沒有獎金。

請據上述三個條件做出有效推論。

解

令 p：甲用功

q：甲考試成績好

t：甲有獎金

依題意

$$p \rightarrow q$$

$$q \rightarrow t$$

$$\sim t$$

現我們做推論如下：

$$p \to q$$

$$\underline{q \to t}$$

$$\therefore \ p \to t \quad （規則三）$$

$$\underline{\sim t}$$

$$\therefore \ \sim p \quad （規則二），即甲不用功。$$

例 2

(1) 甲是佛教徒或基督徒。

(2) 若甲是基督徒則甲每週要上教堂。

(3) 甲每週不上教堂。

　　請據上述前提做出有效推論。

解

　　令 p：甲是佛教徒

　　q：甲是基督徒

　　r：甲每週上教堂。

　　依題意：

$$p \vee q$$

$$q \to r$$

$$\sim r$$

我們可做推論：

$$q \rightarrow r$$

$$\underline{\sim r}$$

$$\therefore \quad \sim q \quad \text{（規則二）}$$

$$\underline{p \lor q}$$

$$\therefore \quad p \quad \text{（規則四），即甲為佛教徒。}$$

例 3

　　A 或 B 是老師，若 A 是老師，則他會在本系開課，若 B 是老師則 C 也是老師，A 不在本系開課，問 B、C 是否是老師？

解

A：A 是老師　　B：B 是老師　　C：C 是老師

T：A 在本系開課

依題意，有以下前提 $A \lor B$，$A \rightarrow T$，$B \rightarrow C$，$\sim T$，我們可推論如下：

$$A \rightarrow T$$

$$\underline{\sim T}$$

$$\therefore \sim A$$

$$\underline{A \lor B}$$

$$\therefore B$$

$$\underline{B \rightarrow C}$$

$$\therefore C$$

即 B、C 均為老師。

基礎離散數學 Discrete
A Short Course in Mathematics

作業 1C
Homework

1. $p \rightarrow q$

    $q \rightarrow r$

    $\sim r$

    ?

2. $\sim q \rightarrow \sim p$

    $q \rightarrow r$

    $\sim r$

    ?

3. $r \rightarrow q$

    $p \rightarrow \sim q$

    $\sim r \rightarrow s$

    ?

4. $p \rightarrow (q \vee r)$

    $\sim r$

    ?

5. $p \rightarrow q$

    $p \vee s$

    $q \rightarrow r$

    $s \rightarrow t$

    $\sim r$

    ?

1.4　量　詞

本節要討論一種有關「量」的推論，其典型問題是

$$\begin{array}{l} 所有\ x\ 是\ y \\ \underline{s\ 是一個\ x} \\ \therefore s\ 是\ y \end{array}$$

我們先看一個古典的推論

$$\begin{array}{l} 所有的人都會死 \\ \underline{蘇格拉底是人} \\ \therefore 蘇格拉底也會死 \end{array}$$

顯然前節的推論模式

$$\begin{array}{l} p \\ \underline{q} \\ \therefore r \end{array}$$

是無法應用在本節要討論的問題上，因此，本節將針對**量詞**(quantifier)作一簡介。

本節我們討論的命題有二部分，一是所謂的**全稱量詞**(universal quantifier)，這是關於「所有的」命題；另一個是**存在量詞**(existential quantifier)，這是關於「存在」、「至少有一個」命題。

下列都是量詞命題之例子：

(1) 所有質數都是奇數。

(2) 至少存在一個偶數為質數。

(3) 所有台大學生身高都在 130 公分以上。

(4) 至少存在一個台大學生身高在 130 公分以下。

全稱量詞

若 $p(x)$ 為定義於集合 A 之命題式，則 $\forall x\, p(x)$（也有寫成 $\forall x,\ p(x)$ 或 $(\forall x \in A)p(x)$）讀作「對 A 中所有元素 x 而言，$p(x)$ 均成立」。符號 $\forall$ 表示「**對所有**」(for all)或「**對每一個**」(for every)的意思。$\forall x\ p(x)\ x \in A$ 必須在 A 中之所有元素均滿足命題 $p(x)$ 之情況下方為真。若找到一個元素不滿足 $p(x)$，則 $\forall x\, p(x)$ 便為偽。

例 1

說明下列命題之意義及其真偽：

(1) $(\forall x \in z^{+})(x^2 \geq 2)$，$z^{+} = \{1, 2, 3, \cdots\}$

中文：對所有正整數 x, $x^2 \geq 2$

（這個命題顯然是偽，因 $x=1$ 時 $x^2 \geq 2$ 不成立）

(2) $(\forall x \in A)(x^2+1 \leq 10)$, $A=\{-1, 0, 1, 2, 3\}$

中文：對所有 A 中之元素，$x^2+1 \leq 10$

（此一命題為真）

(3) $(\forall x \in A)(x^2 \leq x)$, $A=\{x \mid x^2 \leq 1\}$

中文：對所有 A 中之元素，$x^2 \leq x$

（此一命題為偽，至少 $x = -1$ 時 $x^2 \leq x$ 不成立）

存在量詞

$p(x)$ 為定義於集合 A 之命題，則 $(\exists x \in A)p(x)$ 或 $(\exists xp(x))$ 讀作「存在一個 $x \in A$ 使得 $p(x)$ 成立」，上式「$\exists$」讀做「**存在**」(there exists)，「**對某些**」(for some) 或「**至少一個**」(for at least one)。要證明 $\exists xp(x), x \in A$，A 中只要有一個元素滿足 $p(x)$，便可成立。

說明下列命題之意義及其真偽：

(1) $(\exists x \in A)(x + 2 = 7)$，$A = \{-3, -1, 0, 1, 2, 3, 4, 5\}$

　　中文：在 A 中存在一個 x 使得 $x + 2 = 7$

　　（上述命題為真，事實上僅 $x = 5$ 滿足 $x + 2 = 7$）

(2) $(\exists x \in A)(|x| + 1 = 0)$

　　中文：在 A 中存在一個 x，使得 $|x| + 1 = 0$

　　（上述命題為偽，因 $|x|$ 不可能為負）

　　一個命題往往會有存在量詞與全稱量詞並存之情形。

$A = \{1, 2, 5, 8\}$

(1) $(\forall x \in A)(\exists y \in A)(x + 2y \le 10)$

　　中文：A 中之所有 x 均能在 A 中找到一個 y 使得 $x + 2y \le 10$。

　　（此一命題成立）

(2) $(\forall x \in A)(\exists y \in A)(xy$ 為偶數$)$

　　中文：A 中之所有 x，均能在 A 中找到一個 y，使得 xy 為偶數。

　　（此一命題成立）

(3) $(\exists x \in A)(\exists y \in A)(x+2y>10)$

中文：在 A 中存在一個 x 及一個 y 使得 $x+2y>10$。

（此一命題成立）

例 4

求下列敘述之真值： $A = \{-2, -1, 0, 1, 2\}$

(1) $\exists x \in A,\ x^2+x+1=0$　　(3) $\exists x \in A,\ x^3+1=0$

(2) $\forall x \in A,\ x^2+x+1=0$　　(4) $\forall x \in A,\ x^3+1=0$

解

(1) 偽，因 A 中無元素滿足 $x^2+x+1=0$

(2) 偽，$x=2$ 便不滿足 $x^2+x+1=0$

(3) 真，因 $x = -1$ 滿足 $x^3+1=0$

(4) 偽，$x=2$ 便不滿足 $x^3+1=0$

量詞之否定

定 義

全稱量詞與存在量詞命題之否定，規定：

(1) $\sim(\exists x \in A)\, p(x) \equiv (\forall x \in A)\sim p(x)$

(2) $\sim(\forall x \in A)\, p(x) \equiv (\exists x \in A)\sim p(x)$

我們以一個日常生活的例子說明定義中之 $\sim(\exists x \in A)p(x) \equiv (\forall x \in A)\sim p(x)$：若 A 是本班同學所成之集合，$p(x)$ 為喜歡上離散數學，則 $(\exists x \in A)p(x)$ 表示存在一位本班同學喜歡離散數學，其否定 $(\forall x \in A)\sim p(x)$ 表示本班每一位同學都不喜歡離散數學。

例 5

若 $A=\{5, 7, 9, 11\}$，求下列命題之真值，然後將命題否定，並求否定後之真值。

(1) $\forall x \in A, x+5 \geq 13$ 　　　　　(3) $\exists x \in A, x$ 為質數

(2) $\forall x \in A, x$ 為質數 　　　　(4) $\forall x \in A, |x|=x$

解

(1) $\forall x \in A, x+5 \geq 13$ 為偽

$\sim(\forall x \in A)(x+5 \geq 13) \equiv (\exists x \in A)(x+5<13)$，至少 5 或 7 均滿足 $x+5<13$ 其真值為真

(2) 「$\forall x \in A$，x 為質數」為偽（$\because 9$ 不為質數）

$\sim(\forall x \in A)(x$ 為質數$) \equiv (\exists x \in A)(x$ 不為質數$)$，其真值為真

(3) 「$\exists x \in A, x$ 為質數」為真

$\sim(\exists x \in A)(x$ 為質數$) \equiv (\forall x \in A)(x$ 不為質數$)$，其真值為偽

(4) $\forall x \in A, |x|=x$ 為真

$\sim(\forall x \in A)(|x|=x) \equiv (\exists x \in A)(|x| \neq x)$，其真值為偽（$\because x \geq 0$ 時 $|x|=x$）

一些較複雜之量詞命題及其運算

本子節將討論一些較複雜之量詞命題之推論，如：

$\forall x\big(A(x) \wedge B(x)\big)$ ：所有 x 滿足（$A(x)$ 且 $B(x)$）

$\exists x\big(A(x) \vee B(x)\big)$ ：存在一個 x 滿足（$A(x)$ 或 $B(x)$）

$\forall x\big(A(x) \to B(x)\big)$：所有 x 滿足（若 $A(x)$ 則 $B(x)$）

$\exists x\big(A(x) \to B(x)\big)$：存在一個 x 滿足（若 $A(x)$ 則 $B(x)$）

例 6

試證：

(1) $\sim [\forall x (p(x) \wedge \sim q(x))] \equiv \exists x (p(x) \rightarrow q(x))$

(2) $\sim [\exists x (p(x) \rightarrow \sim q(x))] \equiv \forall x (p(x) \wedge q(x))$

解

(1) $\sim [\forall x (p(x) \wedge \sim q(x))] \equiv \exists x [\sim ((p(x) \wedge \sim q(x))]$

$\equiv \exists x (\sim p(x) \vee \sim (\sim q(x)))$

$\equiv \exists x (\sim p(x) \vee q(x))$

$\equiv \exists x (p(x) \rightarrow q(x))$（$\because p \rightarrow q$ 與 $\sim p \vee q$

為同義）

(2) $\sim [\exists x (p(x) \rightarrow \sim q(x))] \equiv \forall x [\sim (\sim p(x) \vee \sim q(x))]$

$\equiv \forall x (p(x) \wedge q(x))$

作業 1D
Homework

1. 若 $p(x)=x$ 是一個好人，$q(x)=x$ 是一個政治人物，請用適當之命題函數、邏輯詞與量詞表達：

　(1) 不是所有的政治人物是好人

　(2) 存在一個政治人物是好人

　(3) 存在一個政治人物不是好人

　(4) 每一個好人都是政治人物

　(5) 存在一個好人他不是政治人物

2. $p(x)$：喜愛國文，$q(x)$：喜愛英文，試將下列命題用文字說出其意義：

　(1) $\forall (x)\big(p(x) \wedge q(x)\big)$

　(2) $\exists (x)\big(p(x) \wedge \sim q(x)\big)$

　(3) $\exists (x)\big(p(x) \leftrightarrow q(x)\big)$

　(4) $\sim \exists (x)\big(\sim p(x) \rightarrow q(x)\big)$

　(5) $\forall (x)\sim \big(p(x) \wedge q(x)\big)$

3. 下列命題何者為真？

　(1) $\exists(x)\exists(y)(2x+3y=4)$

　(2) $\forall(x)\exists(y)(2x+3y=4)$

　(3) $\forall(x)\forall(y)(2x+3y=4)$

　(4) $\exists(x)\exists(y)(2x+3y=4 \wedge x-y=2)$

　(5) $\forall(x)\exists(y)(2x+3y=4 \wedge x-y=2)$

4. $E(x, y)$：x 表數學系全體同學，y 表數學系開設之所有數學課
   程，試用文字表示下列式子之意義：
   (1) $\forall x \exists y E(x, y)$
   (2) $\exists x \exists y E(x, y)$
   (3) $\forall y \exists x E(x, y)$

Chapter **02**

集　　合

2.1 集合定義

集合之基本定義

　　集合(set)是一群**定義明確**(well-defined)之個體所成之**集體**(collection)。集合之每一個個體稱為**元素**（element 或 member），定義中所稱之定義明確，是指給定一個個體，我們必須能夠判斷出該個體是否屬於這個集合。

　　集合之表示方法大致可分列舉法與特性法兩種，我們說明如下：

（一）列舉法：列舉法是將集合內之元素逐一寫在一個大括弧內，其形式為 $A=\{a_1, a_2, \cdots, a_n\}$，例如：

　　◆ 世界三大洋所成之集合，用列舉法可表示為 { 太平洋，大西洋，印度洋 } 。

（二）特性法：特性法是將具有某種特性 P 之元素作一概括性描述，其一般表示法為 $A=\{x|P(x)\}$，例如：

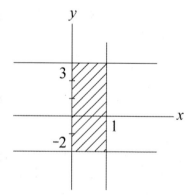

　　◆ $A=\{x|x=2k, k$ 為自然數 $\}$，這是偶數所成之集合。

　　◆ $A=\{x|-3\leq x\leq 3, x$ 為實數 $\}$，這是 $[-3, 3]$ 中所有實數所成之集合。

　　◆ $A=\{(x, y)|0\leq x\leq 1, -2\leq y\leq 3, x, y$ 為實數 $\}$，這表示 $x=0$, $x=1$, $y=-2$, $y=3$ 所圍成長方形區域內所有點所成之集合。

　　◆ $A=\{x|x$ 為台灣河川 $\}$ 為台灣地區所有河川所成之集合。

本書有關數系所用之集合符號：

(1) $Z^+=\{x|x$ 為正整數$\}=\{1,2,3...\}$，即 Z^+為正整數集合。

(2) $N=\{x|x$ 為正整數或 $0\}=\{0,1,2,3...\}$，即 N 為非負整數或 N 為自然數集合。

(3) $Z=\{x|x$ 為整數$\}=\{...-3,-2,-1,0,-1,2,3...\}$，即 Z 為整數集合。

(4) $Q=\{x|x$ 為有理數$\}=\{x|x=\dfrac{q}{p}$，$p,q\in Z$ 且 $p\neq 0\}$，即 Q 為有理數集合。

(5) $Q'=\{x|x$ 為無理數$\}$，即 Q'為無理數集合。

(6) $R=\{x|x$ 為實數$\}$，即 R 為實數集合。（讀者在研習時應將問題中之 R 究為實數或關係分辨清楚）

(7) $R^+=\{x|x$ 為正實數$\}$即 R^+為正實數集合。

對任何一個不含任何元素之集合稱之為**空集合**(empty set)，記作 ϕ，像 $\{x\,|\,x\neq x\}$，$\{x\,|\,x^2+1=0, x\in R\}$ 都是空集合。

習慣上以大寫字母 A，B，X 等代表集合，而以小寫字母 a，b，$c\cdots$代表元素，$x\in A$ 表示 x 為集合 A 之一個元素，$x\notin A$ 表示 x 不為 A 之元素。

因此，元素 x 與集合 A 之關係只有「屬於」與「不屬於」之關係。

$A=\{1, 3, 5, 7, 9\}$則 $3\in A$，$4\notin A$。若 $x\in A$ 且 $6\geq x\geq 4$ 時 $x=5$。

例 2

$A=\{x|x=2^n, n$ 為正整數$\}$則 $3\notin A$，$4\in A$。

元素與元素間則有「等於＝」與「不等於≠」兩種關係。

例 3

$A=\{2x, 7\}$，$B=\{6, 7\}$，若 $A=B$ 則 $2x=6$，即 $x=3$。

設 A，B 為二集合，若 B 中之每一元素均為 A 之元素則稱 B 包含於 A，記做 $B\subseteq A$，此時 B 稱為 A 之**部分集合**或**子集合** (subset)，例如 $A=\{1, 3, 5, 7, 9\}$，$B=\{1, 3, 5\}$則 $B\subseteq A$。任一集合均為自身之子集合，即 $A\subseteq A$恒成立。我們規定空集合 ϕ為任意集合之子集合，即 $\phi\subseteq A$恆成立。

在此有二點值得注意：(1)集合不因其中元素次序改變而有所不同，(2)集合中所有相同之元素均視為同一元素。若 $A\subseteq B$ 且 $B\subseteq A$則定義 $A=B$，例如：$C=\{3, 1, 5\}$，$D=\{1, 1, 3, 5\}$則 $B=C=D$。若 B 是 A 之子集合，但 $B\neq A$則 B 為 A 之**真子集**(proper subset)。

例 4

集合之元素也可能是以集合形式出現，如 $A=\{1, 2, \{a, b\}, p\}$則$1\in A$，$\{a\}\not\subseteq A$，$\{a, b\}\not\subseteq A$，$\{a, b\}\in A$，$\{\{a, b\}\}\subseteq A$，$p\in A$，$\{p\}\subseteq A$，$a\notin A$。

　　若所有集合均是某一特定集合之子集合，此特定集合稱為**廣集合**(universal set)，換言之，廣集合就是我們考慮下之所有元素所成之集合。若所有大學生所成之集合為廣集合則台大學生所成之集合便為其子集合。若我們以台大學生為廣集合則台大數學系學生所成之集合便為台大學生所成集合之子集合。

集合之個數

　　集合 A 之元素個數記做 $|A|$，例如 $A=\{1,2,3\}$ 則 $|A|=3$，$B=\{1,2,3,3\}$，則 $|B|=3$，$B=\phi$ 時規定 $|B|=0$。

冪集合

　　定義：集合 A 之所有子集合所成之集合稱為**冪集合**(power set)，集合 A 之冪常用 $P(A)$ 或 2^A 表示。冪集合之正式定義為

$$P(A) = \{x \mid x \subseteq A\}$$

例 5

　　若 $A=\{1, a\}$ 求 $P(A)$。

 解

　　$P(A)=\{\phi, \{1\}, \{a\}, \{1, a\}\}$ 或 $\{\phi, \{1\}, \{a\}, A\}$

例 6

　　若 $B = \{a, b, 1\}$，求 $P(B)$。

解

　　$P(B)=\{\phi, \{a\}, \{b\}, \{1\}, \{a, b\}, \{a, 1\}, \{b, 1\}, B\}$

例 5 中 $|A|=2$，$|P(A)|=2^2=4$ 個元素，例 6 中 $|B|=3$，$|P(B)|=2^3=8$ 個元素。對含有 n 個相異元素之集合 Y 而言，Y 之冪集合 $P(Y)$ 含有 2^n 個元素，這就是有些作者將 A 之冪集合用 2^A 表示之原因。

例 7

下列敘述何者成立？

(1) $\phi \in \{0\}$　(2) $\phi \subseteq \{\{\phi\}, \phi\}$　(3) $\{\phi\} \subseteq \{\{\phi\}, \phi\}$　(4) $\phi \in \{\{\phi\}, \phi\}$

(5) $\{\phi\} \in \{\{\phi\}, \phi\}$

解

本例之重點於指出 ϕ 除了可表空集合外，它也可能是集合之元素：

(1) $\phi \in \{0\}$ 是錯的，應改為 $\phi \subseteq \{0\}$

(2) $\phi \subseteq \{\{\phi\}, \phi\}$ 是對的，因為空集合 ϕ 為任何集合之子集合

(3) $\{\phi\} \subseteq \{\{\phi\}, \phi\}$ 是對的，在此讀者可由箭頭對應即可知道原由

(4) $\phi \in \{\{\phi\}, \phi\}$ 是對的　　(5) $\{\phi\} \in \{\{\phi\}, \phi\}$ 是對的

例 8

若 $B = \{a, b, \{b\}\}$ 求 $P(B)$。

解

$P(B)=\{ \phi, \{a\}, \{b\}, \{\{b\}\}, \{a, b\}, \{a, \{b\}\}, \{b, \{b\}\}, B\}$

例 9

求下列冪集合之元素個數？

(1) $P(\{x, y, \{x, y\}\})$

(2) $P(\{\phi, x, \{x\}, \{\{x\}\}\})$

(3) $P(P(P(\phi)))$

解

我們利用集合 A 有 n 個元素則其冪集合有 2^n 個元素，因此

(1) $\{x, y, \{x, y\}\}$ 有 3 個元素，故 $P(\{x, y, \{x, y\}\})$ 有 $2^3 = 8$ 個元素

(2) $\{\phi, x, \{x\}, \{\{x\}\}\}$ 有 4 個元素，故 $P(\{\phi, x, \{x\}, \{\{x\}\}\})$ 有 $2^4 = 16$ 個元素

(3) $P(\phi)$ 有 $2^0 = 1$ 個元素，故 $P(P(\phi)) = 2^1 = 2$ 個元素

∴ $P(P(P(\phi))) = 2^2 = 4$ 個元素

作業 2A
Homework

1. $A=\{1, 2, \{3, 4,\}\}$，問下列何者正確？

   (1) $1 \subseteq A$ (2) $\{3\} \subseteq A$ (3) $\{3, 4\} \subseteq A$

   (4) $\{\{3, 4\}\} \subseteq A$ (5) $\{3, 4\} \in A$ (6) $\{1\} \subseteq A$

   (7) $\{1, 2\} \in A$

2. 若 $A=\{1, 2, 3, 4,\}$，$B=\{x|x^2-5x+6=0\}$，$C=\{x|x$ 為偶數$\}$，
   $D=\{x|x \in N\}$，$E=\{x|x^2=4, x>0\}$，問下列何者正確？

   (1) $B \subseteq A$ (2) $A \subseteq C$ (3) $E \subseteq A$ 且 $E \subseteq B$

   (4) $E \in C$ (5) $B \subseteq C$

3. A 為任意集合則   (1) $\phi \subseteq A$，(2) $\phi \subseteq \phi$，(3) $\phi \subseteq \{\phi\}$，何者正確？

4. 若 $\{\{a\},\{c,1\}\}=\{\{2\}, \{a, b\}\}$，求 a，b，c。

5. 若 $A \subseteq \phi$，試證 $A = \phi$。

6. 下列何者為空集合？

   (1) $\{x|2x=6$ 且 $x^3=9\}$ (2) $\{x \mid x \neq x\}$

   (3) $\{x \mid 2x \neq x\}$ (4) $\{x \mid x + 7 = 7\}$

7. 下列何者正確？   (1) $\phi \subseteq \{\phi\}$，(2) $\phi \in \{\phi\}$，(3) $\phi \subseteq \{0\}$，
   (4) $\phi = \{\phi\}$。

8. 我們可用**線圖**(line diagram)來表示兩個集合間之關係，若 $A \subseteq B$ 則以右列線式(a)表示，若 $A \subseteq B$，$B \subseteq C$ 則以線式(b)表示，若 $A \subseteq B$，$A \subseteq C$ 則以線式(c)表示。根據此一結果，試用線圖表示下列集合間之關係。

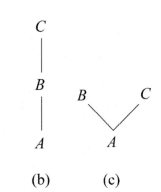

     (a)   (b)   (c)

$A=\{x|x$ 為正三角形$\}$，$B=\{x|x$ 為任意三角形$\}$，$C=\{x|x$ 為底角度數大於 $50°$ 之等腰三角形$\}$，$D=\{x|x$ 為銳角三角形$\}$，$E=\{x|x$ 為鈍角三角形$\}$。

9. 若 $A=\{1, \{2, 3\}\}$ 求 $P(A)$。

10. A 為任意集合，問下列敘述何者正確？

    (1) $A \subseteq P(A)$，(2) $A \in P(A)$，(3) $\phi \in P(A)$，(4) $\phi \subseteq P(A)$。

11. $A=\{a, b\}$，求 $P\{P(A)\}$。

12. $B=\{\phi\}$，$C=\phi$ 且試比較 $P(B)$ 與 $P(C)$。

13. $A=\{a, \{a\}\}$，則下列何者成立？

    (1) $\phi \in P(A)$ (2) $\{a\} \subseteq P(A)$ (3) $\{\{a\}\} \subseteq P(A)$

    (4) $\{a, \{a\}\} \in P(A)$ (5) $\{\{a\}\} \subseteq P(A)$

14. 試找到二個集合 A, B，使得 $A \in B$ 且 $A \subseteq B$。

2.2　集合運算

本節我們將介紹三種最基本之集合運算：

定義

▶ **交集**(intersection)：A、B 二集合之交集，記做 $A \cap B$，定義
為

$$A \cap B = \{x \mid x \in A \text{ 且 } x \in B\}$$

聯集(union)：A、B 二集合之聯集，記做 $A \cup B$，定義為
$$A \cup B = \{x \mid x \in A \text{ 或 } x \in B\}$$

差集(difference)：A、B 二集合之差集，記做 $A - B$，定義為
$$A - B = \{x \mid x \in A \text{ 且 } x \notin B\}，\text{顯然 } A - B = A \cap \bar{B}$$

文氏圖(Venn diagram)是用簡單之圈狀圖形表示集合運算，
它有助於初學者對集合運算之理解。

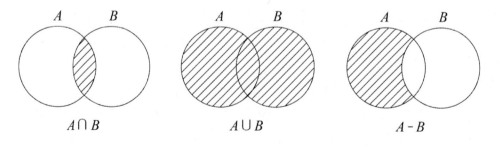

$A \cap B$　　　　　　$A \cup B$　　　　　　$A - B$

例 1

利用文氏圖表現 $(A \cap B) \cup C$。

解

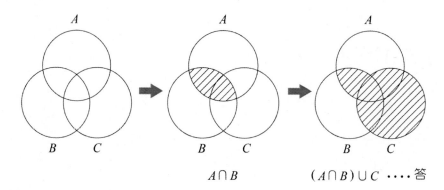

$A \cap B$　　　$(A \cap B) \cup C$ ‧‧‧‧答

例 2

試用文氏圖表現$(A-B) \cap (B \cup C)$。

解

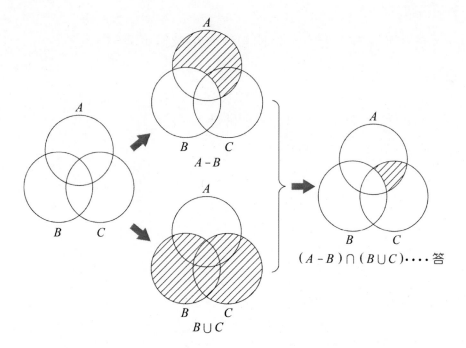

$A - B$

$B \cup C$

$(A - B) \cap (B \cup C)$ ‧‧‧‧答

例 3

$A=\{1, 2, 3, 4, 5\}$，$B=\{3, 5, 7, 9\}$求　(1) $A\cap B$，(2) $A\cup B$，(3)$A-B$，(4)$B-A$，(5) $A-(A\cap B)$。

解

(1) $A\cap B=\{3, 5\}$

(2) $A\cup B=\{1, 2, 3, 4, 5, 7, 9\}$

(3)$A-B=\{1, 2, 4\}$

(4)$B-A=\{7, 9\}$

(5) $A-(A\cap B)=\{1, 2, 4\}$

例 4

若 $A=\{1, a\}$，$B=\{a\}$，求(1)$P(A-B)$及(2)$P(B-A)$。

解

(1)$A-B=\{1\}$　　$\therefore P(A-B)=\{\{1\}, \phi\}$

(2)$B-A=\phi$　　$\therefore P(B-A)=\{\phi\}$

作業 2B
Homework

1. $A=\{1, 2, 3, 4, 5\}$ 試問下列哪一個是對的？

(1) $1 \in A$　　　　　(2) $6 \notin A$　　　　　(3) $\{6\} \not\subset A$

(4) $2 \in A$，且 $3 \in A$　(5) $2 \cup 3 \in A$　　　(6) $\{2, 3\} \in A$

(7) $\{2, 3, 6\} \subseteq A$　　(8) $\{2, 3, 4\} \subseteq \{3, 4, 5\}$　(9) $\phi \in A$

(10)　　$E=\{2, 3\} \cup \{3, 4\}$ 則 $E \subseteq A$　　　(11)　　$\phi \subseteq A$

2. $A = \{x \mid 2 \le x \le 4\}$，$B = \{x \mid -1 \le x \le 3\}$，$C = \{0 \le x \le 1\}$ 求

(1) $A \cup B$　　　　(2) $A-B$　　　　　(3) $A \cup C$

(4) $A \cap C$　　　　(5) $A-C$　　　　　(6) $B-C$

(7) $C-B$

3. A, B, C 三集合之文氏圖如右，用 A, B, C 表示區域 Ⅰ，Ⅱ。

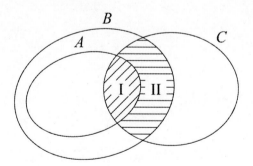

4. $A=\{1, 2, 3, 4, 5, 6\}$，$B=\{3, 4, 6, 7\}$，$C=\{4, 7, 10\}$ 求

(1) $A-B$　　　　(2) $B-A$　　　　(3) $(A \cup B)-C$

(4) $A \cap (B \cup C)$　(5) $A-(B \cup C)$　(6) $C-(A-B)$

(7) $P(B-C)$　　　(8) $P(B-B)$

2.3 集合基本定理

本節我們將介紹集合論之一些最基本之定理，讀者若與第一章命題代數以及第四章之布林代數作一比較，可發現到它們都是相通的，雖然符號表示上可能有所差異。

定理 ≫

（交換律）$A \cap B = B \cap A$；$A \cup B = B \cup A$

證

$$x \in A \cap B \Leftrightarrow x \in A \text{ 且 } x \in B$$
$$\Leftrightarrow x \in B \text{ 且 } x \in A$$
$$\Leftrightarrow x \in B \cap A$$
$$\therefore A \cap B = B \cap A$$

同法可證：$A \cup B = B \cup A$

定理 ≫

（結合律）$(A \cap B) \cap C = A \cap (B \cap C)$；
$(A \cup B) \cup C = A \cup (B \cup C)$

證

$$x \in (A \cap B) \cap C \Leftrightarrow x \in (A \cap B) \text{ 且 } x \in C$$
$$\Leftrightarrow (x \in A \text{ 且 } x \in B) \text{ 且 } x \in C$$
$$\Leftrightarrow x \in A \text{ 且 } (x \in B \text{ 且 } x \in C)$$
$$\Leftrightarrow x \in A \cap (B \cap C)$$
$$\therefore (A \cap B) \cap C = A \cap (B \cap C)$$

同法可證 $(A \cup B) \cup C = A \cup (B \cup C)$

> 定 理 ⟫

（分配律）$A \cap (B \cup C) = (A \cap B) \cup (A \cap C)$ ；
$A \cup (B \cap C) = (A \cup B) \cap (A \cup C)$

> 證

$$x \in A \cap (B \cup C) \Leftrightarrow x \in A \text{且} x \in (B \cup C)$$
$$\Leftrightarrow x \in A \text{且} (x \in B \text{或} x \in C)$$
$$\Leftrightarrow (x \in A \text{且} x \in B) \text{或} (x \in A \text{且} x \in C)$$
$$\Leftrightarrow x \in (A \cap B) \cup (A \cap C)$$

同法可證：$A \cup (B \cap C) = (A \cup B) \cap (A \cup C)$

> 定 理 ⟫

（吸收律）若 $A \subseteq B$ 則 $A \cup B = B$

> 證

(1) $A \subseteq B$ 時，$A \cup B \subseteq B$：

　　$x \in A \cup B \Rightarrow x \in A$ 或 $x \in B$　$\because A \subseteq B$　$\therefore x \in B$

　　即 $A \cup B \subseteq B$ .... ①

(2) $B \subseteq A \cup B$：

　　若 $x \in B \Rightarrow x \in A \cup B$

　　即 $B \subseteq A \cup B$ .... ②

　　由①，②

　　$\therefore \ B = A \cup B$

同樣地，我們可推證出下列定理：

定理》

▶ 若且惟若 $A \subseteq B$ 則 $A \cap B = A$

定理》

▶ （隸莫根定律） $\overline{A \cup B} = \overline{A} \cap \overline{B}$ 及 $\overline{A \cap B} = \overline{A} \cup \overline{B}$

證

$$x \in \overline{A \cup B} \Leftrightarrow x \notin A \cup B$$
$$\Leftrightarrow x \notin A \text{ 且 } x \notin B$$
$$\Leftrightarrow x \in \overline{A} \text{ 且 } x \in \overline{B}$$
$$\Leftrightarrow x \in \overline{A} \cap \overline{B}$$

即 $\overline{A \cup B} = \overline{A} \cap \overline{B}$

同法可證 $\overline{A \cap B} = \overline{A} \cup \overline{B}$

茲將集合運算之重要法則摘錄在下表，供讀者參考：

表 2A 集合運算之重要法則

(1) 交換律

　　$A \cup B = B \cup A$，$A \cap B = B \cap A$

(2) 結合律

　　$(A \cup B) \cup C = A \cup (B \cup C)$

　　$(A \cap B) \cap C = A \cap (B \cap C)$

(3) 分配律

　　$A \cup (B \cap C) = (A \cup B) \cap (A \cup C)$

　　$A \cap (B \cup C) = (A \cap B) \cup (A \cap C)$

(4) 統一律

　　$A \cap S = A$，$A \cup \phi = A$，S 為廣集合

(5) 等冪律

　　$A \cup A = A$，$A \cap A = A$

(6) 互補律

　　$A \cup \overline{A} = S$，$A \cap \overline{A} = \phi$

(7) 隸摩根律

　　$\overline{A \cup B} = \overline{A} \cap \overline{B}$，$\overline{A \cap B} = \overline{A} \cup \overline{B}$

(8) 吸收律

　　若 $A \subseteq B$ 則 $A \cup B = B$，$A \cap B = A$。

　　特別地：(1) $A \cup S = S$，$A \cap S = A$，(2) $A \cup A = A \cap A = A$

(9) 回歸律

　　$\overline{\overline{A}} = A$，$\overline{S} = \phi$，$\overline{\phi} = S$

我們將舉一些例子說明集合運算法則之應用。

例 1

試證 $A - B \subseteq A \cup B$。

解

$A - B = A \cap \overline{B} \subseteq A$，$A \subseteq A \cup B$ $\therefore A - B \subseteq A \cup B$

上例中，我們用到 $A - B = A \cap \overline{B}$ 之基本性質。

例 2

試證 $A - B = A - (A \cap B)$。

解

$$A - (A \cap B) = A \cap (\overline{A \cap B}) = A \cap (\overline{A} \cup \overline{B}) = (A \cap \overline{A}) \cup (A \cap \overline{B})$$
$$= \phi \cup (A \cap \overline{B}) = A \cap \overline{B} = A - B$$

例 3

化簡 $A - (A - B)$。

解

$$A - (A - B) = A \cap (\overline{A \cap \overline{B}}) = A \cap (\overline{A} \cup \overline{\overline{B}}) = A \cap (\overline{A} \cup B)$$
$$= (A \cap \overline{A}) \cup (A \cap B) = \phi \cup (A \cap B) = A \cap B$$

例 4

若 $A \cup C = B \cup C$，$A \cap C = B \cap C$，試證 $A = B$。

解

$A = A \cap (A \cup C) = A \cap (B \cup C) = (A \cap B) \cup (A \cap C)$

$\quad = (A \cap B) \cup (B \cap C) = B \cap (A \cup C) = B \cap (B \cup C) = B$

例 5 是澄清冪集合觀念的好例子。

例 5

試證 $P(A) \cap P(B) = P(A \cap B)$

解

(1) $P(A) \cap P(B) \subseteq P(A \cap B)$：

　　設 $X \in P(A) \cap P(B)$ 則 $X \in P(A)$ 且 $X \in P(B)$

　　$\Rightarrow X \subseteq A$ 且 $X \subseteq B$　　$\therefore X \subseteq A \cap B$ 從而 $X \in P(A \cap B)$

　　即 $P(A) \cap P(B) \subseteq P(A \cap B)$

(2) $P(A \cap B) \subseteq P(A) \cap P(B)$：

　　設 $X \in P(A \cap B) \Rightarrow X \subseteq A \cap B$，即 $X \subseteq A$ 且 $X \subseteq B$

　　$\therefore X \in P(A)$ 且 $X \in P(B)$，從而 $X \in P(A) \cap P(B)$

　　即 $P(A \cap B) \subseteq P(A) \cap P(B)$

由(1)(2) $P(A \cap B) = P(A) \cap P(B)$。

在導證冪集合性質時，常要應用關係式：$X \in P(A) \Leftrightarrow X \subseteq A$。

作業 2C
Homework

1. 證明：$A \cup B = A \cup [B - (A \cap B)]$

2. 證明：若 $A \subseteq B$ 則 $\bar{B} \subseteq \bar{A}$

3. 證明：$A - (B \cap C) = (A - B) \cup (A - C)$

4. 證明：若 $A \subseteq B$ 且 $B \subseteq C$ 則 $A \subseteq C$

5. 證明：若 $A \cup B = A \cup C$，$A \cap B = A \cap C$ 則 $B = C$

6. 證明：若 $A \subseteq B$ 則 $A \cup (B - A) = B$

   A，B 二集合之**對稱差**(symmetric difference)記做 $A \triangle B$，定義為

   $A \triangle B = (A - B) \cup (B - A)$，試據此定義，試證第 7～10 題。

7. $(A \triangle B) \cup (A \cap B) = A \cup B$

8. $A \triangle (A \cap B) = A - B$

9. $A \triangle A = \phi$

10. $A \subset B$，$C \subset D$，問 $A \cap C \subset B \cap D$ 是否成立？

11. 若 $A \subseteq B$，試證 $P(A) \subseteq P(B)$。

12. 試證 $P(A) \cup P(B) \subseteq P(A \cup B)$ 其逆是否成立？

2.4　排容原理

　　集合運算法則可應用在有限集合元素個數之計數問題，它在有條件限制之組合問題上極為重要。

基本計數原理

> **定理**
>
> 若 A，B 互斥，即 $A \cap B = \phi$，則 $|A \cup B| = |A| + |B|$。

　　此結果極為明顯，故證明從略。

> **定理**
>
> A，B 為任意二集合，則 $|A \cup B| = |A| + |B| - |A \cap B|$。

　　我們分 $A \cap B = \phi$ 與 $A \cap B \neq \phi$ 討論之：

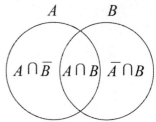

(1) $A \cap B = \phi$ 時

　　$|A \cup B| = |A| + |B|$ 顯然成立

(2) $A \cap B \neq \phi$ 時

　　$|A \cup B| = |A \cap \bar{B}| + |A \cap B| + |\bar{A} \cap B|$

　　　　$= (|A \cap \bar{B}| + |A \cap B|) + (|\bar{A} \cap B| + |A \cap B|) - |A \cap B|$

　　　　$= |A| + |B| - |A \cap B|$（$\because |\phi| = 0$）

若 S 為廣集合，$A, B \subseteq S$ 則有以下性質：

$$1° \quad |\overline{A}| = |S| - |A|$$

S 為某男女混合班學生所成之集合，A 為該班男生所成之集合，則 $\overline{A}$ 為該班女生所成之集合，顯然全班人數減去男生數就是該班女生數。

$$2° \quad |\overline{A} \cup \overline{B}| = |\overline{A \cap B}| = |S| - |A \cap B|$$

 證

$$|\overline{A} \cup \overline{B}| = |\overline{A \cap B}| = |S| - |A \cap B|$$

除非特別說明，本節之集合之個數均假設為有限。

例 |

若 $A \subseteq B$，試證 $|A| \leq |B|$。

解

$A \subseteq B, \ B = A \cup (\overline{A} \cap B)$

A 與 $\overline{A} \cap B$ 互斥

$\therefore \ |B| = |A \cup (\overline{A} \cap B)|$

$= |A| + |\overline{A} \cap B| = |A| + |\overline{A} \cap B| \ \geq \ |A|$

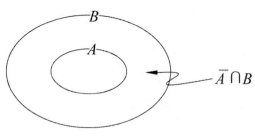

例 2

比較 $|A \cup B|$，$|A|$，$|A \cap B|$ 之大小。

解

∵ $A \cap B \subseteq A \subseteq A \cup B$ ∴ $|A \cap B| \leq |A| \leq |A \cup B|$

例 3

某班有 52 名學生，其中有 30 名選修日文(J)，26 名選修英文(E)，且已知有 2 名學生未去選修上述二門語文課程。設只有英文、日文兩門選修課，求

(1) 同時選修日文與英文之人數
(2) 只修日文人數
(3) 只修英文人數

解

(1) $|J \cup E| = 52 - 2 = 50$ 又 $|J \cup E| = |J| + |E| - |J \cap E|$

   ∴ $50 = 30 + 26 - |J \cap E|$

   解之 $|J \cap E| = 6$

(2) $|J| = |J \cap \overline{E}| + |J \cap E|$ ∴ $30 = |J \cap \overline{E}| + 6$

   ∴ $|J \cap \overline{E}| = 24$

(3) $|E| = |\overline{J} \cap E| + |J \cap E|$

   $26 = |\overline{J} \cap E| + 6$

   ∴ $|\overline{J} \cap E| = 20$

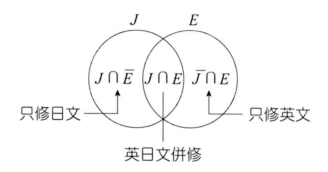

只修日文 —— $J \cap \bar{E}$ $J \cap E$ $\bar{J} \cap E$ —— 只修英文

英日文併修

利用文氏圖，也可以使用扣減之方法解出上述結果，如右圖，此方法在求 3 個集合之元素數時尤為方便。在 2 個集合時，由 $|A \cap B|$ 開始逐漸向二邊扣減，在 3 個集合時，由 $|A \cap B \cap C|$ 開始。

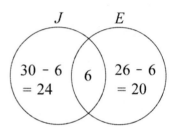

例 4

某班共有 52 名學生，參加國文(C)、英文(E)及數學(M)之抽試，已知有 40 名學生國文及格，32 名學生英文及格，28 名學生數學及格，且有 16 名學生三科都及格，且又知國文及格且數學及格之人數為 22 名，國文及格且英文及格之人數為 27 名，英文及格及數學及格之人數為 18 名，試求(1)僅英文一科及格之人數，(2)恰有二科及格之人數，(3)三科均不及格人數。

解

由下圖（①②③表示填注之順序），當填妥文氏圖上有關區域後，便可輕易答出：

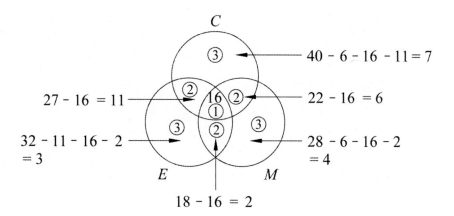

(1) 3 人

(2) 11+6+2=19

(3) 52–7–6–16–11–4–2–3=3

讀者也可用集合性質推出許多進一步之有趣結果。

例 5

$A, B \subseteq S$ 試證 $\left| A \cap \overline{B} \right| = \left| A \right| - \left| A \cap B \right|$，並以日常生活的例子來說明此結果。

解

$$\left| A \right| = \left| (A \cap B) \cup (A \cap \overline{B}) \right|$$
$$= \left| A \cap B \right| + \left| A \cap \overline{B} \right| - \underbrace{\left| (A \cap B) \cap (A \cap \overline{B}) \right|}_{\phi}$$

$$= \left| A \cap B \right| + \left| A \cap \overline{B} \right|$$
即 $\left| A \cap \overline{B} \right| = \left| A \right| - \left| A \cap B \right|$

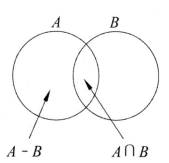

　　若 S 表某班學生所成之集合，A 為該班學生中選修日文所成之集合，B 為該班學生中選修小說所成之集合。

　　該班學生只修日文而不修小說之人數為該班學生修日文之人數減去該班學生修日文又修小說之人數。

例 6

$A, B, C \subseteq S, A \cap B = \phi$，試導出 $\left|(A \cup B) \cap \bar{C}\right|$ 之公式。

解

$$\left|(A \cup B) \cap \bar{C}\right| = \left|(A \cap \bar{C}) \cup (B \cap \bar{C})\right|$$

$$= \left|A \cap \bar{C}\right| + \left|B \cap \bar{C}\right| - \left|(A \cap \bar{C}) \cap (B \cap \bar{C})\right|$$

$$= |A| - |A \cap C| + |B| - |B \cap C| - \underbrace{\left|A \cap B \cap \bar{C}\right|}_{\phi}$$

$$= |A| + |B| - |A \cap C| - |B \cap C|$$

作業 2D
Homework

1. 某班 50 名學生中，有 28 人修日文，32 人修德文，若有 15 人未修日文、德文任一科，試求　(1)有多少人同時修日文與德文？　(2)有多少人只修日文而未修德文？

2. 試寫出 $|A \cup B \cup C \cup D|$ 之公式。

3. 設 $A=\{a, b\}$，求　(1)$|P(A)|$　(2)$|P(P(A))|$。

4. 設 S 為廣集合，A，B 為 S 之子集合，若 $|A|=10$，$|B|=8$，$|S|=23$，求 $|A \cup B|$ 之(1)極大值與(2)極小值。

5. 求下列等式成立之條件
   (1) $|A \cup B| = |A| + |B|$
   (2) $|A \cap B| = \min\{|A|, |B|\}$
   (3) $|A - B| = |A| - |B|$
   (4) $|A \cup B| = |B|$

6. 有 100 名學生之選課調查中，有 48 人修數學，50 人修歷史，45 人修中文，20 人同時修數學與中文，18 人同時修歷史與數學，34 人同時修歷史與中文，有 10 人同時修三科，問　(1)有多少人不修數學但修歷史及中文，(2)有多少人只修二科，(3)有多少人只修一科？

MEMO

整　數

3.1 因數與質數

數系中之**整數**(integer)與離散數學之許多課題有關，但因整數許多題材是屬**數論**(number theory)之範疇，在本節僅就本書日後要用到的部分做一淺介，包括同餘理論(congruent theory)。

> **定義**
>
> a、b 為二整數，$b \neq 0$。若存在一個整數 c，使得 $a = bc$ 則稱 b 整除 a，即 a 是 b 的倍數，b 是 a 的因數，以 $b \mid a$ 表示。

例如 $6 = 3 \times 2$，故 $3 \mid 6$ 或 $2 \mid 6$，若 $a \in Z$，$1 \mid a$ 與 $a \mid 0$，顯然成立。利用定義，我們可導出一些有趣的結果。

例 1

$a, b \in Z$，若 $a \mid b$ 且 $b \mid a$，試證 $b = \pm a$，$a, b \in Z^+$ 時，$b = a$。

解

$\because a \mid b$　$\therefore b = an$，$n \in Z$ ....①

$\because b \mid a$　$\therefore a = bm$，$m \in Z$ ....②

由①②，$ba = abmn$

依題意，$ab \neq 0$

$\therefore mn = 1$，又 $mn \in Z$，得 $m = n = \pm 1$ ....③

即 $b = \pm a$

$a, b \in Z^+$ 時，由③得 $m = n = 1 \therefore b = a$

定理 》》

$a, b, c, x, y \in Z$ ，若 $a \mid b \wedge a \mid c$ ，試證 $a \mid bx + cy$

證

$a \mid b \Rightarrow b = am$ 　，　 $a \mid c \Rightarrow c = an$

$\therefore bx + cy = amx + any = a(mx + ny)$ ，得

$a \mid bx + cy$

例 2

$a, b \in Z$ ，若 a, b 滿足 $29 \mid 3a + 4b$ ，試證 $29 \mid 17a + 13b$ 。

解 》

$29 \mid 3a + 4b \Rightarrow 29 \mid (-4)(3a + 4b) = 29 \mid (-12a - 16b)$

又 $29 \mid 29a + 29b$

$\therefore 29 \mid (29a + 29b) + (-12a - 16b)$

即 $29 \mid 17a + 13b$

例 3

$n \in Z^+$ ，試證 $8 \mid (n^2 - 1)$ ， n 為奇數。

解

令 $n = 2k+1$，則 $n^2 - 1 = (2k+1)^2 - 1 = 4k^2 + 4k = 4k(k+1)$

又 $4k(k+1) = 4 \cdot 2p = 8p$（連續二正整數必有一為偶數），$p \in Z^+$

$\therefore 8 \mid n^2 - 1$

例 4

$a, b \in Z^+$，若 $a \mid b$ 且 $a \mid (b+3)$ $\forall a, b \in Z^+$，試求 a 之可能值。

解

$\because a \mid b$ 且 $a \mid (b+3)$　又 $a \mid (bx + (b+3)y)$，$\forall x, y \in Z$

取 $x = -1$，$y = 1$ 得 $a \mid 3$　$\therefore a = 1$ 或 3

質數

定義

對於任一大於 1 的正整數 p，若除了 1 和 p 外無其他因數，則稱 p 為質數(prime)或素數。比 1 大但不是質數的數稱為合數(composite)。

2 是最小的質數，也是質數中唯一的偶數；其他質數都是奇數。1 和 0 既非質數也非合數。小於 100 的質數有 2, 3, 5, 7, 11, 13, 17, 19, 23, 29, 31, 37, 41, 43, 47, 53, 59, 61, 67, 71, 73, 79, 83, 89, 97。

定 理 》

算術基本定理(The fundamental theorem of arithmetic)
每個大於 1 的正整數都可表成數個質數的連乘積，而且這
些質數按大小排列之表示方法僅有一種。

算術基本定理又稱為正整數的唯一分解定理，是初等數論中
一個基本的定理。

定 理 》

質數有無限多個。

證

利用反證法：設 $p_1, p_2, \cdots, p_n$ 為所有之質數，令
$p = p_1 p_2 \cdots p_n + 1$，顯然 $p > p_i$，$i = 1, 2, \cdots, n$，且 p 不為質數，因此
p 為一合數。

因 $p = p_1 p_2 \cdots p_n + 1 \therefore p_1, p_2, \cdots, p_n$ 均不能整數 p，從而 p 之正
因數只有 1 與 p，推得 p 為一質數，此結果與假設矛盾，故質數
有無限多個。

定 理 》

$x, y \in Z^+$，則存在二個整數 m, n 使得 $mx + ny = gcd(x, y)$，若
x, y 互質，則存在二個整數 a, b 使得 $ax + by = 1$。

 推論 | $a, b \in Z^+$ 若存在二個整數 m, n 使得 $ma + nb = 1$，則
a, b 互質。

證

設 $d = \gcd(a, b)$，則 $d \mid a$ 且 $d \mid b$

得 $d \mid (ma + nb)$，但 $ma + nb = 1$ 得 $d \mid 1$ 又 $1 \mid d$ $\quad \therefore d = 1$

即 a, b 互質。

例 5

試求二個整數 x, y 使得 $17x + 32y = 1$。

解

應用輾轉相除法：

step 1	1	17	32	1	$32 = 1 \times 17 + 15$
		15	17		$17 = 1 \times 15 + 2$
	2	2	15	7	$15 = 2 \times 7 + 1$
		2	14		
		0	1		

$$\therefore 1 = 15 - 2 \times 7 = 15 - 7 \times (17 - 1 \times 15) = 8 \times 15 - 7 \times 17$$

$$= 8 \times (32 - 1 \times 17) - 7 \times 17 = 8 \times 32 - 15 \times 17$$

$$\therefore x = -15，\ y = 8$$

最大公因數與最小公倍數

最大公因數與最小公倍數都是數論中之基本概念，二個整數 a, b，公有之倍數稱為 a, b 之公倍數，這些公倍數中最小的一個正整數稱為 a, b 之最小公倍數(least common multiple)簡記 LCM，而

a, b 中共有因數最大者稱為 a, b 之最大公因數(greatest common divisor)簡記 GCD，這些都是我們在小中學學到的，我們也可換個角度：

由算術基本定理，一個正整數 n 可分解成數個質數之乘積，

$\therefore n = p_1^{n_1} \cdot p_2^{n_2} \cdots p_k^{n_k}$，如 $n = 360 = 2^3 \cdot 3^2 \cdot 5^1$，因此，給定二個正整數 $a = \prod_p p^{a_p}$，$b = \prod_p p^{b_p}$，則 a, b 之最大公因數 $gcd(a, b)$ 與最小公倍數 $lcm(a, b)$ 分別為

$$gcd(a, b) = \prod_p p^{\min(a_p, b_p)}$$

$$lcm(a, b) = \prod_p p^{\max(a_p, b_p)}$$

首先我們可得下列定理

定理

$gcd(a, b) \cdot lcm(a, b) = ab$

證

$\because \min(x, y) + \max(x, y) = x + y$

$\therefore gcd(a, b) \cdot lcm(a, b) = \prod_p p^{\min(a_p, b_p)} \cdot \prod_p p^{\max(a_p, b_p)}$

$= \prod_p p^{\min(a_p, b_p) + \max(a_p, b_p)} = \prod_p p^{a_p + b_p} = ab$

例 6

$a, b, c \in Z^+$，$gcd(a, b) = 1$，若 $a \mid bc$，求證 $a \mid c$。

解

$\because gcd(a, b) = 1$　$\therefore$ 存在 $m, n \in Z$ 使得 $ma + nb = 1$

兩邊同乘 c 得 $mac + nbc = c$

$a \mid mac$，又已知 $a \mid bc$　$\therefore a \mid nbc$

得 $a \mid (mac + nbc) = a \mid (ma + nb)c = a \mid c$

例 7

$a, b, c \in Z^+$，$gcd(a, b) = c$ 求證 $c^2 \mid ab$。

解

$\because gcd(a, b) = c$　$\therefore \dfrac{a}{c} \in Z^+$，$\dfrac{b}{c} \in Z^+$

從而 $\dfrac{ab}{c^2} \in Z^+$，令 $\dfrac{ab}{c^2} = k$，則 $ab = kc^2$，$k \in Z^+$

$\therefore c^2 \mid ab$

定 理

$a, b, c \in Z^+$，若 $c \mid ab$，則 $c \mid a$ 或 $c \mid b$。

$a, c \in Z^+$，則

(1) 若 $c \mid a$ 則本題得證

(2) 若 $c \nmid a$，現在要證 $c \mid b$：

　　$\because c \nmid a$　$\therefore gcd(c, a) = 1 \Rightarrow$ 存在 $m, n \in Z$，使得 $mc + na = 1$

　　　　　　　　　　　　　$\Rightarrow mbc + bna = b$ ………………………… ①

　　又 $c \mid ab$　$\therefore ab = cy$，$y \in Z^+$ ………………………………… ②

　　代②入①

　　$b = bmc + ncy = c(bm + ny)$

　　$\therefore c \mid b$

作業 3A
Homework

1. 求 180, 144 之最大公約數與最小公倍數。

2. 求 x, y 使得 $11x + 16y = 1$，$x, y \in Z$。

3. 求 x, y 使得 $\dfrac{x}{7} + \dfrac{y}{17} = \dfrac{1}{119}$，$x, y \in Z$

4. 用遞增順序將 84 表成數個質數之連乘積。

5. $a, b \in Z^+$，若 $gcd(a, b) = d$，試證 $\dfrac{a}{d}, \dfrac{b}{d}$ 互質。

6. $a, b, n \in Z^+$，試證 $gcd(an, bn) = n\,gcd(a, b)$。

7. 試證二個連續正整數必互質。（提示：反證法）

8. $a, b, c \in Z$，若 $gcd(a, b, c) = 1$，試證 a, c 互質且 b, c 互質。（提示：反證法，設 $d = gcd(a, c)$）

3.2 同　餘

定　義

兩個整數 a, b，若它們除以正整數 m 所得的餘數相等，則稱 a, b 對於模 m 同餘，讀作 a 同餘於 b 模 m，或讀作 a 與 b 關於模 m 同餘。記作 $a \equiv b(\bmod\ m)$。

同餘理論常被用於數論中。德國數學家高斯(Gauss)最先引用同餘的概念與「 $\equiv$ 」符號。

例如： $13 \equiv 4 \,(\bmod 9)\,(\because (13-4) \div 9 = 1)$ ，

$26 \equiv 14 \,(\bmod 6)\,(\because (26-14) \div 6 = 2)$

由定義： $a \equiv b(\bmod m)$ ，可得 $a - b = cm$ ， $c \in Z$ ，也有人定義： $a, b \in Z$ ， $m \in Z^+$ ，若 $m \,|\, (a-b)$ ，則稱在模 m 下， a 同餘於 b (a is congruent to b)。

定　理

$a, b, c, m \in Z^+$

1. $a \equiv b(\bmod m)$ 且 $b \equiv c(\bmod m)$ 則

   $a \equiv c(\bmod m)$ 　　（模之遞移性）

2. $a \equiv b(\bmod m)$ 則

   $\begin{cases} an \equiv bn \,(\bmod m) \\ a^n \equiv b^n (\bmod m) \end{cases}$ ， $n \in Z^+$

3. $a \equiv b \,(\bmod m)$ 且 $c \equiv d(\bmod m)$ 則

   $\begin{cases} a \pm c \equiv (b \pm d)(\bmod m) \\ ac \equiv bd(\bmod m) \end{cases}$

(1) $a \equiv b(\bmod m) \Rightarrow a - b = km$ .... ①

$b \equiv c(\bmod m) \Rightarrow b - c = dm$ .... ②

①＋②得 $a - c = (k + d)m$，$m \mid a - c$

$\therefore a \equiv c(\bmod m)$

(2) $a \equiv b(\bmod m)$　$\therefore a - b = cm$，$c \in Z$

$(a - b)n = ncm$，即 $an - bn = cmn$

$\therefore an \equiv bn(\bmod m)$

$a \equiv b(\bmod m) \Rightarrow a^n \equiv b^n(\bmod m)$ 之證明略之。

(3) i.　$a \equiv b(\bmod m) \Rightarrow a - b = \alpha m$，$\alpha \in Z$ .... ③

$c \equiv d(\bmod m) \Rightarrow c - d = \beta m$，$\beta \in Z$ .... ④

③－④得

$(a - b) - (c - d) = (a - c) - (b - d) = (\alpha - \beta)m$

$\therefore a - c \equiv (b - d)(\bmod m)$

同法可證 $a + c \equiv (b + d)(\bmod m)$

ii. 由(2) $a \equiv b(\bmod m)$ 得 $ac \equiv bc(\bmod m)$

又 $c \equiv d(\bmod m)$　$\therefore bc \equiv bd(\bmod m)$

由模之遞移性，得 $ac \equiv bd(\bmod m)$

　　但讀者需注意的是 $a \equiv b(\bmod m)$，則 $ac \equiv bc(\bmod m)$ 但其逆不成立，除非滿足下列定理。

> **定 理** ▶▶

> $a, b, c, m \in Z^+$， $ac \equiv bc(\bmod m)$，若 $gcd(c, m) = 1$，即 c, m 互質，則 $a \equiv b(\bmod m)$。

下面是數論中有名的定理：

> **定 理** ▶▶

> Fermat 小定理(Fermat's little theorem)，若 p 為質數，整數 a 不能被 p 除盡，則 $a^{p-1} \equiv 1(\bmod p)$，同時，
> $a^p \equiv a (\bmod p)$， $a \in Z^+$

例 1

試證 $3^{10} \equiv 1(\bmod 11)$ 從而導出 $3^{130} \equiv 1(\bmod 11)$。

解

11 為一質數，3 與 11 互質，由 Fermat 小定理：

$3^{10} \equiv 1(\bmod 11)$

$\therefore 3^{130} \equiv 1(\bmod 11)$（利用 $b \equiv a (\bmod m)$ 則 $b^n \equiv a^n(\bmod m)$）

例 2

若 $7, n$ 互質，試證 $7 | (n^6 - 1)$。

解

$7, n$ 互質，由 Fermat 小定理　$n^6 \equiv 1(\bmod 7)$

$\therefore 7 | (n^6 - 1)$

模 m 之同餘類

所有模 m 之同餘類集合記為 Z_m，在 Z_m 中定義

$$[x] = [y] \quad iff \quad x \equiv y (\text{mod } m)$$

由定義，m 除 x 之餘數為 r，則在 Z_m 中 $[x] = [r]$，因此 Z_m 中有 m 個互斥之同餘類，即 $[0], [1], [2], \cdots, [m-1]$

以 Z_2 為例，因任一整數除 2 之餘數只有 $0,1$ 二種，故 Z_2 之不同之同餘類有

$$[0] = \{\cdots, -4, -2, 0, 2, 4, \cdots\}$$

$$[1] = \{\cdots, -3, -1, 1, 3, 5, \cdots\}$$

以 Z_3 為例之不同之同餘類有

$$[0] = \{\cdots, -6, -3, 0, 3, 6, \cdots\}$$

$$[1] = \{\cdots, -5, -2, 1, 4, 7, \cdots\}$$

$$[2] = \{\cdots, -4, -1, 2, 5, 8, \cdots\}$$

同一同餘類都有許多表示方法，以 Z_2 為例：

$$[0] = [2] = [16] = [-4] = \cdots$$

$$[1] = [-1] = [5] = \cdots$$

$\because a \equiv b (\text{mod } m)$，$c \equiv d (\text{mod } m)$，則 $a \pm c \equiv (b \pm d)(\text{mod } m)$，以及 $ac \equiv bd (\text{mod } m) \therefore$ 我們可定義 Z_m 之加法與乘法

$$[x] + [y] = [x+y]$$

$$[x] \cdot [y] = [xy]$$

又若 $x \equiv z \pmod{m}$，則 $x^n \equiv z^n \pmod{m}$，$n \in Z^+$，因此，我們可有 $[x]^n = [z]^n$。

例 3

在 Z_8 中，求 (1)$[4]+[7]$　(2)$[4][7]$　(3)$[2]^4$　(4)$[7]^4$　(5)$[7]^5$

解

Z_8 中：

(1) $[4]+[7]=[11]=[3]$　　　　(2) $[4]\cdot[7]=[28]=[4]$

(3) $[2]^4 = [2^4] = [16] = [0]$

(4) $\because 7 \equiv (-1) \bmod 8$　$\therefore [7]^4 = [(-1)^4] = [1]$

(5) $[7]^5 = [(-1)^5] = [-1] = [7]$

例 4

試證 $[x]([y]+[z]) = [x][y]+[x][z]$

解

$$[x]([y]+[z]) = [x][y+z] = [x(y+z)] = [xy+xz]$$
$$= [xy]+[xz] = [x][y]+[x][z]$$

Z_m 下 $[a]$ 之反元素

定義

若 $x \in Z^+$ 且 a, m 互質，若 $[x]$ 滿足 $[m][x] = [1]$，則稱在 Z_m 下 $[x]$ 為 $[a]$ 之反元素，記做 $[a]^{-1} = [x]$。

定理

$a, m \in Z^+$， $gcd(a, m) = 1$，則在 Z_m 下 $[a]$ 之反元素 $[a]^{-1}$ 惟一存在。

證

(1) 存在性：

　　$gcd(a, m) = 1 \Rightarrow$ 存在二個整數 s, t 使得 $sa + tm = 1$，

　　亦即 $(sa + tm) | 1$，但 $m \equiv 0 \,(\text{mod } m) \therefore tm \equiv 0 \,(\text{mod } m)$，

　　得 $[sa] = 1$，$[1] = [sa + tm] = [sa] + [tm] = [sa] + [0]$，$[sa] = [s][a]$

　　$\therefore Z_m$ 下 $[a]^{-1} = [s]$。

(2) 惟一性：

　　設 s' 亦為模 m 下 a 之反元素，則 $as' \equiv 1 \,(\text{mod } m)$，$as \equiv 1 \,(\text{mod } m)$

　　$(as' - as) \equiv 0 \,(\text{mod } m) \Rightarrow as' - as = 0 \therefore s' = s$。

　　由上定理模 Z_m 下 $[a]$ 之反元素是 $[s]$， s 滿足方程式

$sa + tm = 1$。

例 5

求 Z_7 下 $[4]^{-1} = ?$

解

∵ $gcd(4, 7) = 1$　∴在 Z_7下$[4]^{-1}$存在

解 $4s + 7t = 1$，得 $s = 2$，$t = -1$

∴在 Z_7下 $[4]^{-1} = [2]$

我們再舉一些進一步的例子：

$Z_2[x]$表示一個多項式，它的係數為整數，其係數間之加、乘法受 Z_2中加、乘法規則，但冪次部分則按一般數系運算規則。

例 6

在 $Z_4[x]$ 中 $a(x) = x^2 + 2x + 1$，$b(x) = 3x + 2$，求 $a(x) + b(x)$ 與 $a(x) \cdot b(x)$。

解

(1) $a(x) + b(x)$：

$$\begin{array}{ccccc} x^2 & + & 2x & + & 1 \\ + & & 3x & + & 2 \\ \hline x^2 & + & x & + & 3 \end{array}$$

x 係數部分：$[2] + [3] = [5] = [1]$

(2) $a(x) \cdot b(x)$：

$$\begin{array}{ccccc} & & x^2 & + & 2x & + & 1 \\ x-) & & & & 3x & + & 2 \\ \hline & & 2x^2 & + & 4x & + & 2 \\ 3x^3 & + & 6x^2 & + & 3x & & \\ \hline 3x^3 & + & & & 3x & + & 2 \end{array}$$

在 x^2 係數部分，因

$[2] + [6] = [8] = [0]$

而 x 係數部分：

$[4] + [3] = [0] + [3] = [3]$

作業 3B
Homework

1. 求下列何者正確？

    (1) $12 \equiv 3 \,(\text{mod}\ 7)$

    (2) $-12 \equiv 2 \,(\text{mod}\ 7)$

    (3) $7 \equiv 0 \,(\text{mod}\ 7)$

2. 若 $a \equiv b(\text{mod}\ m)$，試證 $a^2 \equiv b^2(\text{mod}\ m)$

3. 在 $Z_2[x]$ 中，$a(x) = x + 1$，$b(x) = x^2 + 1$，求

    (1) $a(x) + b(x)$

    (2) $a(x)b(x)$

    (3) $a(x)$ 與 $b(x)$ 之公因式

4. 在 Z_9 中求 $[4][11]$

5. 在 Z_7 中驗證 $[9^7] = [2]$

6. 在 Z_5 中驗證 $[2^2]^7 = [3]$

7. 在 Z_{12} 中驗證 $[11]^{131} = [11]$

8. 問在 Z_m 中是否存在 $x, y \in Z$，使得 $[x] \neq [0]$，$[y] \neq 0$，但 $[x][y] = [0]$。

9. 在 Z_{10} 下求 $[13]^{-1}$

10. 若 $a, b, c \in Z$，$x \equiv y(\text{mod}\ m)$，試證
    $$ax^2 + bx + c \equiv ay^2 + by + c \,(\text{mod}\ m)$$

3.3　數學歸納法

數學歸納法 (mathematical induction) 是證明命題 $P(n)$，$n \in Z^+$，$Z^+ = \{1,2,3,\cdots\}$ 之一種方法，它的一般步驟是：

(1) 當 $n = n_0$ 時驗證命題 $P(n)$是否成立。n_0 通常為 1，但有時為命題成立之需要，n_0 可為 2（如本節例 2）或其它數，此部分稱為**歸納之基礎**(basis of induction)。

(2) 設 $n = k$ 成立時 $P(n)$成立，此部分稱為**歸納性假設**(inductive hypothesis)。

(3) 驗證 $P(n)$在 $n = k+1$ 時是否成立，此部分稱為**歸納之步驟** (inductive steps)。

　如果(1)，(3)均成立時，P(n)對 n≥n₀ 之所有正整數均成立。我們在此必須強調的是：要證明命題 P(n), n≥n₀, n∈Z⁺成立，數學歸納法只是其中一種方法，但它未必是最好的方法。

　若 $P(n)$，$n \in Z^+$為遞迴關係式時，我們可用**強的數學歸納法** (strong mathematical induction)來進行推證，此將在 6.2 節詳述，此外還有一些變形，我們將在圖學中說明。

試證$(1+x)^n \geq 1+nx, n \in Z^+$。

解

(1) $n=1$ 時左式=$1+x$=右式　　(2) $n=k$ 時，設$(1+x)^k \geq 1+kx$

(3)$n=k+1$ 時，左式$=(1+x)^{k+1}=(1+x)^k(1+x)$

$\geq(1+kx)(1+x)=1+(k+1)x+kx^2\geq1+(k+1)x$

$\therefore$當 n 為任意正整數時$(1+x)^n\geq1+nx$ 均成立。

例 2

試證 $2^n>n, n\geq1$。

解

(1)$n=1$ 時，左式$=2^1=2$，右式$=1$　$\therefore$ 當 $n=1$ 時 $2^n>n$ 成立

(2)$n=k$ 時，設原關係式成立即 $2^k>k$

(3)$n=k+1$ 時

　　$2^{k+1}=2^k\cdot2>k\cdot2=2k=k+k>k+1$

$\therefore$當 n 為任意大於 1 之正整數，$2^n>n$ 均成立

例 3

用數學歸納法證明：

$(A_1\cap A_2\cdots A_n)\cup B=(A_1\cup B)\cap(A_2\cup B)\cdots(A_n\cup B)$

解

(1)$n=1$ 時，左式$=A_1\cup B$，右式$=A_1\cup B$　$\therefore$ 左式＝右式

(2)$n=k$ 時，設$(A_1\cap A_2\cdots A_k)\cup B=(A_1\cup B)\cap(A_2\cup B)\cdots\cap(A_k\cup B)$

(3) $n=k+1$ 時

左式$=(A_1 \cap A_2 \cdots A_k \cap A_{k+1}) \cup B$

$\quad = [(A_1 \cap A_2 \cdots \cap A_k) \cap A_{k+1}] \cup B$

$\quad = [(A_1 \cap A_2 \cdots \cap A_k) \cup B] \cap (A_{k+1} \cup B)$

$\quad = [(A_1 \cup B) \cap (A_2 \cup B) \cdots \cap (A_k \cap B)] \cap (A_{k+1} \cup B)$

∴當 n 為任意正整數時，

$(A_1 \cap A_2 \cdots A_n) \cup B = (A_1 \cup B) \cap (A_2 \cup B) \cdots \cap (A_n \cup B)$均成立。

例 4

試用數學歸納法證明 $n(n^2+5)$ 為 6 之倍數。

解

(1) $n=1$ 時，左式$=1 \cdot 6 = 6$ 為 6 之倍數

(2) $n=k$ 時，設 $k(k^2+5)$ 為 6 的倍數，即 $k(k^2+5)=6p$，p 為任意正整數

(3) $n=k+1$ 時：

左式$=(k+1)[(k+1)^2+5]=(k+1)(k^2+2k+6)$

$\quad =k(k^2+2k+6)+(k^2+2k+6)=k[(k^2+5)+(2k+1)]+[k^2+2k+6]$

$\quad =k(k^2+5)+[3k^2+3k+6]=6p+3[k^2+k+2]$

$\quad =6p+3[k(k+1)+2]$ *

∵ $k(k+1)$ 必為偶數，從而 $k(k+1)+2$ 亦必為偶數，令它為 $2s$，s 為正整數

$\therefore *=6p+3 \cdot 2s = 6(p+s)$

即 n 為任一正整數時，$n(n^2+5)$ 必為 6 的倍數

作業 3C
Homework

用數學歸納法證明下列各題：

1. $3^n > 2^n + 1$ ， $n > 1$

2. $1^2 + 2^2 + \cdots + n^2 = \dfrac{n(n+1)(2n+1)}{6}$

3. $2^n > n^2$, $n \geq 5$ （提示： $n = k+1$ 時，利用 $k^2 > 2k+1$ ， $\forall k \geq 5$ ）

4. $1 \cdot 2 + 2 \cdot 3 + 3 \cdot 4 + \cdots + n(n+1) = \dfrac{n(n+1)(n+2)}{3}$

5. $11^{n+2} + 12^{2n+1}$ 為 133 之倍數

6. $|\sin kx| \leq k |\sin x|$ ， $k \in N$

7. $1 + \dfrac{1}{\sqrt{2}} + \dfrac{1}{\sqrt{3}} + \cdots + \dfrac{1}{\sqrt{n}} > \sqrt{n}$, $n \geq 2$

8. $4^{n+1} + 5^{2n-1}$ 為 21 之倍數， $n \geq 1$

9. 試證 $5^n > 3^n + 4^n$ ， $n \geq 3$

10. 若 $a \equiv b \pmod{m}$ ， $a, b, m \in Z^+$ ，試證 $a^n \equiv b^n \pmod{m}$ ， $n \in Z^+$ 。

MEMO

關　係

4.1 卡氏積

卡氏積

定義

A，B 為二非空集合，則其**積集合**(product set)或**卡氏積**(Cartesian product)$A \times B$ 定義為

$$A \times B = \{(x, y) | x \in A \text{ 且 } y \in B\}$$

(x, y)在本質上是有序的，亦即(a, b)與(b, a)是兩個不同之元素，因此，$A \times B = B \times A$ 是不恆成立的。

例 1

$A = \{1, 2\}$, $B = \{1, 3, 4\}$求 $A \times A$，$A \times B$，$B \times A$。

解

(1) $A \times A = \{(1, 1), (1, 2), (2, 1), (2, 2)\}$

(2) $A \times B = \{(1, 1), (1, 3), (1, 4), (2, 1), (2, 3), (2, 4)\}$

(3) $B \times A = \{(1, 1), (1, 2), (3, 1), (3, 2), (4, 1), (4, 2)\}$

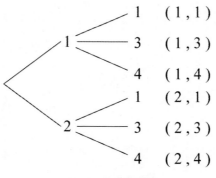

A×B 之樹形圖

卡氏積之一般化

　例　2

　　若　$A=\{1,\ 2,\ 3\}$，　$B=\{a,\ b\}$，　$C=\{1,\ b\}$　求　$(A\times B)\times C$　及　$[(A-C)\times(B-C)]\times C$。

🔦 解

(1)$(A\times B)\times C = \{(1,\ a),\ (1,\ b),\ (2,\ a),\ (2,\ b),\ (3,\ a),\ (3,\ b)\}\times\{1,\ b\}$

$\quad\quad\quad\quad\quad\quad = \{(1,\ a,\ 1),\ (1,\ a,\ b),\ (1,\ b,\ 1),\ (1,\ b,\ b),\ (2,\ a,\ 1),$

$\quad\quad\quad\quad\quad\quad\quad (2,\ a,\ b),\ (2,\ b,\ 1),\ (2,\ b,\ b),\ (3,\ a,\ 1),\ (3,\ a,\ b),$

$\quad\quad\quad\quad\quad\quad\quad (3,\ b,\ 1),\ (3,\ b,\ b)\}$

(2) $A-C=\{2,\ 3\}$，$B-C=\{a\}$

$\quad\therefore [(A-C)\times(B-C)]\times C =\{(2,\ a),\ (3,\ a)\}\times\{1,\ b\}$

$\quad\quad\quad\quad\quad\quad\quad\quad\quad\quad =\{(2,\ a,\ 1),\ (2,\ a,\ b),\ (3,\ a,\ 1),\ (3,\ a,\ b)\}$

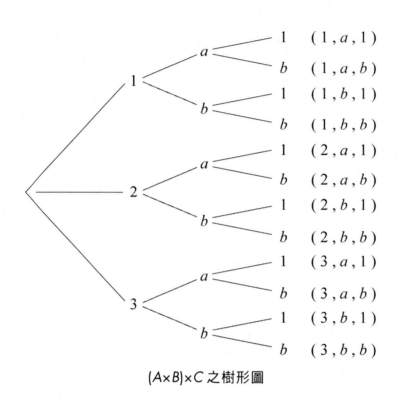

$(A \times B) \times C$ 之樹形圖

卡氏積之性質

定理

(1) $A \times (B \cup C) = (A \times B) \cup (A \times C)$

(2) $A \times (B \cap C) = (A \times B) \cap (A \times C)$

(3) $(A \cup B) \times C = (A \times C) \cup (B \times C)$

(4) $(A \cap B) \times C = (A \times C) \cap (B \times C)$

(5) $C \neq \phi$，若 $A \subseteq B$ 則 $A \times C \subseteq B \times C$

證 （我們只證其中之 1, 4, 5，餘留做作業）

(1) 設$(x, y) \in A \times (B \cup C) \Leftrightarrow x \in A$ 且 $y \in B \cup C$

$\qquad \Leftrightarrow x \in A$ 且（$y \in B$ 或 $y \in C$）

$\qquad \Leftrightarrow$（$x \in A$ 且 $y \in B$）或（$x \in A$ 且 $y \in C$）

$\qquad \Leftrightarrow (x, y) \in A \times B$ 或 $(x, y) \in A \times C$

$\qquad \Leftrightarrow (x, y) \in (A \times B) \cup (A \times C)$

即 $A \times (B \cup C) = (A \times B) \cup (A \times C)$

(4) 設$(x, y) \in (A \cap B) \times C \Leftrightarrow x \in A \cap B$ 且 $y \in C$

$\qquad \Leftrightarrow (x \in A$ 且 $x \in B)$ 且 $y \in C$

$\qquad \Leftrightarrow (x \in A$ 且 $y \in C)$ 且 $(x \in B$ 且 $y \in C)$

$\qquad \Leftrightarrow (x, y) \in A \times C$ 且 $(x, y) \in B \times C$

$\qquad \Leftrightarrow (x, y) \in (A \times C) \cap (B \times C)$

即$(A \cap B) \times C = (A \times C) \cap (B \times C)$

(5) 設$(x, y) \in A \times C \Rightarrow x \in A$ 且 $y \in C \Rightarrow x \in B$ 且 $y \in C$ （$\because A \subseteq B$）

$\qquad \Rightarrow (x, y) \in B \times C$

即 $A \times C \subseteq B \times C$

　　在不致混淆下，$(A \times B) \times C$ 及 $A \times (B \times C)$亦可用 $A \times B \times C$ 表之，規定：$A_1 \times A_2 \times A_3 = (A_1 \times A_2) \times A_3 = \{(x_1, x_2, x_3) \mid x_1 \in A_1, x_2 \in A_2, x_3 \in A_3\}$。若 $A_1, A_2, \cdots A_n$ 有一為 ϕ 時，則 $A_1 \times A_2 \times \cdots \times A_n = \phi$（見本節作業第 5 題）

分　割

$P=\{A_1, A_2, \cdots A_n\}$，$A_i \neq \phi$，$i=1,2,\cdots n$，若 P 滿足：

(1) $\bigcup_{i=1}^{n} A_i = A$（即周延性）

(2) A 任意二相異子集合 A_i, A_j
均有 $A_i \bigcap A_j = \phi$（即互斥性）
則稱 P 為 A 的一個**分割**
(partition)

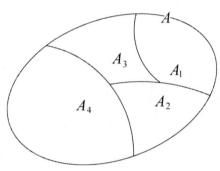

例 3

$A=\{a, b, c, d, e, f, g\}$，$A_1=\{a, b, c\}$，$A_2=\{c, d, e, f\}$，$A_3=\{g\}$，$A_4=\{d, e, f, g\}$，$A_5=\{d, e, f\}$ 則

(1) $\{A_1, A_2, A_3\}$ 不為 A 之分割　（$\because A_1 \bigcap A_2 = \{c\}$）

(2) $\{A_1, A_4\}$ 為 A 之分割

(3) $\{A_1, A_3\}$ 不為 A 之分割　（$\because A_1 \bigcup A_3 \neq A$))

(4) $\{A_1, A_5, A_3\}$ 為 A 之分割

作業 4A
Homework

1. (1) $A=\{a, b\}$, $B=\{b, c\}$，試求 $A \times \{1\} \times B$。

   (2) $A=\{1, 2, 3\}$, $B=\{3, 4\}$ 求 $(A \cap B) \times (A \cup B)$，與

   (3) $(A-B) \times (B-A)$。

2. $(x+1, y-x)=(4, 1)$，求 (x, y)。

3. 若 $A=\{a, b, c\}$, $B=\{m, n, p, q\}$, $C=\{1, 2\}$，求　(1)$|A|$　(2)$|A \times B|$

   (3)$|A \times B \times C|$，a, b, c；m, n, p, q 均為相異。

4. 證明：若 $A \times A=B \times B$ 則 $A=B$（提示：利用反證法）

5. 若 A，B 中有一為空集合時，說明何以 $A \times B=\phi$。

   （提示：反證法）

6. 試證：

   (1)$A \times (B \cap C)=(A \times B) \cap (A \times C)$

   (2)$(A \cup B) \times C=(A \times C) \cup (B \times C)$

7. $A=\{a, b, c\}$，$B=\{1, 2\}$，問 $A \times P(B)$ 有幾個元素？

4.2 關 係

在日常生活中，我們常面臨著各種關係：如，小明與他的父親有「父子」關係，如 500 元比 300 元有「多」的關係，如買車票時甲排在乙前面，丙又排在乙前面……等等都有「順序」關係，這些關係我們可用集合論之卡氏積方式來加以描述。

關係定義

定 義

▶ A, B 為二集合，且 $A \neq \phi$, $B \neq \phi$ 則**從 A 到 B 的關係 R**(relation R from A to B)是 $A \times B$ 之子集合。當 $R \subseteq A \times A$ 時稱 R 為定義於 A 之關係。

若 $R \subseteq A \times B$, (a, b) 為 R 中任一有序元素對，則記做 aRb 或 $(a, b) \in R$，R 之否定以 $a \bar{R} b$ 或 $(a, b) \notin R$ 表示。

讀者在研讀本章時，對問題或理論敘述中之 R 究為對實數 R 還是關係 R 應能有所判斷而不致混淆。

例 1

$A = \{1, 2, 3\}$, $B = \{a, b\}$ 則下列之 R_1, R_2 都是從 A 到 B 之關係：

$R_1 = \{(1, a), (2, b), (3, a)\}$, $R_1 \subseteq A \times B$

$\therefore R_1$ 為從 A 到 B 之關係。(在此 $(1, a) \in R_1$, $(2, a) \notin R_1$, $(3, b) \notin R_1$, $(2, b) \in R_1$)

$R_2 = \{(1, b), (2, a), (3, a)\}$, $R_2 \subseteq A \times B$

$\therefore R_2$ 為從 A 到 B 之關係。（ 在此 $(1, a) \notin R_2$, $(2, a) \in R_2$, $(2, b) \notin R_2$ ）

例 2

R 為定義在 Z^+ 上之關係

$(a, b) \in R$　　iff　　$a|b$（$a|b$ 表示 a 是 b 之一個因數）

則(1) 2 是 8 的一個因數，即 $2|8$ 成立，　∴　$(2, 8) \in R$

(2) $3|8$ 不成立　∴　$(3, 8) \notin R$

例 2 之 *iff* 是 if and only if 之縮寫。

例 3

R 為定義 Z^+ 上之關係 $(a, b) \in R$　　iff　　$a^2 + b^2 \leq 4$

則　　(1)$1^2 + 1^2 \leq 4$　　∴$(1, 1) \in R$　　(2)$1^2 + 2^2 \leq 4$ 不成立　　∴$(1, 2) \notin R$

例 4

R 為定義 Z^+ 上之關係：$(a, b) \in R$　　iff　　$a > b$ 且 $a+b=3$ 則

(1) $2 > 1$ 且 $2+1=3$　　∴$(2,1) \in R$，但$(1, 2) \notin R$

(2) $3 > 2$ 但 $3+2 \neq 3$　　∴$(3, 2) \notin R$

關係之定義域與值域

關係 R 為一有序元素對(x, y)所成之集合，有序元素對之所有 x 值所成之集合為 R 之**定義域**(domain)，以 *Dom R* 表示之；而所有 y 值所成之集合即為 R 之**值域**(range)，以 *Ran R* 表示之。

例 5

$A=\{1, 3, 6, 7\}$, $B=\{a, b, c\}$ 定義關係 R 為：

$R=\{<1, a>, <3, b>, <7, a>, <7, b>\}$ 則

$Dom\ R=\{1, 3, 7\}$, $Ran\ R=\{a, b\}$

例 6

$A=\{1, 2, 3, 4\}$

(1) 若定義關係 R_1 為：$(a, b) \in R_1$ iff $a<b$ 若

$R_1=\{(1, 2), (1, 3), (1, 4), (2, 3), (2, 4), (3, 4)\}$

則 $Dom\ R_1=\{1, 2, 3\}$, $Ran\ R_1=\{2, 3, 4\}$

(2) 若定義關係 R_2 為 $(a, b) \in R_2$ iff $a^2+b^2<10$ 則

$R_2=\{(1, 1), (1, 2), (2, 1), (2, 2)\}$ ∴$Dom\ R_2=\{1, 2\}$, $Ran\ R_2=\{1, 2\}$

關係矩陣與有向圖

若 A，B 均為有限集合，其元素個數分別為 $|A|=m$, $|B|=n$, $R \subseteq A \times B$ 則 **R 之關係矩陣**(matrix of R)以 M_R 表示，$M_R=[m_{ij}]_{m \times n}$，其中

$$m_{ij}=\begin{cases} 1, & (a_i, b_j) \in R \\ 0, & (a_i, b_j) \notin R \end{cases}$$

例 7

（承例 1(a)）$R_1=\{(1, a), (2, b), (3, a)\}$ 之關係矩陣為

$$M_{R_1}=\begin{array}{c} \\ 1 \\ 2 \\ 3 \end{array}\begin{array}{cc} a & b \\ \begin{bmatrix} 1 & 0 \\ 0 & 1 \\ 1 & 0 \end{bmatrix} \end{array}$$

有向圖

　　A 為有限集合，$|A|=m$, $R \subseteq A \times A$ 時，R 除可用關係矩陣表示外，亦可用**有向圖**(directed graph)表示。有向圖有二個要素，一是**結點**(node)，一是**弧**(arc)。A 之每一個元素是為結點，因此，A 有 m 個元素時，其對應之有向圖就有 m 個結點。結點 a_i 到 a_j 間之弧以 $a_i R a_j$ 或 $(a_i, a_j) \in R$ 表之。

例 8

　　$A = \{1, 2, 3\} = B$, $(a, b) \in R$　iff $1 < a+b \leq 4$，試求其關係矩陣及關係圖。

解

$$M_R = \begin{array}{c} \\ 1 \\ 2 \\ 3 \end{array} \begin{array}{ccc} 1 & 2 & 3 \\ \left[\begin{array}{ccc} 1 & 1 & 1 \\ 1 & 1 & 0 \\ 1 & 0 & 0 \end{array}\right] \end{array}$$

在不致混淆下，也可直接成

$$M_R = \left[\begin{array}{ccc} 1 & 1 & 1 \\ 1 & 1 & 0 \\ 1 & 0 & 0 \end{array}\right]$$

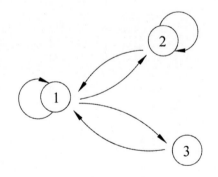

請根據下列關係圖作關係矩陣 M_R。

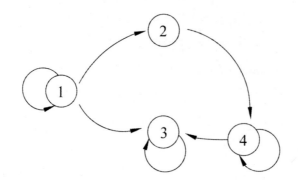

解

$$M_R = \begin{bmatrix} 1 & 1 & 1 & 0 \\ 0 & 0 & 0 & 1 \\ 0 & 0 & 1 & 0 \\ 0 & 0 & 1 & 1 \end{bmatrix}$$

逆關係

定義

R 為從 A 至 B 之關係，則從 B 至 A 之**逆關係**(inverse relation)R^{-1} 為

$$R^{-1} = \{(b, a) | (a, b) \in R\}$$

換言之，R^{-1} 是將所有 R 之有序元素對(a, b)之 a, b 順序對調即成。

在例 1 中

$$R_1=\{(1, a), (2, b), (3, a)\} 則 R_1^{-1}=\{(a, 1), (b, 2), (a, 3)\}$$
$$R_2=\{(1, b), (2, a), (3, a)\} 則 R_2^{-1}=\{(b, 1), (a, 2), (a, 3)\}$$

定 理

R 為定義於 A 之二元關係，則 $(R^{-1})^{-1}=R$。

證

設 $(x, y) \in R \Leftrightarrow (y, x) \in R^{-1} \Leftrightarrow (x, y) \in (R^{-1})^{-1}$

$\therefore R=(R^{-1})^{-1}$

等價關係

定 義

若一關係 R 滿足對稱性、反身性及遞移性則稱 R 為**等價關係**(equivalence relation)。

我們就從反身關係開始。

反身關係

定 義

R 為定義於集合 A 之一個關係，若對 R 中之每一元素 a 而言，$(a, a) \in R$ 均成立，則稱 R 具有**反身關係**(reflexive relation)。

例 10

A={1, 2, 3}則

(1) R_1={(1, 2), (1, 3), (2, 3)}不具反身關係（∵ (1, 1), (2, 2), (3, 3) 均不在 R_1 中）

(2) R_2={(1, 1), (2, 2), (2, 3)}不具反身關係（∵ (3, 3)∉R_2）

(3) R_3={(1, 1), (2, 2), (3, 3)}具有反身關係

(4) R_4={(1, 1), (2, 2), (3, 3), (2, 3)}具有反身關係

例 11

下列哪一個關係具有反身性： $x, y \in Z^+$

(1)$x=y$ (2)$x \neq y$ (3)$x>y$ (4)$x|y$。

解

(1) ∵ $x=x$ 恆成立 ∴ $x=y$ 具反身性

(2) ∵ $x \neq x$ 不成立 ∴ $x \neq y$ 不具反身性

(3) ∵ $x>x$ 不成立 ∴ $x>y$ 不具反身性

(4) ∵ $x|x$ 恆成立 ∴ $x|y$ 具反身性

對稱關係

定義

R 為定義於集合 A 之關係，對每一個 $a, b \in A$，若$(a, b) \in R$ 時恆有$(b, a) \in R$ 則稱 R 有**對稱關係**(symmetric relation)。

例 12

A={1, 2, 3}則

(1) R_1={(1, 1), (2, 2), (2, 3)}不為對稱關係（∵ (2, 3)$\in R$，但(3, 2)$\notin R_1$）

(2) R_2={1, 2}, (2, 1), (2, 3), (3, 2)}具有對稱關係

定理 >>

 R 為定義於 A 之關係，若 R 滿足對稱性則 $R=R^{-1}$，其逆亦成立。

證

(1) R 滿足對稱性時 $R = R^{-1}$ 之證明：

∵ R 滿足對稱性

∴ $(x, y)\in R \Leftrightarrow (y, x)\in R$
$\qquad\qquad\quad \Leftrightarrow (x, y)\in R^{-1}$

即 R 對稱時 $R=R^{-1}$

(2) $R=R^{-1}$ 時 R 滿足對稱性之證明：

$(x, y)\in R \Leftrightarrow (x, y)\in R^{-1} \Leftrightarrow (y, x)\in (R^{-1})^{-1}$
$\qquad\qquad \Leftrightarrow (y, x)\in R \quad （∵ (R^{-1})^{-1}=R）$

∴ $R=R^{-1}$ 時，R 滿足對稱性。

遞移關係

定義

R 為定義於集合 A 之關係,對每一個 $a, b, c \in A$,若 $(a, b) \in R$ 且 $(b, c) \in R$ 時恆有 $(a, c) \in R$ 則稱 R 具有**遞移關係**(transitive relation)。

例 13

$A = \{1, 2, 3, 4\}$,則下列定義於 A 之關係何者具有遞移性?

(1) $R_1 = \{(1, 2), (1, 3), (2, 4), (3, 4)\}$

(2) $R_2 = \{(1, 2), (1, 3), (2, 3), (3, 4)\}$

(3) $R_3 = \{(1, 1), (2, 3), (4, 3), (2, 2)\}$

解

(1) ∵ $(1, 2) \in R_1$, $(2, 4) \in R_1$ 但 $(1, 4) \notin R_1$ ∴ R_1 不具有遞移性。

(2) ∵ $(1, 3) \in R_2$, $(3, 4) \in R_2$ 但 $(1, 4) \notin R_2$ ∴ R_2 不具有遞稱性。

(3) 在 R_3 中無 $(a, b) \in R_3$,且 $(b, c) \in R_3$ 之情形,故無所謂 $(a, c) \in R_3$ 之要求,因此 R_3 為遞移關係。

例 14

R 為定義於 Z 之關係,規定 aRb *iff* $|a-b| \leq 3$。試討論 R 是否滿足合反身性?對稱性?遞移性?

解

(1) 反身性：∵ 對所有 Z 中之元素 a 而言 $|a-a|=0\le3$ 即

$(a,a)\in R$ $\forall a\in Z$，∴ R 具有反身性

(2) 對稱性：對 Z 中之任意二元素 a, b 而言，若 $(a,b)\in R$，則

有 $|a-b|\le3$ 從而必有 $|b-a|\le3$，即 $(b,a)\in R$ 成立，

∴ R 具有對稱性。

(3) 遞移性不成立，我們可舉一反例：

$|3-0|\le3$ ∴ $(3,0)\in R, |0-(-3)|\le3$ ∴ $(0,-3)\in R$

但 $|3-(-3)|\nleq3$ 即 $(3,-3)\in R$ 不成立。 ∴ R 之遞移性不成

立。

例 15

R 為定義於 A 之關係若 R 具有遞移性，試證 R^{-1} 亦具有遞移性。

解

∵ R 具有遞移性即 $(a, b)\in R, (b, c)\in R$, 有 $(a, c)\in R$

$\Rightarrow(b, a)\in R^{-1}, (c, b)\in R^{-1}$,有 $(c, a)\in R^{-1}$

∴ R^{-1} 有遞移性

作業 4B
Homework

1. 設 $A=\{1, 3, 5, 7\}$, $B=\{2, 4, 6\}$，試依下列定義求 M_R。

   (1) $(a, b)\in R$　iff　$b\leq a+1$

   (2) $(a, b)\in R$　iff　$b+2a\leq 10$

   (3) $(a, b)\in R$　iff　$(a+1)\mid b$

2. R 為定義於 A 之一等價關係，若 $(a, b)\in R$ 且 $(b, c)\in R$，試證 $(c, a)\in R$。

3. R 為定義於 A 之一關係，若 R 滿足反身性及 $(a, b)\in R$ 且 $(b, c)\in R$ 則 $(c, a)\in R$，試證 R 具有對稱性與遞移性。

4. R 為定義於 A 之關係，$\bar{R}=A\times B-R$，試證 $(\bar{R})^{-1}=\overline{(R)^{-1}}$。

5. $A=\{1, 2, 3, 4, 6, 8\}=B$, aRb iff $a\mid b$　求：關係矩陣，關係圖，$Dom\ R$, 及 $Ran\ R$。

6. 若 R 是定義於 R(實數系)之一關係，且定義 $R=\{(x, y)\mid x+2y=10, x, y\in R\}$，求　(1)$R$ 之定義域，(2)R 之值域，(3)R^{-1}，(4)R 是否有對稱性？反身性？

7. 若 R 是定義於實數系之一關係，令 $R=\{(x, y)\mid \frac{x^2}{9}+\frac{y^2}{4}=1, x, y\in R\}$，求　(1)$R$ 之定義域，(2)R 之值域，(3)R^{-1}，(4)R 是否有對稱性？(5)反身性？(6)又 $\frac{x^2}{9}+\frac{y^2}{4}=1$ 是否為一函數？

8. R 為定義於 Z^+ 之關係，定義 $\{((a, b), (c, d))\in R\mid ad=bc\}$，試證 R 為一等何關係。

9. $A=\{1, 2, 4, 5, 8\}$，$B=\{3, 4, 6, 7\}$，R 為由 A 到 B 之關係，定義：
$R=\{(a, b)| \dfrac{a+b}{4} \in Z^{+}, a \in A, b \in B\}$，求 R。

10. 若 R_1, R_2 為定義於 A 之等價關係，試證 $R_1 \cap R_2$ 亦有等價關係。

11. R_1 為定義於 A 之等價關係，R_2 為定義於 A 之另一個關係。
$R_2 \triangleq \{<a,b>|存在一個 c \in A 使得 <a,c> \in R_1，且 <c,b> \in R_1\}$，
試證 R_2 亦為等價關係。

4.3 關係之運算

3.2 節已介紹過關係 R 之逆關係 R^{-1}，在本節，我們將討論關係之其它運算。

關係之交集、聯集運算

定義

> R, S 為由 A 至 B 之關係，則
>
> (1) $(a, b) \in R \cup S \Leftrightarrow \{(a, b)|(a, b) \in R$ 或 $(a, b) \in S\}$
>
> (2) $(a, b) \in R \cap S \Leftrightarrow \{(a, b)|(a, b) \in R$ 且 $(a, b) \in S\}$
>
> (3) $(a, b) \in \overline{R} \Leftrightarrow A \times B - R$

例 1

$A=\{1, 2, 3\}$, $B=\{a, b\}$, $R=\{(1, a), (2, a), (2, b), (3, b)\}$，

$S=\{(1, b), (2, a), (3, a), (3, b)\}$，求

(1) $A \times B$，(2) $R \cup S$，(3) $R \cap S$，(4) $\overline{R}$。

解

(1) $A \times B = \{(1, a), (1, b), (2, a), (2, b), (3, a), (3, b)\}$

(2) $R \cup S = \{(1, a), (2, a), (2, b), (3, b), (1, b), (3, a)\}$

(3) $R \cap S = \{(2, a), (3, b)\}$

(4) $\overline{R} = A \times B - R = \{(1, b), (3, a)\}$

關係矩陣之布林代數運算 (一) 交集、聯集、餘集及相關集合運算

M 是關係矩陣，規定

1° $M_{R \cup S} = M_R \vee M_S$（$M_{R \cup S}$ 之第 i 列第 j 行元素 $x_{ij}=$ M_R 第 i 列第 j 行元素 $a_{ij} \vee M_S$ 第 i 列第 j 行元素 b_{ij}），規定：

$1 \wedge 1 = 1$　　　　　　$1 \vee 1 = 1$

$1 \wedge 0 = 0 \wedge 1 = 0$　　　$1 \vee 0 = 0 \vee 1 = 1$

$0 \wedge 0 = 0$　　　　　　$0 \vee 0 = 0$

此即關係之布林代數運算。

例 2

例 1 之 R, S 二關係之關係矩陣分別是：

$$M_R = \begin{array}{c} \\ 1 \\ 2 \\ 3 \end{array}\begin{array}{cc} a & b \\ \begin{bmatrix} 1 & 0 \\ 1 & 1 \\ 0 & 1 \end{bmatrix} \end{array}, \quad M_S = \begin{array}{c} \\ 1 \\ 2 \\ 3 \end{array}\begin{array}{cc} a & b \\ \begin{bmatrix} 0 & 1 \\ 1 & 0 \\ 1 & 1 \end{bmatrix} \end{array}$$

則　　$M_{R \cup S} = \begin{bmatrix} 1 & 0 \\ 1 & 1 \\ 0 & 1 \end{bmatrix} \vee \begin{bmatrix} 0 & 1 \\ 1 & 0 \\ 1 & 1 \end{bmatrix} = \begin{bmatrix} 1 \vee 0 & 0 \vee 1 \\ 1 \vee 1 & 1 \vee 0 \\ 0 \vee 1 & 1 \vee 1 \end{bmatrix} = \begin{array}{c} \\ 1 \\ 2 \\ 3 \end{array}\begin{array}{cc} a & b \\ \begin{bmatrix} 1 & 1 \\ 1 & 1 \\ 1 & 1 \end{bmatrix} \end{array}$

∴ 由 $M_{R \cup S}$ 可讀出 $= \{(1, a), (1, b), (2, a), (2, b), (3, a), (3, b)\}$

2° $M_{R \cap S} = M_R \wedge M_S$

$M_{R \cap S}$ 之第 i 列第 j 行元素 $x_{ij}=M_R$ 之第 i 列第 j 行元素 $a_{ij} \wedge M_S$ 之第 i 列第 j 行元素 b_{ij}。

承例 2：

$$M_{R \cap S}=\begin{bmatrix} 1 & 0 \\ 1 & 1 \\ 0 & 1 \end{bmatrix} \wedge \begin{bmatrix} 0 & 1 \\ 1 & 0 \\ 1 & 1 \end{bmatrix} = \begin{bmatrix} 1 \wedge 0 & 0 \wedge 1 \\ 1 \wedge 1 & 1 \wedge 0 \\ 0 \wedge 1 & 1 \wedge 1 \end{bmatrix} = \begin{array}{c} 1 \\ 2 \\ 3 \end{array}\begin{array}{cc} a & b \\ \begin{bmatrix} 0 & 0 \\ 1 & 0 \\ 0 & 1 \end{bmatrix} \end{array}$$

$$\therefore \quad R \cap S = \{(2, a), (3, b)\}$$

3° $M_{\bar{R}}$ 之第 i 列第 j 行元素 $\bar{x}_{ij}$ 為：

$x_{ij}=1$ 則 $\bar{x}_{ij}=0$ $\qquad\qquad x_{ij}=0$ 則 $\bar{x}_{ij}=1$

承例 2

$$M_{\bar{R}} = \begin{array}{c} 1 \\ 2 \\ 3 \end{array}\begin{array}{cc} a & b \\ \begin{bmatrix} 0 & 1 \\ 0 & 0 \\ 1 & 0 \end{bmatrix} \end{array} \qquad \therefore \bar{R}=\{(1, b), (3, a)\}$$

4° $M_{R^{-1}}$：$M_{R^{-1}}$ 只要將 M_R 轉置即得

仍以例 2 之 M_R 說明之

$$M_R = \begin{array}{c} 1 \\ 2 \\ 3 \end{array}\begin{array}{cc} a & b \\ \begin{bmatrix} 1 & 0 \\ 1 & 1 \\ 0 & 1 \end{bmatrix} \end{array} \qquad \therefore \quad M_{R^{-1}} = \begin{array}{c} a \\ b \end{array}\begin{array}{ccc} 1 & 2 & 3 \\ \begin{bmatrix} 1 & 1 & 0 \\ 0 & 1 & 1 \end{bmatrix} \end{array}$$

即 $R^{-1}=\{(a, 1), (a, 2), (b, 2), (b, 3)\}$

例 3

給定 M_R，M_S 兩個關係矩陣如下：

$$M_R = \begin{array}{c} \\ 1 \\ 2 \\ 3 \end{array} \begin{array}{ccc} 1 & 2 & 3 \\ \begin{bmatrix} 1 & 0 & 1 \\ 1 & 1 & 0 \\ 1 & 0 & 1 \end{bmatrix} \end{array}, \quad M_S = \begin{array}{c} \\ 1 \\ 2 \\ 3 \end{array} \begin{array}{ccc} 1 & 2 & 3 \\ \begin{bmatrix} 0 & 0 & 0 \\ 1 & 0 & 0 \\ 1 & 1 & 1 \end{bmatrix} \end{array}$$

求(1) $M_{R \cup S}$　(2) $M_{R \cap S}$　(3) $M_{\bar{R}}$　(4) $M_{\bar{S}}$　(5) $M_{\bar{R} \cup \bar{S}}$，並據此讀出 $R \cup S$，$R \cap S$，$\bar{R}$，$\bar{S}$ 及 $\bar{R} \cup \bar{S}$。

🔦 解

(1) $M_{R \cup S} = \begin{array}{c} \\ 1 \\ 2 \\ 3 \end{array} \begin{array}{ccc} 1 & 2 & 3 \\ \begin{bmatrix} 1 & 0 & 1 \\ 1 & 1 & 0 \\ 1 & 1 & 1 \end{bmatrix} \end{array}$

∴ $R \cup S = \{(1, 1), (1, 3), (2, 1), (2, 2), (3, 1), (3, 2), (3, 3)\}$

(2) $M_{R \cap S} = \begin{array}{c} \\ 1 \\ 2 \\ 3 \end{array} \begin{array}{ccc} 1 & 2 & 3 \\ \begin{bmatrix} 0 & 0 & 0 \\ 1 & 0 & 0 \\ 1 & 0 & 1 \end{bmatrix} \end{array}$

∴ $R \cap S = \{(2, 1), (3, 1), (3, 3)\}$

(3) $M_{\bar{R}} = \begin{array}{c} \\ 1 \\ 2 \\ 3 \end{array} \begin{array}{ccc} 1 & 2 & 3 \\ \begin{bmatrix} 0 & 1 & 0 \\ 0 & 0 & 1 \\ 0 & 1 & 0 \end{bmatrix} \end{array}$

∴ $\bar{R} = \{(1, 2), (2, 3), (3, 2)\}$

(4) $M_{\bar{S}} = \begin{array}{c} \\ 1 \\ 2 \\ 3 \end{array} \begin{array}{ccc} 1 & 2 & 3 \\ \left[\begin{array}{ccc} 1 & 1 & 1 \\ 0 & 1 & 1 \\ 0 & 0 & 0 \end{array}\right] \end{array}$

$\therefore \bar{S} = \{(1, 1), (1, 2), (1, 3), (2, 2), (2, 3)\}$

(5) $M_{\bar{R} \cup \bar{S}} = \begin{array}{c} \\ 1 \\ 2 \\ 3 \end{array} \begin{array}{ccc} 1 & 2 & 3 \\ \left[\begin{array}{ccc} 1 & 1 & 1 \\ 0 & 1 & 1 \\ 0 & 1 & 0 \end{array}\right] \end{array}$

$\therefore \bar{R} \cup \bar{S} = \{(1, 1), (1, 2), (1, 3), (2, 2), (2, 3), (3, 2)\}$

例 4

R 為定義於集合 A 上之關係，asymmetric 意指 $(x, y) \in R \Rightarrow$ $(y, x) \notin R$，$\forall x, y \in A$，若 R 為 asymmetric，試證 $R \cap R^{-1} = \phi$。

解

由反證法：

若 $(x, y) \in R \cap R^{-1}$ 則 $(x, y) \in R$ 且 $(x, y) \in R^{-1}$，因 $(x, y) \in R^{-1}$

$\therefore (y, x) \in R$ .... ①

但 R 為 asymmetric $\therefore (y, x) \notin R$ .... ②

①、②為矛盾 $\therefore R \cap R^{-1} = \phi$

例 5

若 R_1，R_2 為從 A 至 B 之關係，試證 $(R_1 - R_2)^{-1} = R_1^{-1} - R_2^{-1}$。

解

$$\because (x, y)\in (R_1-R_2)^{-1}\Leftrightarrow (y, x)\in (R_1-R_2)$$
$$\Leftrightarrow (y, x)\in (R_1\cap \overline{R}_2)$$
$$\Leftrightarrow (y, x)\in R_1 \text{ 且} (y, x)\notin R_2$$
$$\Leftrightarrow (x, y)\in R_1^{-1} \text{ 且} (x, y)\notin R_2^{-1}$$
$$\Leftrightarrow (x, y)\in R_1^{-1}-R_2^{-1}$$
$$\therefore (R_1-R_2)^{-1}=R_1^{-1}-R_2^{-1}$$

定理

R_1 , R_2 為從 A 至 B 之關係，則有 $(1)(R_1\cup R_2)^{-1}=R_1^{-1}\cup R_2^{-1}$；$(2)(R_1\cap R_2)^{-1}=R_1^{-1}\cap R_2^{-1}$。

證

$(1)\because (x, y)\in (R_1\cup R_2)^{-1}\Leftrightarrow (y, x)\in (R_1\cup R_2)$
$$\Leftrightarrow (y, x)\in R_1 \text{ 或} (y, x)\in R_2$$
$$\Leftrightarrow (x, y)\in R_1^{-1} \text{ 或} (x, y)\in R_2^{-1}$$
$$\Leftrightarrow (x, y)\in R_1^{-1}\cup R_2^{-1}$$
$$\therefore (R_1\cup R_2)^{-1}=R_1^{-1}\cup R_2^{-1}$$

(2)留作隨堂演練。

關係之合成

若 $S \subseteq A \times B$，$R \subseteq B \times C$，則 S，R 之**合成**(composition)$R \circ S$，定義如下：

> **定　義**
>
> ▶ A, B, C 為三個集合，R 為由 A 至 B 之關係，S 為由 B 至 C 之關係，則 $R \circ S$ 為由 A 至 C 之關係，若 $a \in A$，$c \in C$ 則 $(a, c) \in R \circ S$ 之充要條件是存在某個 $b \in B$ 使得 $(a, b) \in R$，$(b, c) \in S$

例 6

R，S 為定義於 A={1, 2, 3, 4} 之二個關係，R={(1, 1), (1, 2), (2, 3), (2, 4), (3, 1), (3, 4)}, S={(1, 2), (1, 3), (2, 2), (3, 1), (3, 2), (3, 4), (4, 1)}，求 $S \circ R, R \circ S, R \circ R$。

解

我們可利用類似橋牌「接龍」之方式求出關係之合成：以 $R \circ S$ 為例，R 中之元素 (a, b) 只要在 S 中找到 (b, c) 則 (a, c) 便為 $R \circ S$ 之元素，如此可得

$R \circ S$={(1, 2), (1, 3), (2, 1), (2, 2), (2, 4), (3, 1), (3, 2), (3, 3)}

$S \circ R$={(1, 1), (1, 3), (1, 4), (2, 3), (2, 4), (3, 1), (3, 2), (3, 3), (3, 4), (4, 1), (4, 2)}

$R \circ R$={(1, 2), (1, 3), (2, 1), (2, 4), (3, 1), (3, 2)}

下表可供讀者「視察」用：

R	S	$R \circ S$	S	R	$S \circ R$	R	R	$R \circ R$
		$(1,2)$			$(1,3)$			$(1,2)$
1		$(1,3)$	1		$(1,4)$	1		$(1,3)$
		$(1,2)$ ✕			$(1,1)$			$(1,2)$ ✕
					$(1,4)$ ✕			$(1,3)$ ✕
		$(2,1)$						
2		$(2,2)$	2		$(2,3)$	2		$(2,1)$
		$(2,4)$			$(2,4)$			$(2,4)$
		$(2,1)$ ✕						
		$(3,2)$			$(3,1)$			
3		$(3,3)$	3		$(3,2)$	3		$(3,1)$
		$(3,1)$			$(3,3)$			$(3,2)$
					$(3,4)$			
			4		$(4,1)$			
					$(4,2)$			

上表中，畫「✕」表重複，故刪之。

關係矩陣之布林運算㈡合成關係運算

用一般矩陣乘法方式 $M_{R \circ S} = M_S \odot M_R = [m_{ik}]$，$m_{ik} = \bigvee_{j=1}^{n}(a_{ij} \wedge b_{jk})$，其中 a_{ij} 為 M_R 之第 i 列第 j 行元素，b_{jk} 為 M_S 第 j 列第 k 行元素，透過布林代數可得 $M_{R \circ S} = M_R \odot M_S$，從而可輕易地讀出 $R \circ S$ 之結果，$M_{S \circ R}$ 也是一樣的道理。我們以例 6 之 M_R，M_S 說明 $R \circ S$：

$$M_R = \begin{bmatrix} 1 & 1 & 0 & 0 \\ 0 & 0 & 1 & 1 \\ 1 & 0 & 0 & 1 \\ 0 & 0 & 0 & 0 \end{bmatrix}, \quad M_S = \begin{bmatrix} 0 & 1 & 1 & 0 \\ 0 & 1 & 0 & 0 \\ 1 & 1 & 0 & 1 \\ 1 & 0 & 0 & 0 \end{bmatrix}$$

$$M_{R \circ S} = M_R \odot M_S = \begin{bmatrix} 1 & 1 & 0 & 0 \\ 0 & 0 & 1 & 1 \\ 1 & 0 & 0 & 1 \\ 0 & 0 & 0 & 0 \end{bmatrix} \odot \begin{bmatrix} 0 & 1 & 1 & 0 \\ 0 & 1 & 0 & 0 \\ 1 & 1 & 0 & 1 \\ 1 & 0 & 0 & 0 \end{bmatrix}$$

$M_R \odot M_S$ 之第一列第一行元素為:

$$(1 \wedge 0) \vee (1 \wedge 0) \vee (0 \wedge 1) \vee (0 \wedge 1) = 0 \vee 0 \vee 0 \vee 0 = 0$$

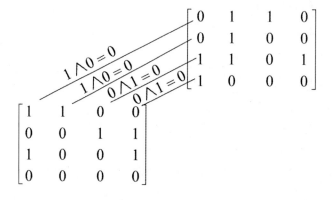

$M_R \odot M_S$ 之第二列第三行元素為:

$$(0 \wedge 1) \vee (0 \wedge 0) \vee (1 \wedge 0) \vee (1 \wedge 0) = 0 \vee 0 \vee 0 \vee 0 = 0$$

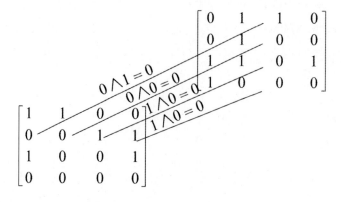

讀者可類推 $M_R \odot M_S$ 之其餘元素而得以下結果：

$$M_{R \circ S} = M_R \odot M_S = \begin{bmatrix} 1 & 1 & 0 & 0 \\ 0 & 0 & 1 & 1 \\ 1 & 0 & 0 & 1 \\ 0 & 0 & 0 & 0 \end{bmatrix} \odot \begin{bmatrix} 0 & 1 & 1 & 0 \\ 0 & 1 & 0 & 0 \\ 1 & 1 & 0 & 1 \\ 1 & 0 & 0 & 0 \end{bmatrix}$$

$$= \begin{bmatrix} 0 & 1 & 1 & 0 \\ 1 & 1 & 0 & 1 \\ 1 & 1 & 1 & 0 \\ 0 & 0 & 0 & 0 \end{bmatrix}$$

$\therefore R \circ S = \{(1, 2), (1, 3), (2, 1), (2, 2), (2, 4), (3, 1), (3, 2), (3, 3)\}$

例 7

R，S 為定義於 $A = \{1, 2, 3\}$ 之關係，$R = \{(1, 1), (2, 1), (2, 2), (3, 2), (3, 3)\}$，$S = \{(1, 2), (1, 3), (2, 2), (3, 2)\}$，試分別用兩種方法求 $S \circ R$。

解

(1) $S \circ R = \{(1, 1), (1, 2), (1, 3), (2, 1), (2, 2), (3, 1), (3, 2)\}$（讀者自行由定義驗證之）

(2) 由

$$M_S = \begin{bmatrix} 0 & 1 & 1 \\ 0 & 1 & 0 \\ 0 & 1 & 0 \end{bmatrix}，\quad M_R = \begin{bmatrix} 1 & 0 & 0 \\ 1 & 1 & 0 \\ 0 & 1 & 1 \end{bmatrix}$$

$$\therefore M_{S \circ R}=M_S \odot M_R= \begin{bmatrix} 0 & 1 & 1 \\ 0 & 1 & 0 \\ 0 & 1 & 0 \end{bmatrix} \odot \begin{bmatrix} 1 & 0 & 0 \\ 1 & 1 & 0 \\ 0 & 1 & 1 \end{bmatrix}$$

$$= \begin{array}{c} \\ 1 \\ 2 \\ 3 \end{array} \begin{array}{ccc} 1 & 2 & 3 \\ \begin{bmatrix} 1 & 1 & 1 \\ 1 & 1 & 0 \\ 1 & 1 & 0 \end{bmatrix} \end{array}$$

$\therefore S \circ R = \{(1, 1), (1, 2), (1, 3), (2, 1), (2, 2), (3, 1), (3, 2)\}$

$M_{S \circ R}$ 讀出 $S \circ R$ 之結果與(1)相同。

例 8

設 R_1，R_2 為從 A 至 B 之關係，R_3 為從 B 至 C 之關係，若 $R_1 \subseteq R_2$，試證 $R_1 \circ R_3 \subseteq R_2 \circ R_3$。

解

若$(a, c) \in R_1 \circ R_3$，則在 B 中存在一個 b 使得$(a, b) \in R_1$ 且$(b, c) \in R_3$，又 $R_1 \subseteq R_2$ $\therefore$ $(a, b) \in R_2$ 又$(b, c) \in R_3$

$\Rightarrow (a, c) \in R_2 \circ R_3$

即 $R_1 \circ R_3 \subseteq R_2 \circ R_3$

例 9

若 R 為定義於 A 之關係，試證：若 R 有遞移性則 $(R \circ R) \subseteq R$。

解

用反證法。設 $(R \circ R) \nsubseteq R$ 則我們可找到一個 (x, y)，使得 $(x, y) \in R \circ R$ 但 $(x, y) \notin R$，又 R 在 A 上具有遞移性，因此存在一個 $g \in A$，使得 $(x, g) \in R$ 且 $(g, y) \in R$，由 R 之遞移性，因此我們有 $(x, y) \in R$，但此與假設不合，即 $(R \circ R) \subseteq R$。

例 10

R，S 為定義於 A 之二個關係，若 S 具有反身性，試證 $R \subseteq (R \circ S)$。

解

設 $(x, y) \in R$，因 S 具反身性　$\therefore$　$(y, y) \in S$

又 $(x, y) \in R$ 且 $(y, y) \in S$　$\therefore$　$(x, y) \in R \circ S$

即　$R \subseteq (R \circ S)$

定 理 ≫

R 為從 A 到 B 之關係，S 為從 B 到 C 之關係，則 $(R \circ S)^{-1} = S^{-1} \circ R^{-1}$

$(z, x) \in (R \circ S)^{-1}$

$\Leftrightarrow (x, z) \in (R \circ S)$

$\Leftrightarrow$ 存在一個 $y \in B$ 使得 $(x, y) \in R$ 且 $(y, z) \in S$

$\Leftrightarrow$ 存在一個 $y \in B$ 使得 $(y, x) \in R^{-1}$ 且 $(z, y) \in S^{-1}$

$\Leftrightarrow$ 存在一個 $y \in B$ 使得 $(z, y) \in S^{-1}$ 且 $(y, x) \in R^{-1}$

$\Leftrightarrow (z, x) \in S^{-1} \circ R^{-1}$

$\therefore (R \circ S)^{-1} = S^{-1} \circ R^{-1}$

作業 4C
Homework

1. $A=\{1, 2, 3\}$，R, S 為定義於 A 之二關係，其關係矩陣如下：

$$M_R = \begin{bmatrix} 1 & 0 & 1 \\ 1 & 1 & 0 \\ 1 & 0 & 1 \end{bmatrix} \ ,\ M_S = \begin{bmatrix} 0 & 0 & 0 \\ 1 & 0 & 0 \\ 1 & 1 & 1 \end{bmatrix}$$

求 $M_{R \cup S}$，$M_{R \cap S}$，$M_{R \circ S}$。

2. $A=\{1, 2, 3, 4,\}$，R, S 為定義於 A 之二個關係：

$$R = \begin{bmatrix} 1 & 0 & 1 & 0 \\ 0 & 0 & 1 & 1 \\ 1 & 0 & 0 & 0 \\ 0 & 1 & 0 & 1 \end{bmatrix} \ ,\ S = \begin{bmatrix} 0 & 1 & 0 & 0 \\ 0 & 0 & 1 & 0 \\ 1 & 1 & 0 & 1 \\ 0 & 0 & 1 & 0 \end{bmatrix}$$

求 　(1) $M_{R \cup S}$ 　(2) $M_{R \cap S}$ 　(3) $M_{R^{-1}}$ 　(4) $M_{\bar{R}}$ 　(5) $M_{\bar{R} \cup S}$
(6) $M_{R \circ R}$ 　(7) $M_{R \circ S}$ 　(8) $M_{S \circ S^{-1}}$。

3. $A=\{1, 2, 3\}$，R, S 為定義於 A 之二個關係：

$$R = \begin{bmatrix} 1 & 1 & 0 \\ 0 & 0 & 1 \\ 0 & 0 & 0 \end{bmatrix} \ ,\ S = \begin{bmatrix} 1 & 1 & 0 \\ 1 & 0 & 1 \\ 0 & 1 & 0 \end{bmatrix}$$

驗證下列子題

(1) $R \subseteq S$。

(2) $R^{-1} \subseteq S^{-1}$。

(3) $\overline{S} \subseteq \overline{R}$ 。

(4) $\overline{R \cap S} = \overline{R} \cup \overline{S}$ 。

(5) $(R \cap S)^{-1} = R^{-1} \cap S^{-1}$ 。

4. R，S 均為定義於集合 A 之二個關係，若 R，S 均為 asymmetric，試證 $R \cap S$ 亦為 asymmetric，所謂 asymmetric 是說：若 $(x, y) \in A$ 則恆有 $(y, x) \notin A$

5. R，S 為由 A 至 B 之關係，T 為 B 至 C 之關係，若 $R \subseteq S$，試證 $T \circ R \subseteq T \circ S$

6. 試證同餘關係為等價關係。

　　定義：I_A 為定義於 A 之一個關係，定義 $I_A = \{(x, x) | x \in A\}$，$I_A$ 稱為恆等關係。

　　依上述定義解 7.~9.。

7. 若 $A = \{a, b, c\}$，求 I_A。

8. R 為定義於 A 之一個關係，$A = \{1, 2, 3, 4\}$，$R = \{(1, 2), (2, 3), (2, 4)\}$，求 $I_A \circ R$ 與 $R \circ I_A$，根據上述結果，你（妳）能猜出 $I_A \circ R$，$R \circ I_A$ 與 R 之關係？

9. R 為定義於 A 之關係，試證 $I_A \circ R \subseteq R$。

4.4　關係之進一步分析

　　R 為定義於集合 A 之一個關係，若 $(a, b) \in R$，則其關係圖上顯示其起點為點 a 終點為點 b 的弧（邊），它可能需經若干個邊，其間經過之邊數若等於 n，我們便稱 R 由 a 至 b 之**路徑長度**(length of path)為 n。

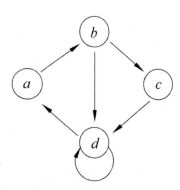

　　在右圖，每個邊長度均視為 1。例如：

　　路徑 π_1：$a \to b \to c$ 經過 2 個邊

　　$\therefore$ 路徑長度為 2。

　　路徑 π_2：$d \to d \to a \to b$ 則路徑長度為 3。

　　起點與終點都是同一點之路徑為**迴路**(cycle)。在右圖，路徑 π_2：$d \to d$ 或 π_3：$a \to b \to d \to a$ 均為迴路。

R^n 與 R^∞

定義

> 在 R 中有一條長度為 n 之路徑連接 x 與 y，以 $(x, y) \in R^n$ 表之。若且惟若兩個頂點間有一路徑可連接則稱其中一頂點**可到達**(reachable)另一個頂點。

基礎離散數學 Discrete
A Short Course in **Mathematics**

例 1

$A=\{a, b, c, d\}$，R 為定義於 A 之一個關係，$R=\{(a, a), (a, b), (b, c), (b, d), (c, d)\}$，試求 R^2 及 R^3 之關係矩陣。

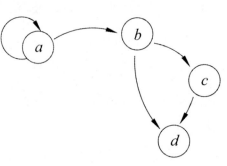

解

1. R^2：

   設 $\pi^2{}_{ij}$ 表示 i 經 2 步可到達 j 之路徑，若可到達則 R^2 之 $r_{ij}=1$，否則 $r_{ij}=0$。

   π^2_{aa}：$a \to a \to a$ ∴ R^2 之 $r_{11}=1$

   π^2_{ab}：$a \to a \to b$ ∴ R^2 之 $r_{12}=1$

   π^2_{ac}：$a \to b \to c$ ∴ R^2 之 $r_{13}=1$

   π^2_{ad}：$a \to b \to d$ ∴ R^2 之 $r_{14}=1$

   π^2_{ba}：在單向圖中，b 無法到達 a，當然 b 無法在 2 步到達 a

   ∴ R^2 之 $r_{21}=0$

   同法可得 R^2 關係矩陣之其餘元素，R^2 關係矩陣為：

   $$R^2=\begin{bmatrix} 1 & 1 & 1 & 1 \\ 0 & 0 & 0 & 1 \\ 0 & 0 & 0 & 0 \\ 0 & 0 & 0 & 0 \end{bmatrix}$$

2. R^3：

   設 $\pi^3{}_{ij}$ 表示 i 經 3 步可到達 j 之路徑，若可到達則 R^3 之 $r_{ij}=1$，否則 $r_{ij}=0$。

$\pi_{aa}^3 : a \to a \to a \to a$，$\therefore$　R^3 之 $r_{11} = 1$

$\pi_{ab}^3 : a \to a \to a \to b$，$\therefore$　R^3 之 $r_{12} = 1$

……

$\pi_{bd}^3 : b$ 無法在 3 步到達 d（雖然 b 可在 2 步到達 d）

$\therefore$　R^3 之 $r_{24} = 0$

……

$$\therefore \ R^3 = \begin{bmatrix} 1 & 1 & 1 & 1 \\ 0 & 0 & 0 & 0 \\ 0 & 0 & 0 & 0 \\ 0 & 0 & 0 & 0 \end{bmatrix}$$

例 2

$A = \{1, 2, 3, 4, 5\}$，R 為定義於 A 之一個關係。求 $(1)R^2$；$(2)R^3$；$(3)R^5$；(4)由 $R^3 = R^5$ 之結果，證明 $R^6 = R^4$，$R^7 = R^3$。

解

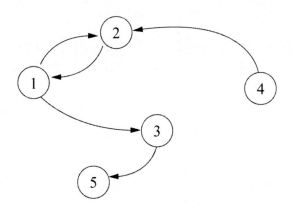

根據題意，我們可建立關係圖，類似例 1 之方法，可得：

(1) $R^2 = \{<1, 1>, <1, 5>, <2, 2>, <2, 3>, <4, 1>\}$

(2) $R^3 = \{<1, 2>, <1, 3>, <2, 1>, <2, 5>, <4, 2>, <4, 3>\}$

(3) $R^4 = \{<1, 1>, <1, 5>, <2, 2>, <2, 3>, <4, 1>, <4, 5>\}$

(4) 讀者可自行驗證 $R^5 = R^3$

(5) 由關係合成之定義 $R^6 = R \circ R^5 = R \circ R^3 = R^4$

$\quad R^7 = R \circ R^6 = R \circ R^4 = R^5 = R^3$

設 R 為定義於集合 A 之一個關係，$x, y \in R$，$(x, y) \in R^\infty$ 意指 x 處存在一條路徑可連結 x, y。R^∞ 因此又稱為 **可連結關係** (connectivity relation)。

由 R^∞ 之意義，若 x 能到 y 所需之步數，可能是 1 步，也可能 2 步，3 步，……因此 $(x, y) \in R^\infty$ 之條件為 $(x, y) \in R$ 或 $(x, y) \in R^2$ 或 $(x, y) \in R^3$ …… ：

定理

R 為定義於 A 之一關係，若 $|A| = n$ 則 $R^\infty = R \cup R^2 \cup R^3 \cdots\cdots \cup R^n$。

證（略） ▮

上述定理表明了若 A 為有限集合，$|A| = n$，R^∞ 只需有限次運算即可，這對電腦運算極為有用。在一結構簡單之關係圖上，用 R^∞ 之可連接性即足以寫出 R^∞ 關係矩陣諸元素。

例 3

承上例求 R^∞。

解

以 a 為起點時，它恆可到達 a, b, c, d 4 點，$\therefore$ R^∞ 之
$r_{11}=r_{12}=r_{13}=r_{14}=1$，以 b 為起點時，它可到達 c, d 二點，但無
法到達 a, b 二點，

$\therefore$ R^∞ 之 $r_{21}=r_{22}=0$，$r_{23}=r_{24}=1$

以 c 為起點時，它可到達 d 點，但無法到達 a, b, c 三點，

$\therefore$ $r_{31}=r_{32}=r_{33}=0$，$r_{34}=1$

以 d 為起點時，它無法到達 a, b, c, d 任一點，

$\therefore$ $r_{41}=r_{42}=r_{43}=r_{44}=0$

綜合上述結果可得 R^∞ 矩陣如下：

$$R^\infty = \begin{bmatrix} 1 & 1 & 1 & 1 \\ 0 & 0 & 1 & 1 \\ 0 & 0 & 0 & 1 \\ 0 & 0 & 0 & 0 \end{bmatrix}$$

關係之閉包

在前面幾節之討論過程中，我們發現許多關係並不滿足對稱
性、自反性、遞移性等，本節討論之關係之**閉包**(closure)，目的
就在於「在增加最小之元素之條件下，可將原關係不足之處（如
不滿足對稱性…）予以補足」。

定 義

▶ R 為定義於 A 上之二元關係，若 R' 是 A 之關係，且滿足條件

(1) $R \subseteq R'$。

(2) R' 為自反的。

(3) 對於 A 之任一二元關係 R''，若 $R \subseteq R''$，且 R'' 是自反的，
    則 $R' \subseteq R''$。

則稱 R' 為 R 之**自反閉包**(reflective closure)，以 $r(R)$ 表示。

由定義可知，$r(R)$是包含 R 之最小自反關係，同樣地，我們可定義**對稱閉包**(symmetric closure)與**遞移閉包**(transitive closure)。R 之對稱閉包以 $s(R)$表示之，遞移閉包以 $t(R)$或 R^+表之。

由定義求自反閉包 $r(R)$，對稱閉包 $s(R)$與遞移閉包 $t(R)$，顯然是不實際的作法，好在下面定理給出了之具體方法：

定 理

▶ R 為定義於 A 之二元關係則

(1) $r(R)=R \cup I_A$

(2) $s(R)=R \cup R^{-1}$

(3) $t(R)=R^+=R \cup R^2 \cup R^3 \cdots$，若 A 為有限集，且$|A|=n$ 則 $R^+=\bigcup_{i=1}^{n} R^i$

我們只證(1)、(2)

1. $r(R)=R\cup I_A$

(1)$R\cup I_A\subseteq r(R)$：

∵$R\subseteq r(R)$又$(x, x)\in r(R)$，$\forall x\in A$∴$I_A\subseteq r(R)$

故 $R\cup I_A\subseteq r(R)$

(2)$r(R)\subseteq R\cup I_A$：

∵$R\cup I_A$具自反性，由自反閉包定義　$r(R)\subseteq R\cup I_A$

由(1)(2)　$R\cup I_A=r(R)$

2. $s(R)=R\cup R^{-1}$

(1)$s(R)\subseteq R\cup R^{-1}$：

∵$(R\cup R^{-1})^{-1}=R^{-1}\cup(R^{-1})^{-1}=R^{-1}\cup R=R\cup R^{-1}$

∴$R\cup R^{-1}$具對稱性

由對稱閉包定義　$s(R)\subseteq R\cup R^{-1}$

(2)$R\cup R^{-1}\subseteq s(R)$：

∵$(x, y)\in R^{-1}\Rightarrow(y, x)\in R$

又 $R\subseteq s(R)$　∴$(y, x)\in s(R)\Rightarrow(x, y)\in s(R)$

∴$(x, y)\in R\cup R^{-1}$　　即 $R\cup R^{-1}\subseteq s(R)$

∴$s(R)=R\cup R^{-1}$

例 4

R 為定義於 $A=\{a, b, c\}$ 之二元關係，定義 $R=\{<a, b>, <b, c>\}$，求 $r(R)$、$s(R)$ 與 $t(R)$。

▶ **解** 〉

$r(R)=R \cup I_A=\{<a, b>, <b, c>\} \cup \{<a, a>, <b, b>, <c, c>\}$
$\qquad =\{<a, a>, <a, b>, <b, b>, <b, c>, <c, c>\}$

$s(R)=R \cup R^{-1}=\{<a, b>, <b, c>\} \cup \{<b, a>, <c, b>\}$
$\qquad =\{<a, b>, <b, c>, <b, a>, <c, b>\}$

$R=\{<a, b>, <b, c>\}$，$R^2=\{<a, c>\}$

$t(R)=R \cup R^2=\{<a, b>, <b, c>, <a, c>\}$

　　$t(R)$ 或 R^+ 除了上述方法外，我們還可用增加必要之有序元素對來得到，以上例而言，$R=\{<a, b>, <b, c>\}$，如果 R 增加 $<a, c>$，則 R 就有遞移性，因此 $R^+=\{<a, b>, <b, c>, <a, c>\}$。

例 5

　　$A=\{a, b, c, d\}$，$R=\{<b, a>, <a, d>, <b, c>, <c, a>\}$，求 R^+。

解

　　$\because <b, a> \in R$，$<a, d> \in R$，而 $<b, d> \notin R$　$\therefore$ 必須增加 $<b, d>$

　　$<c, a> \in R$，$<a, d> \in R$，而 $<c, d> \notin R$　$\therefore$ 必須增加 $<c, d>$

　　$\therefore R^+=\{<b, a>, <a, d>, <b, c>, <c, a>, <b, d>, <c, d>\}$

例 6

　　R_1, R_2 為定義於集合 A 之二個關係，試證
(1) $R_1^+ \cup R_2^+ \subseteq (R_1 \cup R_2)^+$，又 (2) $(R_1 \cup R_2)^+ \subseteq R_1^+ \cup R_2^+$ 是否成立？

解

(1) $\because R_1^+ = \bigcup_{i=1} R_1^i = R_1 \cup R_1^2 \cup \cdots$

$\therefore R_1 \subseteq R_1^+$，從而 $R_1 \subseteq R_1 \cup R_2 \subseteq (R_1 \cup R_2)^+$

同理 $R_2 \subseteq (R_1 \cup R_2)^+$

$\therefore R_1 \cup R_2 \subseteq (R_1 \cup R_2)^+$

(2) 令 $A=\{a, b, c\}$，$R_1=\{(a, b)\}$，$R_2=\{(b, c)\}$則

$R_1^+ = \{(a, b)\}$，$R_2^+ = \{(b, c)\}$，$R_1^+ \cup R_2^+ = \{(a, b), (b, c)\}$

$R_1 \cup R_2 = \{(a, b), (b, c)\}$，

則 $(R_1 \cup R_2)^+ = \{(a, b), (b, c), (a, c)\}$

$\therefore (R_1 \cup R_2)^+ \not\subseteq R_1^+ \cup R_2^+$

即 $(R_1 \cup R_2)^+ \subseteq R_1^+ \cup R_2^+$ 不恆成立。

例 7

若 R 為定義於 Z^+ 之關係，$R=\{<a, b> \mid a>b\}$，求 $r(R)$ 與 $s(R)$。

解

$r(R)=R \cup I_A=\{<a, b> \mid a>b\} \cup \{<a, b> \mid a=b\}$

$\qquad =\{<a, b> \mid a \geq b\}$

$s(R)=R \cup R^{-1}=\{<a, b> \mid a>b\} \cup \{<a, b> \mid b>a\}$

$\qquad =\{<a, b> \mid a \neq b\}$

作業 4D
Homework

1. $A=\{a, b, c, d\}$，R 為定義於 A 之關係，$R=\{(a, b), (a, c), (b, b), (b, e), (c, d), (d, b), (d, c), (e, d), (e, e)\}$。

   (1)試繪出此關係圖。

   (2)試定出此關係矩陣。

   (3)畫出所有長度為 1 之路徑。

   (4)畫出所有起點為 c 而長度為 4 之路徑。

   (5)畫出所有起點為 b 而長度為 5 之迴路。

   (6)畫出 3 個起點為 b 之迴路。

   求(7)～(9)之關係矩陣(7)R^2，(8)R^3，(9)R^∞。

2. $A=\{a, b, c, d\}$，R 為定義於 A 之關係，關係圖如下：

   (1)試求此關係矩陣，求(2)～(4)之關係矩陣，(2)R^2，(3)R^3，(4)R^∞。

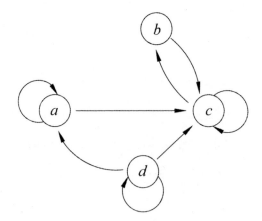

3. $A = \{a,b,c,d\}$ 定義於 A 之關係 $R = \{(b,a),(c,b),(d,c)\}$ 求 R^2、R^3 及 R^4。

4. R 為定義於 $A=\{(a, b), (a, c), (b, a), (c, e), (d, b)\}$，求(a)$R^+$；(b)比較 R 與 R^+ 之關係圖。

5. $A=\{a, b, c\}$，R 為定義於 A 之關係，$R=\{(a, b), (b, c), (c, a)\}$，求 (1)$r(R)$；(2)$s(R)$；(3)$t(R)$；(4)$t(R)$ 之關係圖。

6. 承上題，若我們定義一種新的閉包合成關係，如 $sr(R)=s(r(R))$，求(1)$sr(R)$ 與(2)$tsr(R)$。

7. $A=\{a, b, c\}$，R 為定義於 A 之關係，$R=\{(a, b), (b, c)\}$，求(1)$t(R)$（或 R^+）；(2)$rs(R)$；(3)$sr(R)$；(4)$ts(R)$；(5)$st(R)$。

MEMO

函　數

5.1 導 說

本節我們將從「關係」來定義函數。

> **定 義**
>
> A, B 為二集合，f 為從 A 至 B 之一個關係，若 A 之每個元素在關係之有序元素對之第 1 個元素恰出現一次，則 f 為從 A 至 B 之一個函數或映射(mapping)，記做 $f: A \rightarrow B$，而 A 稱為 f 之定義域(domain)，f 之值域（codomain 或 range），記做 Range f，Range $f \subseteq B$。

上述定義亦可寫成，f 為從 A 至 B 之二元關係，若對每一個 $a \in A$ 均能在 B 中找到惟一的 b，使得 $<a, b> \in f$，則稱 f 為從 A 到 B 之函數。b 是 a 之**像**(image)，記做 $f(a)=b$。

例 1

若 $A=\{1, 2, 3, 4, 5\}$，$B=\{a, b, c, d\}$，問下列 A 到 B 之關係可定義為一函數？若是，其定義域(Dom)值域(Ran)為何？

(a) $f_1=\{<1, a>, <2, a>, <3, a>, <4, b>\}$

(b) $f_2=\{<1, a>, <2, c>, <3, d>, <4, b>, <5, c>\}$

解

(a) $\because 5 \in A$ 但 5 在 B 中沒有像，$\therefore f_1$ 不是一個函數。

(b) f_2 是一個函數。Dom $f_2=\{1, 2, 3, 4, 5\}$，Ran $f_2=\{a, b, c\}$
   顯然 Ran $f_2 \subseteq B$。

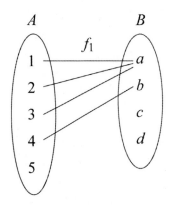

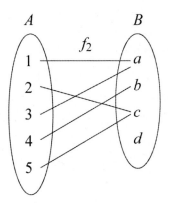

在計算機科學中常對**最大整數函數**(greatest integer function)也有人稱為**地板函數**(floor　function)與**天花板函數**(ceiling function)感到興趣。

最大整數函數

$f: R \rightarrow Z$，$f(x) = \lfloor x \rfloor = $ 最大整數 $\leq x$，即 $n+1 > x \geq n$ 時 $f(x) = \lfloor x \rfloor = n$

天花板函數

$f: R \rightarrow Z$，$f(x) = \lceil x \rceil = $ 最小整數 $\geq x$，即 $n+1 > x \geq n$ 時 $\lceil x \rceil = n+1$

例如：

$\lfloor -2.7 \rfloor = -3$，$\lfloor 2.9 \rfloor = 2$，$\lfloor 3 \rfloor = 3$

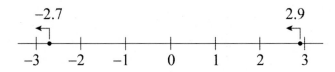

$\lceil -2.7 \rceil = -2$，$\lceil 2.9 \rceil = 3$，$\lceil 3 \rceil = 3$

顯然 $x \in Z$ 時，$\lceil x \rceil = \lfloor x \rfloor$

例 2

若 $x = 3.6$，$y = 4.8$

(a) $\lceil x \rceil = ?$ $\lceil y \rceil = ?$ $\lfloor x \rfloor = ?$ $\lfloor y \rfloor = ?$

(b) $\lceil x+y \rceil = ?$ $\lceil x-y \rceil = ?$ $\lfloor y-2x \rfloor = ?$

(c) $\lceil x \rceil \lfloor y \rfloor = ?$ $\lfloor \pi x \rfloor = ?$

解

(a) $\lceil x \rceil = \lceil 3.6 \rceil = 4$，$\lceil y \rceil = \lceil 4.8 \rceil = 5$，$\lfloor x \rfloor = \lfloor 3.6 \rfloor = 3$，

$\lfloor y \rfloor = \lfloor 4.8 \rfloor = 4$

(b) $\lceil x+y \rceil = \lceil 3.6+4.8 \rceil = \lceil 8.4 \rceil = 9$

$\lceil x-y \rceil = \lceil 3.6-4.8 \rceil = \lceil -1.2 \rceil = -1$

$\lfloor y-2x \rfloor = \lfloor 4.8-2\times 3.6 \rfloor = \lfloor -2.4 \rfloor = -3$

(c) $\lceil x \rceil \lfloor y \rfloor = 4 \times 5 = 20$

$\lfloor \pi x \rfloor = \lfloor 3.14 \times 3.6 \rfloor = 11$

例 3

若 $a \geq 1$，$a \in R$，試證 $\lfloor \lceil a \rceil / a \rfloor = 1$。

解

我們先用實際數字來看看例 3，若 $a = 3.7$，則 $\lceil a \rceil = 4$

$\therefore \lceil a \rceil / a = \dfrac{4}{3.7} = 1.081$，得 $\lfloor \lceil a \rceil / a \rfloor = 1$，現在我們正式證明：

(i) $a \in Z^+$，則

$$\lfloor \lceil a \rceil / a \rfloor = \left\lfloor \frac{a}{a} \right\rfloor = 1$$

(ii) $a \notin Z^+$ 設 $a = x + c$，$x \in Z^+$，$1 > c > 0$，則

$$\lceil a \rceil = \lceil x + c \rceil = x + 1$$

$$\therefore \left\lfloor \frac{\lceil a \rceil}{\lfloor a \rfloor} \right\rfloor = \left\lfloor \frac{x+1}{\lfloor x+c \rfloor} \right\rfloor = \left\lfloor 1 + \frac{1-c}{x+c} \right\rfloor = 1$$

定　義

▶ 若函數 f, g 均為由 A 到 B 之函數，若 $f(a)=g(a)$，$\forall a \in A$，則定義 $f = g$。

　　基本上，二個函數 f, g 相等之條件為 f, g 有相同之定義域，映射規則與值域，例如：$f: x \to x$，$x \in [0,1]$，$g: y \to y$，$y \in [0,1]$，它們之定義域、值域，映射規則均相同，故 $f = g$。我們現在看一些進一步之例子：

例 4

　　$f: X \to Y$，若 $A, B \subseteq X$，試證 $f(A \cup B) = f(A) \cup f(B)$。

解

　　本例只需用到函數之定義與集合性質即可證出。

　　若 $x \in A \cup B$，則在 Y 中能找到一個 y 使得 $f(x) = y$

　　$\Leftrightarrow (x \in A, f(x) = y)$ 或 $(x \in B, f(x) = y)$

$\Leftrightarrow y \in f(A)$ 或 $y \in f(B)$

$\Leftrightarrow y \in f(A) \bigcup f(B)$

$\therefore f(A \bigcup B) = f(A) \bigcup f(B)$

例 5

承例 4，試證 $f(A \bigcap B) \subseteq f(A) \bigcap f(B)$。

解

若 $x \in A \bigcap B$，則在 Y 中可找到一個 y，使得 $f(x) = y$

$\Rightarrow (x \in A, f(x) = y)$ 且 $(x \in B, f(x) = y)$

$\Rightarrow y \in f(A)$ 且 $y \in f(B)$

$\Rightarrow y \in f(A) \bigcap f(B)$

$\therefore f(A \bigcap B) \subseteq f(A) \bigcap f(B)$

　　例 5 之 $f(A) \bigcap f(B) \subseteq f(A \bigcap B)$ 不恆成立，其反例見本節練習題第 7 題。

三個特殊映射關係

函數

　　本子節將介紹三個特殊之映射關係：一對一（單射）、映成（滿射）及一對一且映成（全射）。

定　義

函數 $f : A \to B$

(1) 若 $x_1 \neq x_2 \Rightarrow f(x_1) \neq f(x_2)$，$\forall x_1 \cdot x_2 \in A$，則稱 f 為一對一 (one-to-one)，一對一映射也稱為單射(injective)。

(2) 若 Ran $f = B$ 則稱 f 為映成(into)，映成也稱為滿射 (surjective)。

(3) 若 f 同時滿足一對一且映成則稱 f 為雙射(bijective)。

我們先從例 6 了解上述定義之涵義。

例 6

(1) $f : A \to B$，$A = \{1, 2, 3, 4\}$，$B = \{1, 2, 3\}$，$f : \{(1, 1), (2, 2), (3, 3)\}$

(2) $f : A \to B$，$A = \{1, 2, 3, 4\}$，$B = \{1, 2, 3\}$，$f : \{(1, 1), (2, 2), (3, 3), (4, 1)\}$

(3) $f : A \to B$，$A = \{1, 2, 3, 4\}$，$B = \{1, 2, 3\}$，$f : \{(1, 1), (2, 1), (3, 1), (4, 1)\}$

(4) $f : A \to A$，$A = \{1, 2, 3, 4\}$，$f : \{(1, 4), (2, 3), (3, 1), (4, 2)\}$

試判斷何者為函數，若是何者為一對一？映成？一對一且映成。

解

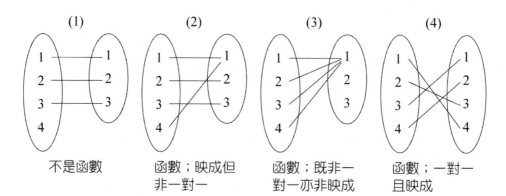

(1)
不是函數

(2)
函數；映成但
非一對一

(3)
函數；既非一
對一亦非映成

(4)
函數；一對一
且映成

特徵函數

定義

A 為任一廣集合之子集合，則 A 之特徵函數(characteristic function)記做 x_A，定義 x_A 為

$$x_A = \begin{cases} 1 & , \quad x \in A \\ 0 & , \quad x \notin A \end{cases}$$

由上述定義，可得有關特徵函數之基本性質。

定理

$$x_{A \cap B} = x_A x_B$$

$$x_{\overline{A}} = 1 - x_A$$

$$x_{A \cup B} = x_A + x_B - x_{A \cap B}$$

(1) $x_A = \begin{cases} 1 & , \quad x \in A \\ 0 & , \quad x \notin A \end{cases}$, $x_B = \begin{cases} 1 & , \quad x \in B \\ 0 & , \quad x \notin B \end{cases}$

$\therefore x_A \cdot x_B = \begin{cases} 1 & , \quad x \in A \text{ 且 } x \in B \\ 0 & , \quad x \notin A \text{ 或 } x \notin B \end{cases} = \begin{cases} 1 & , \quad x \in A \cap B \\ 0 & , \quad x \notin A \cap B \end{cases}$ .... ①

又 $x_{A \cap B} = \begin{cases} 1 & , \quad x \in A \cap B \\ 0 & , \quad x \notin A \cap B \end{cases}$ .... ②

由①、② $x_{A \cap B} = x_A x_B$

(2) $x_A = \begin{cases} 1 & , \quad x \in A \\ 0 & , \quad x \notin A \end{cases} = \begin{cases} 1 & , \quad x \notin \overline{A} \\ 0 & , \quad x \in \overline{A} \end{cases} = 1 - x_{\overline{A}}$

$\therefore x_{\overline{A}} = 1 - x_A$

(3) $x_{A \cup B} = x_{\overline{\overline{A} \cap \overline{B}}} = 1 - x_{\overline{A} \cap \overline{B}} = 1 - x_{\overline{A}} x_{\overline{B}} = 1 - (1 - x_A)(1 - x_B)$

$= 1 - (1 - x_A - x_B + x_A x_B) = x_A + x_B - x_A x_B$

例 7

求證 $x_{A-B} = x_A - x_{A \cap B}$ 。

解

$x_{A-B} = x_{A \cap \overline{B}} = x_A x_{\overline{B}} = x_A (1 - x_B) = x_A - x_A x_B = x_A - x_{A \cap B}$

例 8

用特徵函數證明 $A \cup (B \cap C) = (A \cup B) \cap (A \cup C)$。

解

$$x_{A \cup (B \cap C)} = x_A + x_{B \cap C} - x_A x_{B \cap C}$$

$$= x_A + x_B x_C - x_A x_B x_C \quad\dotsfill ①$$

$$x_{(A \cup B) \cap (A \cup C)} = x_{A \cup B} \cdot x_{A \cup C}$$

$$= (x_A + x_B - x_{A \cap B})(x_A + x_C - x_{A \cap C})$$

$$= x_A(x_A + x_C - x_{A \cap C}) + x_B(x_A + x_C - x_{A \cap C})$$

$$- x_{A \cap B}(x_A + x_C - x_{A \cap C})$$

$$= x_A^2 + x_A x_C - x_A x_{A \cap C} + x_A x_B + x_B x_C - x_B x_{A \cap C}$$

$$- x_A x_{A \cap B} - x_{A \cap B} x_C + x_{A \cap B} x_{A \cap C}$$

$$= x_A + x_{A \cap C} - x_{A \cap (A \cap C)} + x_A x_B + x_B x_C - x_B x_A x_C$$

$$- x_{A \cap (A \cap B)} - x_A x_B x_C + x_{(A \cap B) \cap (A \cap C)}$$

$$= x_A + x_{A \cap C} - x_{A \cap C} + x_A x_B + x_B x_C - x_A x_B x_C$$

$$- x_{A \cap B} - x_A x_B x_C + x_{A \cap B \cap C}$$

$$= x_A + x_B x_C - x_{A \cap B \cap C} = x_A + x_B x_C - x_A x_B x_C \dotsfill ②$$

比較①,② ∴ $A \cup (B \cap C) = (A \cup B) \cap (A \cup C)$

作業 5A
Homework

1. $A = \{a, b, c, d\}$，$B = \{1, 2, 3\}$，請根據下列條件，構建一個函數。（答案不只一個）

   (1) $f : A \to B$；為映成函數。

   (2) $f : A \to A$；為一對一且非映成。

   (3) $f : A \to B$；為一對一且映成。

   (4) $f : B \to A$；為一對一且映成。

   (5) $f : B \to A$；為一對一且非映成。

2. 若 $A = \{a, b, c, d\}$，$B = \{1, 2, 3, 4\}$，下列敘述何真？

   (1) $f = \{(a, 1), (b, 1), (c, 2), (d, 4)\}$ 為一對一或映成函數。

   (2) $f = \{(a, 1), (b, 2), (c, 3), (d, 4), (b, 3)\}$ 為映成函數。

   (3) $f = \{(a, 2), (b, 3), (c, 4), (d, 5)\}$ 為一對一函數。

3. 承上題，上面子題中若為函數，請指出定義域與值域。

4. 若 $A = \{a, b, c\}$，$B = \{x, y\}$，$f : A \to B$

   (1) 有多少種映射為函數？

   (2) 有多少種映射為映成？

   (3) 有多少種映射為一對一？

5. $f : A \to B$，若 $C \subseteq B$ 定義集合 $X = \{x \mid x \in A \land f(x) \in C\}$，試證 $f(X) \subseteq C$。

6. $f: X \to Y$，$X = \{a, b, c, d\}$，$Y = \{1, 2, 3, 4\}$，問下列映射何者為函數，若是其定義域、值域為何？何者為一對一？映成？一對一且映成？

   (1) $f_1 = \{<a, 1>, <b, 1>, <c, 2>, <d, 1>\}$

   (2) $f_2 = \{<a, 1>, <b, 3>, <c, 3>\}$

   (3) $f_3 = \{<a, 1>, <b, 3>, <c, 3>, <d, 2>, <b, 1>\}$

7. A, B, C 為三集合，試導出它們之特徵函數 $x_{A \cup B \cup C}$ 與 $x_{A-(B-C)}$。

8. $f: X \to Y$，$A, B \subseteq X$，$C \subseteq Y$，令 $A = \{a, d, e\}$，$B = \{b, e\}$，$C = \{\alpha, \beta, \gamma\}$，定義 $f(a) = f(b) = \alpha$，$f(e) = \beta$，$f(d) = \gamma$，驗證 $f(A) \cap f(B) \subseteq f(A \cap B)$ 不成立。

9. 試用特徵函數證明 $A \cap (A \cup B) = A$。

10. $f: A \to B$ 若 $|A| = |B| = n$ 且 f 為一對一；試證 f 必為映成。

5.2 合成函數

$f : X \to Y$ ， X ， Y 為二非空集合， $X = \{a_1, a_2, \cdots, a_m\}$ ， $Y = \{b_1, b_2, \cdots, b_n\}$ ，顯然 $m = n$ 時， f 才有一對一之可能， $m > n$ 時 f 才有映成之可能。關於上述，我們將在第五章再次說明。

定　義

A, B, C 為三個集合， $f : A \to B$ ， $g : B \to C$ ，則合成函數 (composite function) $g \circ f : A \to C$ 定義為

$(g \circ f)(a) = g(f(a))$ ， $\forall a \in A$ 。

讀者要注意的是，有些作者將 $(g \circ f)(a)$ 定義為 $(g \circ f)(a) = f(g(a))$ 。

例 1

$A = \{a, b, c, d\}$ ， $B = \{\alpha, \beta, \gamma\}$ ， $C = \{x, y, z, w\}$ ，函數 $f : A \to B$ ， $g : B \to C$ ，定義為

$f = \{(a, \alpha), (b, \alpha), (c, \beta), (d, \gamma)\}$

$g = \{(\alpha, y), (\beta, z), (\gamma, w)\}$

求 $g \circ f$ ？

解

$(g \circ f)(a) = g(f(a)) = g(\alpha) = y$ ， $(g \circ f)(b) = g(f(b)) = g(\alpha) = y$

$(g \circ f)(c) = g(f(c)) = g(\beta) = z$ ， $(g \circ f)(d) = g(f(d)) = g(\gamma) = w$

$\therefore g \circ f = \{(a, y), (b, y), (c, z), (d, w)\}$

例 2

$g : Z^+ \to Z^+$，定義 $g(n) = 2n$，若 $A = \{1, 3, 5, 6\}$，$f : A \to Z^+$，定義 $f = \{(1, 2), (3, 1), (5, 2), (6, 8)\}$，求 $g \circ f$。

解

$(g \circ f)(1) = g(f(1)) = g(2) = 4$

$(g \circ f)(3) = g(f(3)) = g(1) = 2$

$(g \circ f)(5) = g(f(5)) = g(2) = 4$

$(g \circ f)(6) = g(f(6)) = g(8) = 16$

$\therefore g \circ f = \{(1, 4), (3, 2), (5, 4), (6, 16)\}$

例 3

$f : R \to R$，$g : R \to R$，且

$$f(x) = \begin{cases} x^2 & , \quad x \geq 4 \\ 1 & , \quad x < 4 \end{cases} \; ; \; g(x) = x + 3$$

求 (1) $f \circ g$；(2) $g \circ f$。

解

(1) $(f \circ g)(x) = f(g(x)) = \begin{cases} (x+3)^2 & , \quad x+3 \geq 4 \\ 1 & , \quad x+3 < 4 \end{cases}$

即 $(f \circ g)(x) = \begin{cases} (x+3)^2 & , \quad x \geq 1 \\ 1 & , \quad x < 1 \end{cases}$

(2) $(g \circ f)(x) = g(f(x)) = \begin{cases} g(x^2) & , \quad x \geq 4 \\ g(1) & , \quad x < 4 \end{cases}$

$\qquad = \begin{cases} x^2 + 3 & , \quad x \geq 4 \\ 1 & , \quad x < 4 \end{cases}$

例 4

　　$f : A \to B$，$g : B \to C$，若 f, g 為一對一函數，試證 $g \circ f$ 亦為一對一函數，並由此說明 $g \circ f$ 不為一對一時，g, f 至少有一不為一對一。

解

(1) $\because (g \circ f)(a_1) = (g \circ f)(a_2)$

$\quad \Rightarrow g(f(a_1)) = g(f(a_2))$

$\quad \Rightarrow f(a_1) = f(a_2) \quad (\because g \text{ 為一對一})$

$\quad \Rightarrow a_1 = a_2 \quad (\because f \text{ 為一對一})$

$\quad \therefore g \circ f \text{ 為一對一}。$

(2) 由(1)，若 f 為一對一且 g 為一對一，則 $g \circ f$ 為一對一，利用「『若 A 則 B』與『若非 B 則非 A』」同義，我們有「若 $g \circ f$ 不為一對一，則 f 不為一對一或 g 不為一對一」。即 $g \circ f$ 不為一對一時，g, f 至少有一不為一對一。

定 理

▶　$f : A \to B$，$g : B \to C$，$h : C \to D$，則 $f \circ (g \circ h) = (f \circ g)h$。

證

$$(f \circ (g \circ h))(x) = f \circ [(g \circ h)(x)] = f(g(h(x)))$$

$$((f \circ g) \circ h)(x) = (f \circ g) \circ (h(x)) = f(g(h(x)))$$

$$\therefore f \circ (g \circ h) = (f \circ g) \circ h$$

即函數之合成運算滿足結合性，但交換性 $f \circ g = g \circ f$ 不恆成立（本節練習題第 2 題）

定義

$f : x \to y$，則定義 $f^n(x) = (f \circ f^{n-1})(x)$

例 5

$A = \{a, b, c\}$，$f : A \to B$ 定義 $f = \{(a, a), (b, a), (c, a)\}$，求 $f^2 = ?$

解

$$f^2(a) = f(f(a)) = f(a) = a$$

$$f^2(b) = f(f(b)) = f(a) = a$$

$$f^2(c) = f(f(c)) = f(a) = a$$

$$\therefore f^2 = \{(a, a), (b, a), (c, a)\}$$

上例 $f^2 = f$，我們稱這種函數為冪等函數。

例 6

$f : A \rightarrow B$，$g : B \rightarrow C$，若 f, g 均為映成，試證 $g \circ f$ 亦為映成。

解

∵ $g : B \rightarrow C$ 為映成 ∴ C 中任一元素 z 必可在 B 中找到一個元素 y 使得 $g(y) = z$ .... ①

$g : A \rightarrow B$ 為映成 ∴ (1) 之 B 中元素 y 在 A 中必可找到一個元素 x 使得 $f(x) = y$

由定義 $g \circ f(x) = g(f(x)) = g(y) = z$　　∴ $g \circ f$ 為映成。

例 7

$f : A \rightarrow B$，$g : B \rightarrow C$，若 $g \circ f$ 為一對一且 f 亦為一對一，問 g 是否一定為一對一？

解

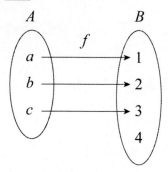 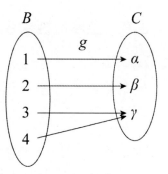

$g(f(a)) = g(1) = \alpha$，$g(f(b)) = g(2) = \beta$，$g(f(c)) = g(3) = \gamma$

∴ $g \circ f$ 為一對一又 f 為一對一，但顯然 g 不為一對一。

例 8

$f : A \to B$，$g : B \to C$，若 $f \circ g$ 為一對一，則 g 為一對一。

解

應用反證法：

若 g 不為一對一，則存在 $x, y \in B$，$x \neq y$，使得 $g(x) = g(y)$

$\therefore f(g(x)) = f(g(y)) \Rightarrow x \neq y$

仍有 $f \circ g(x) = f \circ g(y)$ 此與 $f \circ g$ 為一對一之假設矛盾

$\therefore g$ 為一對一。

反函數

定義

函數 f 若存在一個函數 g 使得 $(f \circ g)(x) = (g \circ f)(x) = x$，則 g 為 f 之反函數，f 之反函數以 $f^{-1}(x)$ 表之。

也有一些離散數學教材將函數 f 之反函數 f^{-1} 直接定義成：

定義

$f : A \to B$ 為一對一且映成，則其反函數 f^{-1} 存在。

直覺地，若 $f : A \to B$ 是一對一且映成（即雙射），因 f 為映成，所以在 B 中至少有一個元素 b 使得 $f(b)$ 在 A 中能找到一個元素 a 滿足 $a = f(b)$，又因 f 是一對一，故這種 a 也必為惟一，因此，f 為一對一且映成時 f 必有一反函數，f 之反函數記做 f^{-1}。

> ## 定理
>
> $f : A \to B$ 為一對一且映成，則 $f^{-1} : B \to A$ 亦為一對一且映成。

證

(1) 先證 $f : A \to B$ 為一對一且映成 $\Rightarrow f^{-1}$ 為一對一：

後 $b_1, b_2 \in B(b_1 \neq b_2)$，則在 A 存在 a_1, a_2 使得 $f(a_1) = b_1$，$f(a_2) = b_2$，由反函數定義：$a_1 = f^{-1}(b_1)$，$a_2 = f^{-1}(b_2)$，因 f 為一對一，以及 $a_1 \neq a_2$（∵若 $a_1 = a_2$，則 $a_1 \to b_1$，$a_1 \to b_2$，不合函數定義）

∴ $f^{-1}(b_1) \neq f^{-1}(b_2)$，知 f^{-1} 為一對一。

(2) 次證 $f : A \to B$ 為一對一且映成 $\Rightarrow f^{-1}$ 為映成：

∵ f 為映成，∴在 b 中任一元素在 A 中必可找到一個元素 a 使得 $f(a) = b$，即 $a = f^{-1}(b)$ ∴ f^{-1} 為映成。

例 9

$f : R \to R$，定義 $f = \{(x, 2x+3) \mid x \in R\}$，求 $f^{-1} = ?$

解

$f = \{(x, 2x+3) \mid x \in R\}$ 為一對一且映成，故有反函數 f^{-1}

$$f^{-1} = \{(x, \frac{1}{2}(x-3)) \mid x \in R\}$$

讀者或對上述表示方式不習慣，我們可以將問題重述：

$y = f(x) = 2x+3$ ∴ $x = \dfrac{y-3}{2}$，取 $f^{-1}(x) = \dfrac{1}{2}(x-3)$

例 10

$f : R \to R$ 定義 $f = \{(x,\, x^3 + 7) \mid x \in R\}$，求 $f^{-1} = ?$

解

$f = \{(x,\, x^3 + 7) \mid x \in R\}$ 為一對一且映成，故有反函數 f^{-1}

$f^{-1} = \{(x,\, \sqrt[3]{x-7}) \mid x \in R\}$

仿上例 $y = f(x) = x^3 + 7 \quad \therefore x = \sqrt[3]{y - 7}$ 即 $f^{-1}(x) = \sqrt[3]{x - 7}$

讀者在微積分學過：$y = f(x)$ 之定義域為區間 ϑ，若 $y = f(x)$ 在區間 ϑ 為單調(monotonic)，則 $y = f(x)$ 在 ϑ 中為一對一且 $f^{-1}(x)$ 存在，$y = 2x + 3$，$x \in R$ 與 $y = x^3 + 7$，$x \in R$ 均為單調函數（$f'(x) > 0$ 或 < 0）$\therefore f^{-1}$ 均存在。

例 11

若 $A = \{1,\, 2,\, 3,\, 4\}$，$B = \{x,\, y,\, z,\, w\}$，$f : A \to B$ 定義 $f = \{(1,\, y),\, (2,\, x),\, (3,\, w),\, (4,\, z)\}$，求 (1) f^{-1}；(2) $f^{-1} \circ f$。

解

(1) $f^{-1}(x) = \{(x,\, 2),\, (y,\, 1),\, (z,\, 4),\, (w,\, 3)\}$

(2) $f^{-1} \circ f$：

$f^{-1} \circ f(1) = f^{-1}(y) = 1$，$f^{-1} \circ f(2) = f^{-1}(x) = 2$，

$\therefore f^{-1} \circ f = I_x = \{(1,\, 1),\, (2,\, 2),\, (3,\, 3),\, (4,\, 4)\}$

例 12

$f : X \to Y$ ， $A \subseteq X$ ， $B \subseteq Y$ ，若 f^{-1} 存 在 ，試 證 $f^{-1}(A \cap B) = f^{-1}(A) \cap f^{-1}(B)$ 。

解

$x \in f^{-1}(A \cap B) \Leftrightarrow f(x) \in A \cap B$

$\Leftrightarrow f(x) \in A$ 且 $f(x) \in B$

$\Leftrightarrow x \in f^{-1}(A)$ 且 $x \in f^{-1}(B)$

$\Leftrightarrow x \in A^{-1}(A) \cap x \in f^{-1}(B)$

$\therefore f^{-1}(A \cap B) = f^{-1}(A) \cap f^{-1}(B)$

作業 5B
Homework

函數 $f : A \to A$，若 $f(f(a)) = f(a)$，$\forall a \in A$ 則稱 f 為一冪等函數。

1. $A = \{a, b, c\}$，$f : A \to A$，定義 $f(a) = f(b) = f(c) = b$，試證 f 為一冪等函數。

2. $A = \{a, b\}$，$f : A \to A$，求定義於 A 之所有冪等函數。

3. f, g, h 定義如下：

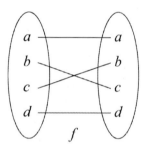 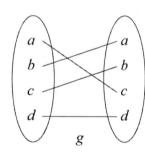 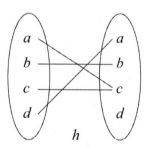

求 (1) $f \circ g$；(2) $g \circ h$；(3) $h \circ g$；(4) g^2。

4. 承上題，驗證 $f^{-1} \circ g^{-1} = (g \circ f)^{-1}$。

5. $f : X \to Y$，$A \subseteq X$，$B \subseteq Y$，f^{-1} 存在，試證
    $f^{-1}(A \cup B) = f^{-1}(A) \cup f^{-1}(B)$。

6. $f, g, h : A \to A$，若 f 為一對一，且 $f \circ g = f \circ h$，試證 $h = g$。

7. $f : N \to N$，$N = \{0, 1, 2, \cdots\}$，定義 f, g, h 為

    $f : x \to x + 3$；$g : x \to 2x$；$h : x \to \begin{cases} 0 & , \quad x\text{為偶數} \\ 1 & , \quad x\text{為奇數} \end{cases}$

    求 $f \circ f$，$f \circ g$，$g \circ f$，$h \circ g$，$g \circ h$。

8. $f : R \to R$，求下列函數 f 之反函數

    (1) $f(x) = 2x + 3$；(2) $f(x) = x^3 + 1$；(3) $f(x) = 10^x$

    並驗證 $f \circ f^{-1} = x$。

9. $f : A \to B$ 為一對一且映成，$\forall x \in A$

    求 (1) $f^{-1}(f(x))$ 與 $f(f^{-1}(x))$；

    　　(2) 若 $A = B$，求 $f^{-1}(f(x))$ 與 $f(f^{-1}(x))$。

10. $f : A \to B$，$g : B \to C$，若 $f \circ g : A \to C$ 為一對一，問 f 一定是一對一？

5.3 重　排

　　重排(permutation)是一種特殊之映射關係。設 $A=\{1,\ 2,\ 3\cdots n\}$，則重排α為由 A 映至 A 之一個一對一且映成之函數，$\alpha:k\to i_k$，i_k為 $1,\ 2,\cdots n$ 中之某一個數。習慣上 $A=\{1, 2, 3, \cdots, n\}$之重排可以用這種表列方式呈現之：

$$\alpha = \begin{pmatrix} 1 & 2 & 3 & \cdots\cdots & n \\ i_1 & i_2 & i_3 & \cdots\cdots & i_n \end{pmatrix}$$

　　例如：

$$\beta = \begin{pmatrix} 1 & 2 & 3 & 4 & 5 \\ 3 & 1 & 2 & 5 & 4 \end{pmatrix}$$

　　重排顯為一對一且映成之函數。

　　β是一種重排，其映射關係為 $1\to3$，$2\to1$，$3\to2$，$4\to5$ 及 $5\to4$，即 $i_1=3$，$i_2=1$，$i_3=2$，$i_4=5$，$i_5=4$。

例 1

　　$A=\{1, 2, 3\}$有幾種重排？

解

　　$A=\{1, 2, 3\}$有 $3!=6$ 種之重排，它們是：

(1) $\begin{pmatrix} 1 & 2 & 3 \\ 1 & 2 & 3 \end{pmatrix}$　　　　(2) $\begin{pmatrix} 1 & 2 & 3 \\ 1 & 3 & 2 \end{pmatrix}$　　　　(3) $\begin{pmatrix} 1 & 2 & 3 \\ 2 & 1 & 3 \end{pmatrix}$

$(4)\begin{pmatrix} 1 & 2 & 3 \\ 2 & 3 & 1 \end{pmatrix}$ $\qquad(5)\begin{pmatrix} 1 & 2 & 3 \\ 3 & 1 & 2 \end{pmatrix}$ $\qquad(6)\begin{pmatrix} 1 & 2 & 3 \\ 3 & 2 & 1 \end{pmatrix}$

定義

若 $\delta = \begin{pmatrix} 1 & 2 & 3 & \cdots\cdots & n \\ 1 & 2 & 3 & \cdots\cdots & n \end{pmatrix}$，即稱 δ 為**自等重排**(identity permutation)。

重排之合成

重排是一種函數，如同一般函數，重排也有合成運算。因此我們可應用函數之合成方式做重排之合成運算。合成運算符號以「。」表示之。

$\alpha \circ \beta$ 有二種作法，一是本書與許多離散課本如 Grimaldi, Rosen 等，$(\alpha \circ \beta)(x) = \alpha(\beta(x))$，一是一些近世代作者如 William J. Gilbert: Modern Algebra with Applications 則定義 $(\alpha \circ \beta)(x) = \beta(\alpha(x))$。

例 2

$\alpha = \begin{pmatrix} 1 & 2 & 3 & 4 & 5 \\ 2 & 3 & 4 & 5 & 1 \end{pmatrix}$，$\beta = \begin{pmatrix} 1 & 2 & 3 & 4 & 5 \\ 1 & 3 & 2 & 5 & 4 \end{pmatrix}$ 求 $\alpha \circ \beta$

解

$$\alpha \circ \beta = \begin{pmatrix} 1 & 2 & 3 & 4 & 5 \\ 2 & 3 & 4 & 5 & 1 \end{pmatrix} \circ \begin{pmatrix} 1 & 2 & 3 & 4 & 5 \\ 1 & 3 & 2 & 5 & 4 \end{pmatrix}$$
$$= \begin{pmatrix} 1 & 2 & 3 & 4 & 5 \\ 3 & 2 & 5 & 4 & 1 \end{pmatrix}$$

我們可由下圖輕易讀出結果

$$\alpha \circ \beta = \begin{pmatrix} 1 & 2 & 3 & 4 & 5 \\ 2 & 3 & 4 & 5 & 1 \end{pmatrix} \circ \begin{pmatrix} 1 & 2 & 3 & 4 & 5 \\ 1 & 3 & 2 & 5 & 4 \end{pmatrix} = \begin{pmatrix} 1 & \cdots\cdots \\ 3 & \cdots\cdots \end{pmatrix}$$

注意：重排之合成運算，其運算順序與函數之合成運算恰好相反。

重排之逆

定義

▶ 設 δ 為定義於 $S=\{1, 2, \cdots, n\}$ 之自等重排，α 為定義 S 之任一重排，則 $\delta \circ \alpha = \alpha \circ \delta = \alpha$ 成立，又 $\alpha \circ \beta = \beta \circ \alpha = \delta$ 則稱 β 為 α 之逆重排，以 α^{-1} 表示。同時規定 $\alpha^2 = \alpha \circ \alpha$，$\alpha^3 = \alpha \circ \alpha \circ \alpha \cdots$。

例 3

（承例 2）驗證 $\alpha \circ \delta = \delta \circ \alpha = \alpha$，並求 α^{-1}。

解

(1) $\alpha \circ \delta = \begin{pmatrix} 1 & 2 & 3 & 4 & 5 \\ 2 & 3 & 4 & 5 & 1 \end{pmatrix} \circ \begin{pmatrix} 1 & 2 & 3 & 4 & 5 \\ 1 & 2 & 3 & 4 & 5 \end{pmatrix}$

$\qquad = \begin{pmatrix} 1 & 2 & 3 & 4 & 5 \\ 2 & 3 & 4 & 5 & 1 \end{pmatrix} = \alpha$

同法可證

$\delta \circ \alpha = \begin{pmatrix} 1 & 2 & 3 & 4 & 5 \\ 2 & 3 & 4 & 5 & 1 \end{pmatrix} = \alpha$

(2) 求 α^{-1}：

將 α 之上下二欄對調，重新依 1, 2, 3, 4, 5 排列即可得 α^{-1}：

$$\alpha^{-1} = \begin{pmatrix} 1 & 2 & 3 & 4 & 5 \\ 5 & 1 & 2 & 3 & 4 \end{pmatrix}$$

循環符號

以例子來說明另一個有關重排之重要符號——**循環符號** (cyclic notation)。

(1) $\alpha = \begin{pmatrix} 1 & 2 & 3 & 4 & 5 \\ 2 & 3 & 4 & 5 & 1 \end{pmatrix}$ 中 $\alpha(1) = 2$，$\alpha(2) = 3$，$\alpha(3) = 4$，$\alpha(4) = 5$，$\alpha(5) = 1$，恰成一個循環以(1 2 3 4 5)表之。（以圖解表示為 1 →2→3→4→5）

(2) $\beta = \begin{pmatrix} 1 & 2 & 3 & 4 & 5 \\ 1 & 3 & 2 & 5 & 4 \end{pmatrix}$ 以(2 3)(4 5)表之，∵ $\beta(1) = 1$ 不變，而 $\beta(2) = 3$ 且 $\beta(3) = 2$，2、3 成一循環，以(2 3)表之，又 $\beta(4) = 5$ 且 $\beta(5) = 4$，4、5 成一循環以(4 5)表之。

即 1 ↔ 1　　　　2 ⇌ 3 ∣ 4 ⇌ 5

（不記）或寫成(1)　(2 3) ∣ (4 5)

例 4 對循環符號之觀念可作進一步之澄清：

例 4

$S = \{1, 2, 3, 4, 5\}$

(1) 寫出(23)、(245)及(13)(245)。

(2) 求$(a)(23) \circ (13)(245)$及$(b)(13)(245) \circ (23)$。

(3) 求(23)及$(13)(245)$之逆。

解

(1) $(2\,3)$相當於$2 \to 3$，$3 \to 2$，餘$1 \to 1$，$4 \to 4$，$5 \to 5$，同理$(2\,4\,5)$相當於$2 \to 4$，$4 \to 5$，$2 \to 5$，餘$1 \to 1$，$3 \to 3$同理可知。

$$\therefore (2\,3) = \begin{pmatrix} 1 & 2 & 3 & 4 & 5 \\ 1 & 3 & 2 & 4 & 5 \end{pmatrix} \text{與} (2\,4\,5) = \begin{pmatrix} 1 & 2 & 3 & 4 & 5 \\ 1 & 4 & 3 & 5 & 2 \end{pmatrix}$$

$$(1\,3)(2\,4\,5) = \begin{pmatrix} 1 & 3 & 2 & 4 & 5 \\ 3 & 1 & 4 & 5 & 2 \end{pmatrix} = \begin{pmatrix} 1 & 2 & 3 & 4 & 5 \\ 3 & 4 & 1 & 5 & 2 \end{pmatrix}$$

(2) $$(2\,3) \circ (1\,3)(2\,4\,5) = \begin{pmatrix} 1 & 2 & 3 & 4 & 5 \\ 1 & 3 & 2 & 4 & 5 \end{pmatrix} \circ \begin{pmatrix} 1 & 2 & 3 & 4 & 5 \\ 3 & 4 & 1 & 5 & 2 \end{pmatrix}$$

$$= \begin{pmatrix} 1 & 2 & 3 & 4 & 5 \\ 3 & 1 & 4 & 5 & 2 \end{pmatrix}$$

(3) $(2\,3)$之逆：$$\begin{pmatrix} 1 & 3 & 2 & 4 & 5 \\ 1 & 2 & 3 & 4 & 5 \end{pmatrix}^{-1} = \begin{pmatrix} 1 & 2 & 3 & 4 & 5 \\ 1 & 3 & 2 & 4 & 5 \end{pmatrix} = (2\,3)$$

$(13)(245)$之逆：$$\begin{pmatrix} 1 & 2 & 3 & 4 & 5 \\ 3 & 4 & 1 & 5 & 2 \end{pmatrix}^{-1} = \begin{pmatrix} 3 & 4 & 1 & 5 & 2 \\ 1 & 2 & 3 & 4 & 5 \end{pmatrix}$$

$$= \begin{pmatrix} 1 & 2 & 3 & 4 & 5 \\ 3 & 5 & 1 & 2 & 4 \end{pmatrix}$$

$$= (1\,3)(2\,5\,4)$$

作業 5C
Homework

1. 求 $\begin{pmatrix} 1 & 2 & 3 & 4 \\ 4 & 1 & 3 & 2 \end{pmatrix} \circ \begin{pmatrix} 1 & 2 & 3 & 4 \\ 3 & 2 & 4 & 1 \end{pmatrix}$。

2. 求 $\begin{pmatrix} 1 & 2 & 3 & 4 \\ 2 & 3 & 4 & 1 \end{pmatrix}^2$。

3. 求 $\begin{pmatrix} 1 & 2 & 3 & 4 & 5 \\ 3 & 4 & 5 & 1 & 2 \end{pmatrix}^{-1}$。

4. 驗證 $\begin{pmatrix} 1 & 2 & 3 & 4 & 5 & 6 \\ 4 & 5 & 2 & 6 & 3 & 1 \end{pmatrix}^3 = \vartheta$。

5. 求 $\begin{pmatrix} 1 & 2 & 3 & 4 & 5 \\ 5 & 2 & 4 & 3 & 1 \end{pmatrix}^{-1} \circ \begin{pmatrix} 1 & 2 & 3 & 4 & 5 \\ 4 & 2 & 1 & 3 & 5 \end{pmatrix}$。

5.4　集合基數

　　我們常對比較兩個集合是否有相同之元素個數感到興趣,如果是有限集合,只要分別數數這兩個集合有幾個相異元素即可得知,例如李明家共有 4 個人,除李明外還有太太張美,長子李大,次子李小,因此我們可建立一個一對一且映成之關係;但這種方法對無限集合便不適用,但由圖表我們可聯想到,如果兩個有限集合間之元素有一對一且映成之關係,那麼它們之元素個數應該相等,因此我們首先建立**等價關係**(equivalent relation):

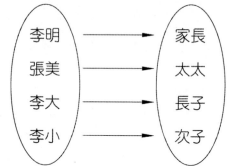

定義

A,B 為任意兩個集合,若 A,B 間存在一個函數 f,使得 f: $A \to B$ 為一對一且映成,則稱 A,B 為等價,或 **A 等價 B**(A is equivalent to B),記做 $A \sim B$。

若無限集合 $S \sim N$,則稱 S 為**可付番**(denumerable)或**無限可付番**(denumerable infinity)。

　　例如若 $A=\{a,\ b,\ c\}$,$B=\{1,\ 2\}$則不存在一個 f 使得 f: $A \to B$ 為一對一且映成,故 A 與 B 不等價。如何找到這種一對一且映成之函數 f?這要看問題之特性,基本上,f 要越簡單越好,f 需單調(即 $f' > 0$ 或 < 0)。

例 1

若 Z^+=正整數所成之集合，S=所有正偶數所成之集合，E=所有正奇數所成之集合，問　(1)Z^+~S，(2)S~E，(3)Z^+~E 何者成立？

解

(1) $f: Z^+ \rightarrow S$，取 $f_1(x)=2x$，$f_1(x)$ 為一對一且映成　∴Z^+~S

(2) $f: S \rightarrow E$，取 $f_2(x)=x-1$，則 $f_2(x)$ 為一對一且映成　∴S~E

(3) $f: Z^+ \rightarrow E$，取 $f_3(x)=2x-1$，則 $f_3(x)$ 為一對一且映成　∴Z^+~E

由例 1 我們「似乎」可知：

(1) A~A

(2) 若 A~B 則 B~A

(3) 若 A~B 且 B~C 則 A~C

事實上，這對任何等價集合族均成立：

(1) A~A：

　　$I_A: A \rightarrow A$，取 $f(x)=x$（一對一且映成）∴A~A

(2) 若 A~B 則 B~A：

　　∵A~B　∴存在一個函數 $f(x)$ 使得 f 為一對一且映成，因此存在一反函數 $f^{-1}: B \rightarrow A$，f^{-1} 顯然亦為一對一且映成 ∴B~A

(3) $A \sim B$ 且 $B \sim C$ 則 $A \sim C$

∵ $A \sim B$ ∴ 存在一個函數 f 為一對一且映成

∵ $B \sim C$ ∴ 存在一個函數 g 為一對一且映成

∴ $g \circ f : A \rightarrow C$ 為一對一且映成

即 $A \sim B$ 且 $B \sim C$ 時 $A \sim C$

例 2

試證 $A \times B \sim B \times A$。

解

我們定義 $f : A \times B \rightarrow B \times A$ 為

$f\big((a,b)\big) = (b,a)$ 其中 $a \in A$，$b \in B$

f 顯然是一對一且映成 ∴ $A \times B \sim B \times A$

作業 5D
Homework

1. 設 $S=\{1, \dfrac{1}{2}, \dfrac{1}{3}, \dfrac{1}{4}, \cdots\}$，試證 S 為無限可付番。

2. 設 $S=\{1, 10, 100, 1000, \cdots\}$，試證 S 為無限可付番。

3. 設 $S=\{10, 100, 1000, \cdots\}$，試證 S 為無限可付番。

5.5　演算複雜度分析

演算複雜度

　　在還沒談演算複雜度分析前，我們不妨先了解什麼是演算法 (algorithm)？一般而言，演算法是為計算或解決問題所設立之有限個一連串指令(instruction)。資訊工作者會為特定目的而有許多演算法，例如搜尋(search)、分類(sort)…，以搜尋演算法為例，它有線性搜尋(linear search)、二元搜尋(binary search)等，因此對一個特定演算我們常會對以下的問題感到興趣，例如：電腦為執行這個演算需花用多少時間？又需佔用多少記憶空間？為此，我們就用類似的函數演算需花用多少時間以及佔用多少記憶空間來作一對比，其目的在求一個好的估計值而非精確值，大〇(big oh)符號便是一個很常用的估計方式。

　　我們用 $f(x)=x$，$g(x)=x^2$，$h(x)=x^3$（定義域都是正實數）畫在一個座標圖上：

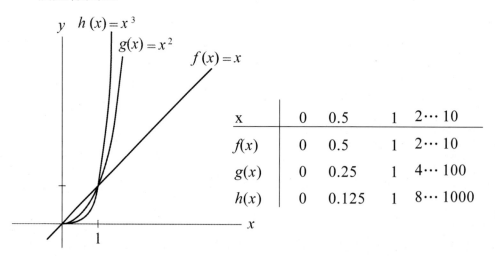

x	0	0.5	1	2…10
$f(x)$	0	0.5	1	2…10
$g(x)$	0	0.25	1	4…100
$h(x)$	0	0.125	1	8…1000

由上圖，在 $x \le 1$ 時，$f(x) \ge g(x) \ge h(x)$，但在 $x \ge 1$ 時 $f(x) \le g(x) \le h(x)$ 且 x 愈大時 $h(x)$ 增加之速度也愈快。

大〇符號

定 義

▶ $f, g: Z^+ \to R$，若存在一個常數 c，$c \in R$，使得 $|f(n)| \le c|g(n)|$，則稱 **$f(n)$ 至多與 $g(n)$ 同階**($f(n)$ is of order at most $g(n)$)。以 $f \in \bigcirc(g)$ 或 f 為 $\bigcirc(g)$(f is $\bigcirc(g)$) 或 $f = \bigcirc(g)$。

　　〇即為**大〇符號**(big 〇 notation)，在演算中，我們常以大〇的符號表示演算之績效，但我們須記住，這只能表示執行參數實際值之一個**最大估計值**(upper estimate)，例如演算法 A、B 演算績效分別是 $\bigcirc(n^2)$、$\bigcirc(n^3)$，我們只是感覺到 A 比 B「可能」來的好。

例 1

求證 $\displaystyle\sum_{i=1}^{n} i^2 = \bigcirc(n^3)$。

解

$$\left| \sum_{i=1}^{n} i^2 \right| = \left| \frac{n(n+1)(2n+1)}{6} \right| = \left| \frac{2n^3 + 3n^2 + n}{6} \right|$$

$$\le \frac{2|n^3| + 3|n^3| + |n^3|}{6} \quad (n \ge 1)$$

$$= |n^3|, \ c = 1$$

$$\therefore \ \sum_{i=1}^{n} i^2 = \bigcirc(n^3)$$

例 2

$f(n) = 3n^2 + 2n + 1$ 為 $O(?)$

解

$$|3n^2 + 2n + 1| \le |3n^2| + |2n| + 1 = 3|n^2| + 2|n| + 1$$

$$\le 3|n^2| + 2|n^2| + |n^2|，\ n \ge 1$$

$$= 6|n^2|，取\ c = 6$$

$\therefore f(n)$ 為 $O(n^2)$（或 $f(n) \in O(n^2)$，$f(n) = O(n^2)$）

以下各例之解答我們只需採用其中一種表達方式即可。

在例 2，$|f(n)| = |3n^2 + 2n + 1| \le 3|n^2| + 2|n| + 1$

$\le 3|n^3| + 2|n^3| + n^3 = 6n^3$　$\therefore f(n) = O(n^3)$

因此，g 在選擇上儘可能選小(as small as possible)，包括冪次，同時讀者或可由例 2 猜出 $f(n) = a_k x^k + a_{k-1} x^{k-1} + \cdots + a_1 n + a_0$，則 $f(n) = O(n^k)$，這在一般情形下均成立。

例 3

試證 $n! = O(n^n)$，$n \in Z^+$。

解

$$|n!| = |n \cdot (n-1) \cdot (n-2) \cdots 3 \cdot 2 \cdot 1|$$

$$\le |n \cdot n \cdot n \cdots n \cdot n \cdot n| = |n^n|$$

$$\therefore n! = O(n^n)$$

例 4

求證 $n^3 2^n + n^2 \log n = O(n^3 2^n)$。

解

$| n^3 \cdot 2^n + n^2 \log n | \leq | n^3 \cdot 2^n | + | n^2 \log n | | n^3 \cdot 2^n | + | n^2 \cdot n |$

$\leq | n^3 \cdot 2^n | + | n^3 |$

$\leq | n^3 \cdot 2^n | + | n^3 \cdot 2^n | = 2 | n^3 \cdot 2^n |$，c=2

$\therefore \quad n^3 \cdot 2^n + n^2 \log n = O(n^3 2^n)$

在此，我們應用 $\log n \leq n$，　$n>0$ 之性質

定理

若 $f_1(n) = O(g_1(n))$，$f_2(n) = O(g_2(n))$，則 $(f_1(n) + f_2(n)) = O\{\max(| g_1(n) |, \ | g_2(n) |)\}$ 及 $(f_1(n) \cdot f_2(n)) = O(g_1(n)g_2(n))$。

常用之大○形式表

大○形式	名稱	大○形式	名稱
$O(1)$	常數	$O(n^2)$	二次
$O(\lg \lg n)$	Log log	$O(n^3)$	三次
$O(\lg n)$	對數	$O(n^m)$	m 次多項式
$O(n)$	線性	$O(m^n), m \geq 2$	指數
$O(n \lg n)$	n log n	$O(n!)$	階乘

$\lg m = \log_2 m$，$m>0$

　　當資料量超大時，大○表示法便可顯示出不同演算法之效率。

作業 5E
Homework

1. 若 $f(n)=a_0+a_1 n+a_2 n^2+\cdots+a_m n^m$，證 $f(n)=O(n^m)$

2. 證明

    (1) $3n^2+2n+1=O(n^2)$

    (2) $3n^2+2n+1=O(n^3)$

    (3) $n^p=O(n^{p+1})$

    (4) $2^n=O(n!)$

    (5) $\log_3(n!)=O(n\ \log_3 n)$

    (6) $1^3+2^3+\cdots+n^3=O(n^4)$

3. 若 $T(x)\in O(x)$ 則 $T(x)\in O(x^2)$，但 $T(x)\in O(x^2)$，那 $T(x)\in O(x)$ 是否成立？

4. 除有限多個正整數 n(finitely many positive integeno n)外，若存在二個常數 C_1, C_2 使得 $C_1|g(n)|\leq|f(n)|\leq C_2|g(n)|$

    則定義 $f(n)=\theta(g(n))$

    試據上述定義證明

    (1) $n+3=\theta(n)$

    (2) $2n^2+3n+1=\theta(n^2)$

5. 若 $f(n)=O(h(n))$，$g(n)=O(h(n))$

    試證 $f(n)+g(n)=O(h(n)), cf(n)=O(h(n))$

5.6　鴿籠原理

在數學中有許多定理在觀念上是很直覺但應用卻很廣，**鴿籠原理**(pigeonhole principle)是其中相當有名的一個。它原本是十九世紀德國數學家　Dirichlet(1805~1859)提出以解決數論之一些問題，但如今卻有廣泛之應用。

用白話方式來說，如果鴿子多而鴿籠少而且每隻鴿子都要放入鴿籠時，那麼至少有一鴿籠有兩隻以上之鴿子。在應用鴿籠原理時，首先要確定什麼是鴿子，什麼是鴿籠。

定理

（鴿籠原理）將 n 隻鴿子配置到 m 個籠子，$m<n$，則至少有一個鴿籠有 2 隻以上（含 2 隻）鴿子。

若將鴿子編號 $1\sim n$，鴿籠編號 $1\sim m$，$n>m$ 現將 1 號鴿子放到 1 號鴿籠，2 號鴿子放到 2 鴿籠，一直到 m 號鴿子放到 m 號鴿籠後，剩下之 $n-m$ 隻鴿子必須再配置到 $1\sim m$ 號鴿籠中，故必須有一鴿籠至少有 2 隻或更多的鴿子。

在解題上一般是以「物件」(object)作為鴿子，而把「問題要求之特性之類別」(categories of the desired characteristic)當作鴿籠。

當鴿子比鴿籠多得多時，有下列更強的結果。

推論　當 n 隻鴿子配置到 m 個鴿籠則存在一個鴿籠至少 $\lfloor (n-1)/m \rfloor + 1$ 隻鴿子，$m < n$。

推論之 $\left\lfloor \dfrac{n-1}{m} \right\rfloor$ 是我們在 5.1 節談過的最大整數函數。

證

利用反證法：

若每一個鴿籠之鴿子數均不超過 $\left\lfloor \dfrac{n-1}{m} \right\rfloor$ 鴿子，則 m 個鴿籠之

鴿子總數 $m \cdot \left\lfloor \dfrac{n-1}{m} \right\rfloor \leq m \cdot \dfrac{n-1}{m} = n-1$，與 m 個鴿籠裝有 n 隻鴿

子之假設矛盾。

$\therefore$ 存在一個鴿籠至少有 $\left\lfloor \dfrac{n-1}{m} \right\rfloor + 1$ 隻鴿子。

例 1

證明：對任意 13 個人而言，至少有 2 個是同月出生。

解

我們令鴿子為人，而鴿籠為月份，則

$$\left\lfloor \dfrac{13-1}{12} \right\rfloor + 1 = \lfloor 1 \rfloor + 1 = 1 + 1 = 2$$

例 2

任選 7 個（相異）自然數用 6 來除。試證其中至少有 2 個餘數相同。

解

用 6 除之可能餘數為 $0, 1, 2, 3, \cdots 5$，令此 6 個數為鴿籠，任選之 7 個數為鴿子，則依鴿籠原理 $\left\lfloor \dfrac{7-1}{6} \right\rfloor + 1 = 2$，即有一鴿籠至少有 2 個鴿子，即至少有 2 個餘數相同。

例 3 到例 6 將對設「鴿籠」之基本技巧做一說明：

例 3

從 $\{1, 2, 3, 4, 5, 6\}$ 中任取 4 個數，試證這 4 個數中至少有 2 個數之和為 7。

解

2 個數之和為 7 的可能組合有：$A_1 = \{1, 6\}$，$A_2 = \{2, 5\}$，$A_3 = \{3, 4\}$，我們將 A_1，A_2，A_3 當做為鴿籠，抽出之 4 個數為鴿子，由鴿籠原理 $\left\lfloor \dfrac{4-1}{3} \right\rfloor + 1 = 2$ 知此 4 隻鴿子中至少有 2 隻會關到同一鴿籠，即此 4 個數中至少有 2 個數之和為 7。

例 4

　　一個圓盤之周邊上書有 1, 2, …, 12 個數，試證圓盤上存在一個數 x_i 使得 x_i 起連續 4 個數之總和至少為 25。

解

　　利用反證法：設 $x_i=i$，　$i=1, 2…12$，即自 x_i 起 4 個數之和均小於 25：

$$x_1 + x_2 + x_3 + x_4 < 25 \text{.................................} ①$$
$$x_2 + x_3 + x_4 + x_5 < 25 \text{.................................} ②$$

……

$$x_{11} + x_{12} + x_1 + x_2 < 25 \text{.................................} ⑪$$
$$x_{12} + x_1 + x_2 + x_3 < 25 \text{.................................} ⑫$$

　　$①+②+…+⑫$：

$4(x_1 + x_2 + … x_{12}) < 25 \times 12 = 300$，

又 $x_1 + x_2 + … + x_{12} = 1 + 2 + … + 12 = 78$

即 $4 \cdot 78(=312) < 12 \cdot 25(=300)$

此與假設矛盾　$\therefore$ 存在一個 x_i，使得自 x_i 起連續 4 個數之總和至少為 25。

例 5

　　從邊長為 1 之正三角形內任取 7 個相異點，試證必有一個由三個點所形成之三角形的面積小於 $\dfrac{\sqrt{3}}{12}$。

解

在本例中，我們將 7 個點視為鴿子，
問題是鴿籠是什麼？題意並不明
顯，因此我們必須「創造」鴿籠，
設 O 為 $\triangle ABC$ 之重心，連接 OA，
OB，OC 則可形成 3 個小的三角形，
這 3 個小三角形即為鴿籠。而每個
三角形之面積為 $\dfrac{1}{2} \cdot (\dfrac{\sqrt{3}}{2} \times \dfrac{1}{3}) = \dfrac{\sqrt{3}}{12}$

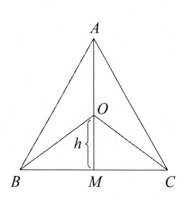

[以 $\triangle OBC$ 為例 $AM = \dfrac{\sqrt{3}}{2}$，$h = \dfrac{1}{3} AM$，$\therefore h = \dfrac{1}{3} \cdot \dfrac{\sqrt{3}}{2}$，$\triangle OBC$ 之

面積為 $\dfrac{\sqrt{3}}{6} \times \dfrac{1}{2} = \dfrac{\sqrt{3}}{12}$]

依鴿籠原理：

7 隻鴿子放到 3 個鴿籠中至少有 $\left\lfloor \dfrac{7-1}{3} \right\rfloor + 1 = 2 + 1 = 3$ 個鴿子要住

在同一鴿籠，亦即有 3 個點形成之三角形要包含在上述 3 個
三角形中之某一個 $\therefore$ 必有 3 個點所形成之三角形面積小於

$\dfrac{\sqrt{3}}{12}$ 。

作業 5F
Homework

1. 設有 $kn+1$ 隻鴿子住在 n 個鴿籠，試證至少有一鴿籠有 $k+1$ 隻以上的鴿子。

2. 一班有 53 人，證明必存在一週，在該週內有 2 個人生日。

3. 在邊長為 1 之正方形中任取 5 點，試證至少有 2 點之長度小於 $\dfrac{\sqrt{2}}{2}$。

4. 在邊長為 1 之正三角形中任取 5 點，試證其中必有二點之距離小於 1/2。

5. 在邊長為 1 之正方形內任取 9 點，其中必存在一個三角形其面積小於 $\dfrac{1}{8}$。

6. 在邊長為 1 之正方形中任取 10 點，其中必存在 2 點其距離小於 $\dfrac{\sqrt{2}}{3}$。

偏序、格

6.1 偏 序

定 義

R 為定義於集合 A 之一個關係，若 R 滿足反身性、反對稱性與遞移性三個性質，亦即

· 反身性：$(a, a) \in R, \ \forall a \in A$

· 反對稱性：$(a, b) \in R$ 且 $(b, a) \in R \Rightarrow a=b$

· 遞移性：$(a, b) \in R$ 且 $(b, c) \in R \Rightarrow (a, c) \in R$

則稱 R 為定義於集合 A 之一個**偏序**(partial order)，通常以「$\preceq$」表之。而稱$(A, \preceq)$為**偏序集**（partially ordered set；簡記 POS 或 poset）。

例 1

S 為集合 A 之所有子集合所成之集合，證：$(S, \subseteq)$為一 POS。

解

設 A_1, A_2, A_3 為 A 之子集合，則

(1) $A_1 \subseteq A_1$，即滿足反身性

(2) $A_1 \subseteq A_2$ 且 $A_2 \subseteq A_1$ 則 $A_1=A_2$（集合相等之定義），即滿足反對稱性

(3) $A_1 \subseteq A_2$ 且 $A_2 \subseteq A_3 \Rightarrow A_1 \subseteq A_3$，即滿足遞移性。

$\therefore (S, \subseteq)$為一 POS

在例 1，$(S, \subset)$則不為一 POS，至少它不滿足反身性。

例 2

R 為實數所成之集合，證：$(R, \leq)$為一 POS。

解

設 a, b, c 為任意三實數則

(1) $a \leq a$，即滿足反身性

(2) $a \leq b$ 且 $b \leq a \Rightarrow a=b$，即滿足反對稱性。

(3) $a \leq b$ 且 $b \leq c \Rightarrow a \leq c$，即滿足遞移性。

∴ $(R, \leq)$為一 POS

註：$(R, >)$不為 POS（$a>a$ 恆不成立，故無法滿足反身性，且 $a>b, b>a \Rightarrow b=a$ 亦不成立，無法滿足反對稱性）

例 3

定義$(x, y) \in R$　　iff　$x|y$　$\forall x, y \in Z^+$，試證$(Z^+, |)$為一偏序集。

解

設 a, b, c 為 Z^+中任意三元素：

(1) 反身性：$a|a$ 恆成立　∴ 滿足反身性

(2) 反對稱性：$a|b$ 且 $b|a$ 則 $a=b$　∴ 滿足反對稱性

(3) 遞移性：$a|b$ 且 $b|c$ 則 $a|c$　∴ 滿足遞移性

∴ $(Z^+, |)$為一 POS

例 4

定義 $(x, y) \in R$ iff $y|(x+2)$ $\forall x, y \in Z^{+}$，問 $(Z^{+}, |)$ 是否為偏序集。

解

∵ $a|(a+2) \forall a \in Z^{+}$ 不恆成立，即 $(a, a) \notin R$ ∴ $(Z^{+}, |)$ 不為偏序集。

偏序之有向圖

R 為定義於集合 A 之一個偏序，則 $(a, b) \in R$ 記做 $a \preceq b$，稱做 **a 先行於 b**(a precedes b)，$(a, b) \in R$, $a \preceq b$ 之線型圖為 $a \rightarrow b$，其中 a 為起點，b 為終點。若 a, b 無順序關係則稱 a, b 為**不可比較**(non-comparable)。

例 5

$A = \{1, 2, 3, 4, 5, 6\}$ $(x, y) \in R$ iff $x|y$, $x, y \in A$，試繪其圖。

解

若 $x|y$ 則 $x \rightarrow y$，所以：

$1 \preceq 3$，$2 \preceq 6$，$2 \preceq 4$，3 與 5 不能比較，即 $(3, 5) \notin R$。

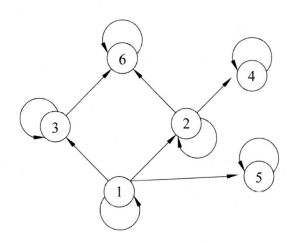

例 6

　　$A=\{1, 2, 4, 8, 16\}$, $(x, y) \in R$　*iff*　$x \leq y$, 試繪其關係圖。

解

　　若 $x \leq y$ 則 $x \to y$，所以：

　　例 6 之圖形是直線，它表示 A 中元素在定義之關係下均能「比較」，因此「直線圖形」為全序之重要特徵。全序將在本節後段敘及。

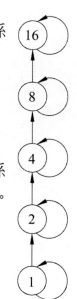

Hasse 圖

Hasse 圖是用一種更簡潔方式來表現偏序關係之一種圖示法，它的過程如下：

第一步： 去掉所有之迴路。

第二步： 若有(1)$a{\to}b, b{\to}c$ 及(2)$a{\to}c$ 則將 $a{\to}c$ 的邊去掉。

第三步： 將有向邊之箭頭去掉；若 $a{\to}b$ 則將 b 放在 a 之上方位置。

例 7

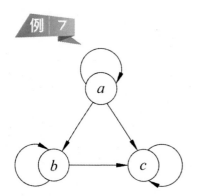

將左方之偏序圖改為對應之 Hasse 圖。

解

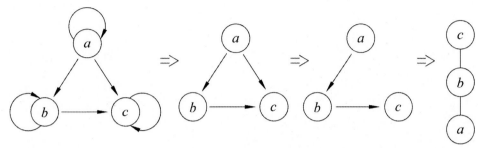

第一步：去掉所有
迴路

第二步：
$\because \begin{cases} a \to b, b \to c \\ a \to c \end{cases}$
$\therefore$ 去掉 $a \to c$

第三步：
儘量拉直
(1) 去箭頭
(2) $a \to b$ 將 b 放
　　在 a 之上方，
　　以此類推。

例 8

求左列之偏序圖對應之 Hasse 圖。

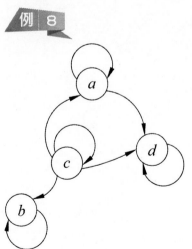

解

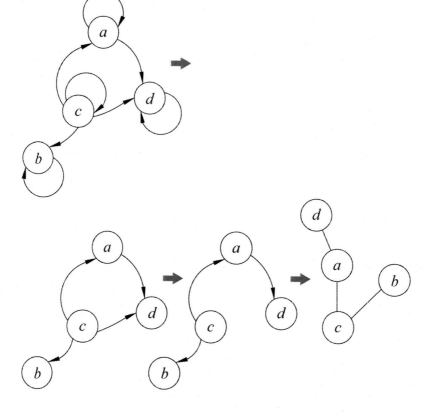

第一步	第二步	第三步
去掉所有迴路。	$\because \begin{cases} c \to a, a \to d \\ c \to d \end{cases}$ $\therefore$ 去掉 $c \to d$	(1) 去箭頭。 (2) $\begin{cases} c \to b & \therefore b \text{在} c \text{上方} \\ c \to a & a \text{在} c \text{上方} \end{cases}$ 同理 d 在 a 上方 $\therefore$ 形成 $c-a-d$ 及 $c-b$。

全　序

> **定義**
>
> ⪯為定義於集合 A 上之一個偏序，若對 A 上之任意元素 a, b 而言，$a \preceq b$ 或 $b \preceq a$ 中至少有一成立，則稱偏序 ⪯ 為**全序**(total order)。

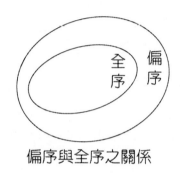

偏序與全序之關係

由定義易知，若 $(A, \preceq)$ 為全序則 $(A, \preceq)$ 必為偏序。

　　偏序、全序之討論中，為強調集合中之元素，有一種順序關係特別以「⪯」來表示關係，偏序的「偏」(partial)指的是「部分」，因此偏序集 $(A, \preceq)$ 之 A 裡的元素並非全部都有順序之關係，但若 $(A, \preceq)$ 表全序集，則 A 中任意二元素 a, b 而言，均可比較，即 $a \preceq b$ 或 $b \preceq a$ 至少有一個成立。

例 9

(1) $A = \{1, 2, 4, 8, 16\}$，定義 $(a, b) \in R_1$ iff $a|b$

(2) $A = \{1, 2, 3, 4, 5\}$，定義 $(a, b) \in R_2$ iff $a|b$

問(1), (2)何者為全序？

解

(1) $(A, |)$為偏序集，又因為 A 中任意二元素 a, b 而言，$a|b, b|a$ 至少有一成立，$\therefore R_1$ 為全序。

(2) $\because a|b$ 與 $b|a$ 未必有一成立，例 $3|5, 5|3$ 均不成立$\therefore$ R_2 不為全序。

最小元素、最大元素、極大元素與極小元素

在偏序研究中，有幾個元素我們特別感到興趣，它們是**最小元素**(least element)，**最大元素**(greatest element)、**極大元素**(maximal element)與**極小元素**(minimal element)，茲定義如下：

定義

定義：(A, R)為一 POS，$B \subseteq A$，$a \in B$
(1)若 $a \preceq x$，$\forall x \in A$，則稱 a 為最小元素；
(2)若 $x \preceq a$，$\forall x \in A$，則稱 a 為最大元素；
(3)若 $a \preceq x$，會導致 $a=x$，則稱 a 為極大元素；
(4)若 $x \preceq a$，會導致 $a=x$，則稱 a 為極小元素。

最大（小）元素與極大（小）元素是二個經常為人混淆之二個名詞。最大（小）元素是 B 中最大（小）元素，它與 B 中其他元素都可比較，極大（小）元素不一定與 B 中其他元素都可比較，只要沒有比它大（小）的元素，它就是極大（小）元素。

定理 》

若 (A, R) 為一 POS，且 A 為有限集，則

1. A 必有極大元素與極小元素，但最大元素與最小元素不一定存在，若存在必為惟一；
2. 最大（小）元素必為極大（小）元素，但其逆不恆真；
3. 極小元素是惟一時，該極小元素為最小元素，否則最小元素不存在；
4. 極大元素是唯一時，該極大元素便為最大元素，否則最大元素不存在。

上述定理對最大（小）元素與極大（小）元素間之關係做了清楚說明。

例 10

$A = \{a, b, c, d, e\}$，其關係圖如右：

求 (1)極大元素 (2)極小元素 (3)最小元素 (4)最大元素。

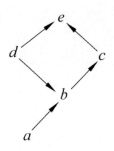

解

(1) 極大元素為 e　⇒　(4) 最大元素為 e（因極大元素為惟一）

(2) 極小元素為 a, d　⇒　(3) 最小元素不存在（因極小元素有二個，即非惟一）

我們可用 Hasse 圖輕易地讀出極
大元素與極小元素，因為極大元素在
Hasse 圖之頂端，極小元素在 Hasse 圖
之底部，由 Hasse 圖一眼望去即得極大
元素為 e，極小元素為 a, d，因而有最
大元素 e，最小元素則無。

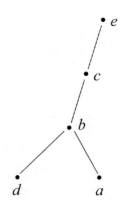

例 11

$A=\{a, b, c, d, e, f, g\}$，其關係圖如右，
求 (1) 極大元素　(2) 極小元素　(3) 最小元素
(4) 最大元素。

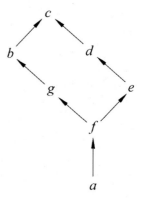

解

(1) 極大元素為 c　$\Rightarrow$　(4) 最大元素 c

(2) 極小元素為 a　$\Rightarrow$　(3) 最小元素 a

作業 6A
Homework

1. 設 $A=\{a, b, c\}$，R 為定義於 A 之關係，判斷 $M_R = \begin{bmatrix} 0 & 0 & 0 \\ 0 & 1 & 1 \\ 0 & 1 & 1 \end{bmatrix}$ 是

否為偏序？

2. $A=\{a, b, c\}$，求　(1)$P(A)$　(2)$(P(A), \subseteq)$ 是否為偏序？　(3)作出

偏序圖　(4)它是全序否？

3. 設 $A=\{a, b, c, d\}$，R 為定義於 A 之偏序關係其 Hasse 圖如下：

(1) 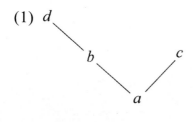　(2) 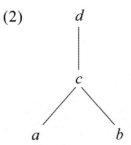　(3)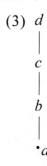

試分別求 R。

4. 求下列偏序圖之 Hasse 圖

(1)

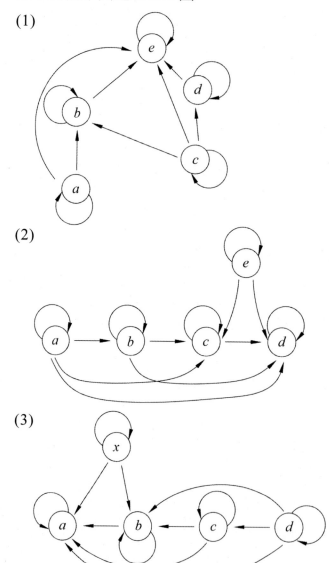

(2)

(3)

5. M 為定義於 A 之偏序的關係矩陣，求 Hasse 圖

(1) $M = \begin{bmatrix} 1 & 1 & 1 & 1 \\ 0 & 1 & 1 & 1 \\ 0 & 0 & 1 & 1 \\ 0 & 0 & 0 & 1 \end{bmatrix}$

$A = \{a, b, c, d\}$

(2) $M = \begin{bmatrix} 1 & 0 & 1 & 1 & 1 \\ 0 & 1 & 1 & 1 & 1 \\ 0 & 0 & 1 & 1 & 1 \\ 0 & 0 & 0 & 1 & 0 \\ 0 & 0 & 0 & 0 & 1 \end{bmatrix}$

$A = \{a, b, c, d, e\}$

6. 若 $(A, \leq)$ 為全序且 a, b 均為全序集 A 之極小元素，試證 $a = b$。

7. 求下列偏序集之最大元素、最小元素、極大元素與極小元素。

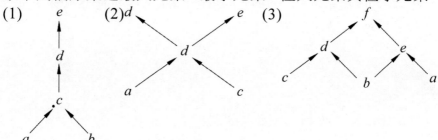

8. 若 R 為定義於集合 A 之一偏序，試證 R^{-1} 為定義於集合 A 之偏序。

9. $<A, \preceq>$ 為一 POS，$B \subseteq A$，若 B 有一最大元素，試證此最大元素為惟一。

6.2 偏序集之上、下界

上界與下界

定義

▶ $(S, \preceq)$為一偏序集，若 $A \subseteq S$，$m \in S$，若對所有 $a \in A$，都有 $m \preceq a$，則稱 m 是 A 的**下界**(lower bound)。

$B \subseteq S$，$n \in S$，若對所有 $b \in B$，都有 $b \preceq n$，則稱 n 是 B 的**上界**(upper bound)。

由定義，若 m 是 A 的下界，並不意味 m 必為 A 的元素，只要 m 是 S 的元素即可。同理，n 是 B 的上界，並不意味 n 是 B 的元素，只要 n 是 S 的元素即可。

例 1

$S = \{a, b, c, d, e\}$，其關係圖如右：試求
(1)$A = \{a, b, c\}$，(2)$B = \{a, d\}$，(3)$C = \{b, e\}$之上界與
下界。

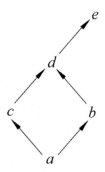

解

先繪示意圖

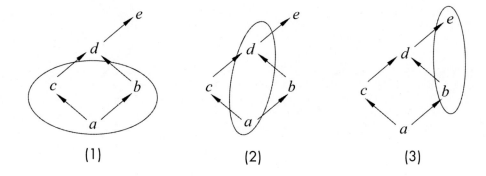

|(1)|(2)|(3)|

故(1)上界：d, e，下界：a

(2)上界：d, e，下界：a

(3)上界：e，下界：a, b

例 2

若 $S=\{a, b, c, d, e, \alpha, \beta\}$，其關係圖如下，試求　(1)$A=\{a, b, c\}$，(2)$B=\{a, b, \alpha\}$，(3)$C=\{b, c, d\}$，(4)$D=\{a, b, c, d, e\}$之上界與下界。

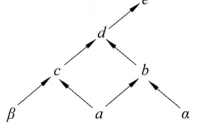

解

先繪示意圖

(1)

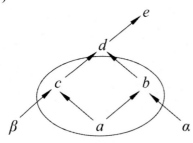

(2)

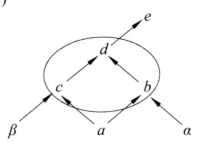

(3)

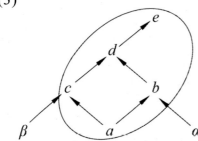

故

(1) 上界：d, e，下界：a

(2) 上界：d, e，下界：a

(3) 上界：e，下界：a

例 3

$S=\{a, b, c, d, e, f\}$，其 Hasse 圖如右，　(1)$A=\{b, c, d\}$求上界、下界，(2)$B=\{a, b, c\}$求 B 之上界、下界。

解

(1) 上界：d, e, f，下界：a, b

(2) 上界：c, d, e, f，下界：a

$$f$$
$$|$$
$$e$$
$$|$$
$$d$$
$$|$$
$$c$$
$$|$$
$$b$$
$$|$$
$$a$$

例 4

$S=\{a, b, c, d, e, f, g, h\}$，其關係圖如右，分別求(1)$A=\{a, b, c\}$，(2)$A=\{c, d, f\}$，(3)$A=\{b, f, g, h\}$之上界、下界。

解

(1) 上界：d, e, g, h，下界：a

(2) 上界：e, g, h，下界：a, c

(3) 上界：無，下界：a

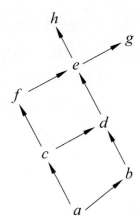

最大下界、最小上界

> **定 義**
>
> $(A, \preceq)$ 為一偏序集，$B \subseteq A$，$x \in A$，x 是 B 之一下界，若 $(x, y) \in R$ 對 B 之其他下界 y 均成立，則稱 x 為 B 之**最大下界**(the greatest lower bound; glb)。$z \in B$，z 是 B 之上界，若 $(z, w) \in R$ 對 B 之其他上界 w 均成立，則稱 z 為 B 之**最小上界**(the least upper bound; lub)。

> **定 理**
>
> $\preceq$ 是定義於 S 之偏序，$A \subseteq S$，(1)若 A 之最大上界存在，則必為唯一。(2)若 A 之最小下界存在，則必為唯一。

（我們只證 glb 之惟一性）

設 x, y 均為 A 之 glb，則

(1) x 為 glb ∴ $y \preceq x$

(2) y 為 glb ∴ $x \preceq y$

∵ $y \preceq x$ 且 $x \preceq y$ ∴ $x = y$

例 5

若 $S=\{a, b, c, d, e, f, g, h\}$

$A=\{c, d, e\}$，求 A 之

(1)上界，(2)lub，(3)下界，(4)glb。

解

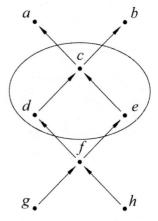

(1) 上界為 c, a, b

(2) lub：c

(3) 下界為 f, g, h

(4) glb：f

作業 6B
Homework

1. $A = \{1, 2, \cdots, 12\}$，在 A 上定義整除關係「|」

   (1) 判斷 $<A, |>$ 為一偏序集。

   (2) 繪出 Hasse 圖。

   (3) $B = \{8, 12\}$，求 B 之上界、下界、glb 與 lub。

   (4) $C = \{4, 6\}$，求 C 之上界、下界、glb 與 lub。

2. $<P(A), \subseteq>$ 是定義於 $A = \{a, b\}$ 之 POS，$P(A)$ 為 A 之冪集合，$B = \{\{a\}\}$

   (1) 試繪 $<P(A), \subseteq>$ 之 Hasse 圖。

   (2) 求 B 之極大元素、極小元素、最大元素、最小元素。

   (3) 求 B 之上界、下界、最小上界、最大下界。

6.3 格

　　並非所有 POS 都有 lub 與 glb，因此對有 lub 與 glb 之 POS 特別有意義，這就是**格**(lattice)或絡以 L 表之。定義如下：

定義

▶ 設$(L, \preceq)$為一 POS，若對 L 中任意二元素 a, b 而言，$\text{lub}(a, b)$ 及 $\text{glb}(a, b)$均在 L 中，則稱$(L, \preceq)$為格或絡(lattice)，逕稱 L 為格。

例 1

　　定義$(x, y) \in R \quad iff \quad x \leq y$，$x, y \in N$ 則$(N, \leq)$為一個格。

解

$(x, y) \in R \quad iff \quad x \leq y, x, y \in N$

又 $\text{lub}(x, y) = \max(x, y) \in N$

　　$\text{glb}(x, y) = \min(x, y) \in N$

$\therefore \ (N; \leq)$為格。

　　$(L, \leq)$是一個 POS，對 L 中任意二元素 a, b 而言，我們以 $a \vee b$ 表 $\text{lub}(\{a, b\})$，稱為 a, b 之**和**(join)，我們以 $a \wedge b$ 表 $\text{glb}(\{a, b\})$，稱為 a, b 之**積**(meet)，通常

　　$\text{lub}(\{a_1, a_2 \cdots a_n\})$ 寫成 $a_1 \vee a_2 \cdots \vee a_n$

　　$\text{glb}(\{a_1, a_2 \cdots a_n\})$ 寫成 $a_1 \wedge a_2 \cdots \wedge a_n$

例 2

$A=\{a, b, c, d, e, f, g, h, i, j\}$，偏序集之關係圖如下：

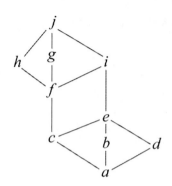

求(1)$b \wedge c$，(2)$b \wedge g$，(3)$b \vee c$。

解〉

(1)$b \wedge c = a$　　　　(2)$b \wedge g = a$　　　　(3)$b \vee c = e$

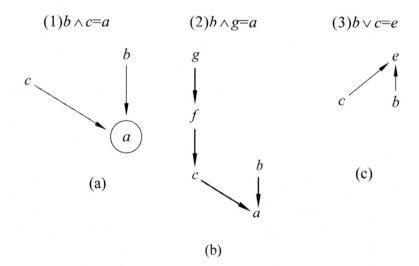

(a)　　　　(b)　　　　(c)

格有以下諸性質：

1. $\begin{cases} a\le a\vee b; b\le a\vee b \ ;其中\ a\vee b\ 為\ a, b\ 之\ \text{lub} \\ a\wedge b\le a; a\wedge b\le b\ ;其中\ a\wedge b\ 為\ a, b\ 之\ \text{glb} \end{cases}$

2. $\begin{cases} 若a\le c, b\le c\ 則\ a\vee b\le c\ ;其中\ a\vee b\ 為\ a, b\ 之\ \text{lub} \\ 若c\le a, c\le b\ 則\ c\le a\wedge b\ ;其中\ a\wedge b\ 為\ a, b\ 之\ \text{glb} \end{cases}$

上述性質之證明從略，現在我們用這些性質導出一些有關格之重要定理。

定理

定理：L 為格，$a, b\in L$，則

(1) $a\vee b=b$ 　*iff*　$a\le b$ 　　　(2) $a\wedge b=a$ 　*iff*　$a\le b$

(3) $a\wedge b=a$ 　*iff*　$a\vee b=b$

(1) ① $a\vee b=b\Rightarrow a\le b$:

　　　$a\le a\vee b=b$ ∴ $a\le b$

② $a\le b\Rightarrow a\vee b=b$:

　　　∵ $a\le b$ 又 $b\le b$（b 為 a, b 之 lub）

　　　∴ $a\vee b\le b$ 又 $b\le a\vee b$; 得 $a\vee b=b$

(2) 仿(1)即得。

(3) $a\wedge b=a\Rightarrow a\le b\Rightarrow a\vee b=b$（由(1),(2)）

　　即 $a\wedge b=a$ *iff* $a\vee b=b$

定理 》

L 為格 $a, b, c \in L$ 則

(1) $a \vee a = a$；$a \wedge a = a$

(2) $a \vee b = b \vee a$；$a \wedge b = b \wedge a$

*(3) $a \vee (b \vee c) = (a \vee b) \vee c$；$a \wedge (b \wedge c) = (a \wedge b) \wedge c$

(4) $a \vee (a \wedge b) = a$；$a \wedge (a \vee b) = a$

*註：若時間不許可，其導證過程可略之。

(1)由 lub 及 glb 之定義即得。

(2) $\because$ glb($\{a, b\}$)=glb($\{b, a\}$) $\therefore$ $a \wedge b = b \wedge a$

$\because$ lub($\{a, b\}$)=lub($\{b, a\}$) $\therefore$ $a \vee b = b \vee a$

*(3)只證 $a \vee (b \vee c) = (a \vee b) \vee c$：

先證 $(a \vee b) \vee c \leq a \vee (b \vee c)$：

$a \leq a \vee (b \vee c)$ .... ①

$b \vee c \leq a \vee (b \vee c)$ .... ②

又 $b \leq b \vee c$ .... ③

$c \leq b \vee c$ .... ④

$\therefore$由②,③及遞移性可得：$b \leq a \vee (b \vee c)$ .... ⑤

由②,④及遞移性可得：$c \leq a \vee (b \vee c)$ .... ⑥

由①,⑤得：$a \vee (b \vee c)$是$\{a, b\}$之上界

$\therefore a \vee b \leq a \vee (b \vee c)$ .... ⑦

由⑥,⑦：$a \vee (b \vee c)$是$\{a \vee b$ 與 $c\}$之上界

$\therefore (a \vee b) \vee c \leq a \vee (b \vee c)$ .... ⑧

　　同法可證 $a \vee (b \vee c) \leq (a \vee b) \vee c$ .... ⑨

　　由⑧,⑨：$a \vee (b \vee c) = (a \vee b) \vee c$

(4) 只證　$a \vee (a \wedge b) = a$：　a 為 $\{a \wedge b, a\}$ 之上界，即

　　∵ $a \wedge b \leq a$　及　$a \leq a$

　　　$a \vee (a \wedge b) \leq a$ .... ①

　　由 lub 之定義

　　$a \leq a \vee (a \wedge b)$ .... ②

　　∴ $a \vee (a \wedge b) = a$（由①,②）

有界格

> **定 義**
>
> 若格 L 有惟一之上界，此上界通常以 1 表之，同時它也有惟一下界，此下界通常以 0 表之，則稱 L 為有界格(bounded lattice)。

> **定 理**
>
> 設 L 為有界格，$a \in L$ 則 $1 = a \vee 1,\ a = a \wedge 1,\ a = a \vee 0;\ 0 = a \wedge 0$

　　顯然成立。

互補格與分配格

定 義

> L 為有界格，$\forall a \in L$，若存在一個 $b \in L$ 使得 $a \wedge b = 0$ 且 $a \vee b = 1$ 則 L 是**互補格**(complemented lattice)，而 b 為 a 之**補元素**或**補數**。

要注意的是：並非所有的格都是互補格。

例 3

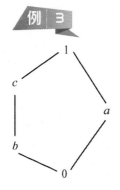

左圖是一個格，問：
(1)a, b 之補元素為何？
(2)$a \vee (b \wedge c) = (a \vee b) \wedge (a \vee c)$ 成立否？

解

(1) $a \wedge b = 0$, $a \vee b = 1$　　$\therefore$ b 為 a 之補元素

　　$a \wedge c = 0$, $a \vee c = 1$　　$\therefore$ c 為 a 之補元素

(2) $a \vee (b \wedge c) = a \vee b = 1$

　　$(a \vee b) \wedge (a \vee c) = 1 \wedge 1 = 1$

　　$\therefore$ $a \vee (b \wedge c) = (a \vee b) \wedge (a \vee c)$

定義

L為一個格，若對 L 中任意三元素 a, b, c 均有

$$a \vee (b \wedge c) = (a \vee b) \wedge (a \vee c)$$
$$a \wedge (b \vee c) = (a \wedge b) \vee (a \wedge c)$$

則稱 L 為分配格。

例 3 是分配格(distribution lattice)之一個例子。

定理

若 L 是有界的互補格，若它滿足分配性，則任一元素 $a \in L$ 之補元素是惟一。

設 $a \in L$，a 有 2 個補元素 x, y 則

$$\begin{cases} a \wedge x = 0, a \vee x = 1 \text{ 且} \\ a \wedge y = 0, a \vee y = 1 \end{cases}$$

現我們要證 $x = y$：

$x = x \vee 0 = x \vee (a \wedge y) = (x \vee a) \wedge (x \vee y) = 1 \wedge (x \vee y) = x \vee y$ .... ①

$y = y \vee 0 = y \vee (a \wedge x) = (y \vee a) \wedge (y \vee x) = 1 \wedge (x \vee y) = x \vee y$ .... ②

比較①，②得 $x = y$，即 a 之補元素是惟一。

　　總之，L 為有界格，$a \in L$，則 a 之補元素可能不存在，即使存在也並非惟一，除非 L 是分配格。$a \in L$，若 a 有補元素，則 a 之補元素是惟一。此外，0 之補元素是 1，1 之補元素是 0。

例 4

　　下圖是一個格，求 a, b, c, 0 與 1 之補元素。

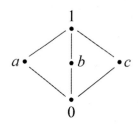

解

　　a 之補元素為 b, c

　　b 之補元素為 a, c

　　c 之補元素為 a, b

　　而 0 與 1 互為補元素。

作業 6C
Homework

1. $a, b \in L$，試證 $a \wedge b = a$ iff $a \leq b$。

2. 下列是不是格？

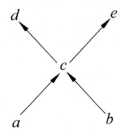

3. L 為一格，$a, b, c \in L$，且 $a \leq b, b \leq c$，求證：

(1) $(a \wedge b) \vee (b \wedge c) = (a \vee b) \wedge (b \vee c)$，

(2) 若 $a \wedge b = a$ 則 $a \vee b = b$，

(3) $a \vee b = b \wedge c$

4. 求 $c \wedge (e \vee d)$ 與 $(c \wedge e) \vee (c \wedge d)$。

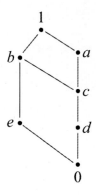

5. 求 $a \wedge (b \vee c)$ 與 $(a \wedge b) \vee (a \wedge c)$ 。

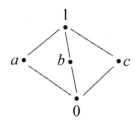

6. L 是格。$a, b, c, d \in L$，證：

(1) $a \le b$ 則 $a \vee c \le b \vee c$

(2) $a \le c$ 且 $b \le c$ 則 $a \vee b \le c$

(3) $a \le b$ 且 $c \le d$ 則 $a \vee c \le b \vee d$

7. 本節例 12 所表示的格是否為分配格？

8. L 為一個格，$x, y \in L$，

(1) $x \vee y = 0$，試證 $x = 0$，$y = 0$。

(2) $x \wedge y = 1$，試證 $x = 1$，$y = 1$。

9. 右圖表示之格(1)是否為分配格？

(2) a, e 之補元素。

（提示：考慮 a, b, c）

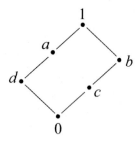

10. 下列二圖所示之 POS 是否可表示格？

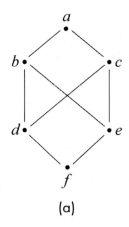

(a)

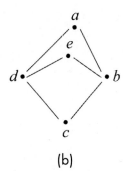

(b)

MEMO

布林代數

7.1　電路與邏輯閘

　　電流只有在開關處於**開**(on)時才能聯通，若處於**關**(off)時，便不聯通。連結二開關有兩個基本方式：一是串聯，一是並聯。這些都與我們過去之學習經驗契合。

　　在一些複雜電路系統，科學家們發現電流之源頭到輸出處間之電流的通電情形甚至電路之化簡均可用**布林代數**(Boolean algebra)來分析。布林代數將在 7.2 節討論。本節之重心在於如何將電路與布林表達式作一互換。

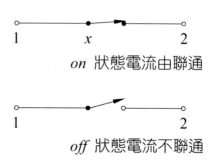

on 狀態電流由聯通

off 狀態電流不聯通

串聯與及閘

　　在串聯系統中，電流必須在 x, y 都是處於 on 時才能從位置 1 到位置 2。如果 x, y 中至少有一個是 off 時，電流便無法由位置 1 流到位置 2。我們可將串聯電流流通情形作表如下，在下表中 1 表示 on，0 表示 off。

（電流無法由位置 1 流通到位置 2）

圖　　　　示	x	y	電　流
x　　　　y	1 (on)	1 (on)	1　有
x　　　　y	1 (on)	0 (off)	0　無
x　　　　y	0 (off)	1 (on)	0　無
1　　　　y	0 (off)	0 (off)	0　無

　　讀者會發現到上表結果與第一章邏輯命題代數「且」則之真值表結果完全相同，事實上，第一章所述之命題代數與本章之布林代數大抵相同，其對應的名稱及符號如下表所示。

集合代數	交集　∩	聯集　∪	餘集　$\overline{A}$
命題代數	且　∧	或　∨	否定　$\sim p$
布林代數	積·或∧ 或省略	和+或∨	反　$\overline{x}$

　　電路系統開關互相聯結的裝置，在電路代數中特稱為邏輯閘，當兩個開關是串聯時，我們稱之為「**且閘**」(AND gate)。當 x, y 為串聯時，其**布林表達式**(Boolean expression)為 $x \wedge y$ 或 $x \cdot y$ 或 xy，而其圖形為：

x ⎯⎯⎯⎤
y ⎯⎯⎯⎦⎯⎯⟶ xy（或 $x \cdot y$ 或 $x \wedge y$）

同理，xyz 表示為三個開關 x, y, z 為串聯，其圖示為：

$$x \atop y \atop z \longrightarrow xyz \quad (\text{或 } x \cdot y \cdot z \text{ 或 } x \wedge y \wedge z)$$

我們也可仿第一章真值表做出串聯情形下 $x \wedge y \wedge z$ 之電流連通情形：

x	y	z	電流
1	1	1	1
1	1	0	0
1	0	1	0
1	0	0	0
0	1	1	0
0	1	0	0
0	0	1	0
0	0	0	0

並聯與或閘

右圖是一個並聯系統，在此系統下除非 x, y 都是 off 外，電流可連通。當二個開關是並聯時，我們稱為**或閘**(OR gate)，其布林表達式為 $x \vee y$ 或 $x+y$，而其圖形為

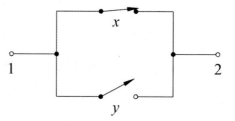

x	y		電流	
1	1	1	有	
1	0	1	有	
0	1	1	有	
0	0	0	無	

$x \vee y$

$(x + y)$

三個開關並聯時，其圖形

$x \vee y \vee z$

$(x + y + z)$

反相器(inverters)，**反且閘**(NAND gate)與**反或閘**(NOR gate)

顧名思義，反相器就是將原來開關裝量予以「否定」，若 x 透過反相器、得 $\bar{x}$，其符號是

x　　　　　　　　　　$\bar{x}$

其電流通過情形是：

x	$\bar{x}$
1	0
0	1

反且閘之符號是在且閘圖形加一個小圈圈，同樣地反或閘是在或閘圖形前加一個小圈圈，它表示與原來輸出結果相反。

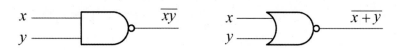

x　　　　　　$\overline{xy}$　　　　　　x　　　　　　$\overline{x+y}$
y　　　　　　　　　　　　　　　　y

其電流流通情形是：

x	y	xy	$\overline{xy}$		x	y	$x+y$	$\overline{x+y}$
1	1	1	0		1	1	1	0
1	0	0	1		1	0	1	0
0	1	0	1		0	1	1	0
0	0	0	1		0	0	0	1

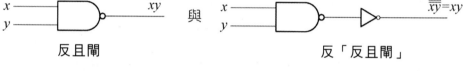

反且閘　　　　　　　　　　　　　反「反且閘」

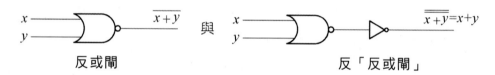

反或閘　　　　　　　　　　　　　反「反或閘」

有了上述基本觀念後，我們便可進行一些混合問題。

例 1

試求出下列電路圖之邏輯算式

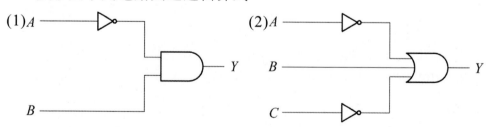

解

(1) A ───▷○─── $\overline{A}$
$\overline{A}\,\overline{B}$ ... Y　　，即 $Y = \overline{A}B$

B

(2) A ───▷○───

B

C ───▷○───
$\overline{A} + B + \overline{C}$　Y　即 $Y = \overline{A} + B + \overline{C}$

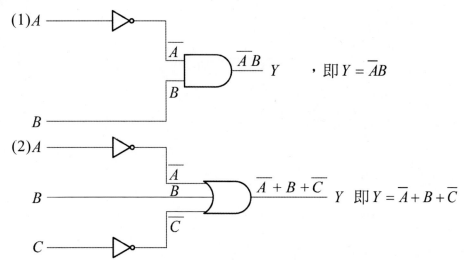

例 2

試繪出下列邏輯算式之電路圖：

(1) $Y=(A+\overline{B})(C+\overline{D})$

(2) $Y=A+BC\overline{D}$

解

(1) A
B ─▷○─
$A + \overline{B}$

C
D ─▷○─
$C + \overline{D}$

$(A+\overline{B})(C+\overline{D})$　Y

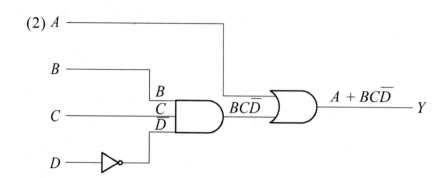

(2) $A + BC\overline{D}$ ... Y

試繪出邏輯算式 $Y=AB+BC$ 之電路圖。

解

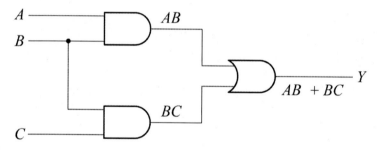

例　4

試繪出邏輯算式 $Y=AB+\overline{A}\,\overline{B}$ 之電路圖。

解

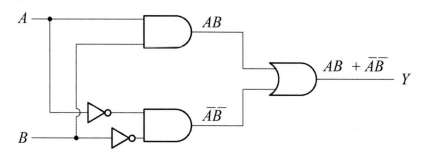

例　5

試繪出邏輯算式 $Y=(A+\overline{B})(B+\overline{A})$ 之電路圖。

解

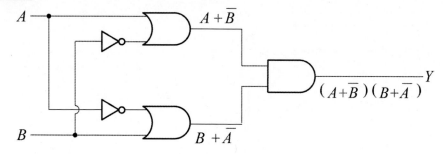

作業 7A
Homework

1. 試繪下列邏輯算式之電路圖：

   (1) $z = x + \overline{y}$

   (2) $z = \overline{x}y + x\overline{y}$

   (3) $z = (x + \overline{y})(\overline{x} + y)$

2. 試繪下列邏輯算式之電路圖：

   (1) $p = xy + xz + yz$

   (2) $p = (x + y + z)(\overline{\overline{x} + y})$

   (3) $p = x(\overline{y + \overline{z}}) + \overline{y}(x + z)$

3. 寫出下列邏輯電路之邏輯算式表示：

   (1)

   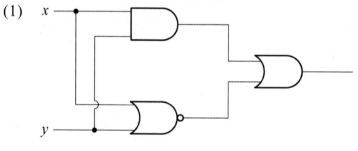

   (2)

   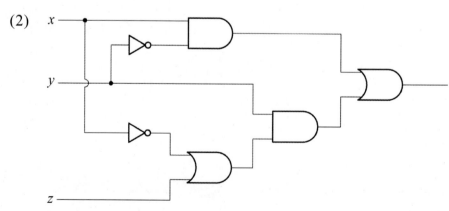

7.2 布林代數之簡介

　　Boolean 代數是以英國數學家 George Boole(1813～1864)而命名的，他是邏輯定律之創始者，而這些定律是計算機邏輯電路設計之基礎。第一、二章之邏輯命題與集合之各項結果對布林代數均成立。

定　義

▶ 布林代數是一具有分配性、互補性之格，它至少是由 2 個相異元素，1 個「0」及 1 個「1」所組成。若能滿足下列四個假設，則以 $B=[B,+,\cdot,-,0,1]$ 表之，其中 B 為集合，+、・為二元運算，−為餘運算：

P1：二元運算「+」與「・」均滿足交換性，即 $a+b=b+a$，$a \cdot b=b \cdot a$，$a, b \in B$

P2：0 為「+」運算之單位元素，1 為「・」運算之單位元素。即：$a \cdot 1=1 \cdot a=a$；$a+0=0+a=a$，$a \in B$

P3：「・」運算對「+」運算具有分配性，即 $(a \cdot b)+c=(a+c) \cdot (b+c)$，$a, b, c \in B$；「+」運算對「・」運算也具有分配性，即 $(a+b) \cdot c=(a \cdot c)+(b \cdot c)$，$a, b, c \in B$

P4：對 B 中之任一元素 a，恆有存在為一個元素 $\bar{a}$，使得 $a+\bar{a}=1$，及 $a \cdot \bar{a}=0$（$a,\bar{a}$ 互為補數）

　　我們可藉由下列定理之導證過程，熟稔布林代數運算之精髓。在不致混淆之情況下，布林代數 $x \cdot y$ 逕寫成 xy。

定 義

$x \in B$ 若存在 z 使得 $x+z=1$ 且 $x \cdot z=0$，則 z 為 x 的補數。

定 理

$x \in B$，z 為 x 之補數則 z 為惟一。

證

（利用反證法）

設 z, w 均滿足下列條件：

$$\begin{cases} x + z = 1 \ 且 \ xz = 0 \\ x + w = 1 \ 且 \ xw = 0 \end{cases}$$

現在要證明 x 的補數具有惟一性，即 $z=w$：

(1) $z = z + 0 = z + xw = (z+x)(z+w) = (x+z)(z+w)$

   $= 1 \cdot (z+w) = z+w$

(2) $w = w + 0 = w + xz = (w+x)(w+z) = (x+w)(w+z)$

   $= 1 \cdot (w+z) = w+z = z+w$

由(1),(2)　$\therefore$　$z=w$，即 x 之補數 z 為惟一。

定 理

$a \in B$，x 為 a 之補數，則 $x = \bar{a}$。

證

證明見本節作業第 10 題。

對偶原理

邏輯代數、集合之對偶性質在布林代數均有效。

> **定 理**
>
> 布林代數導出之任一敘述或恆等式，將結果之「＋」與「．」互換，以及「0」與「1」互換，結果仍能成立。

對偶原理在布林代數中極為有用，在此我們說明如次：

$$x \quad + \quad 1 \quad =1 \;;\; a \;+\; (b+c) \;=\; (a+b) \;+c$$

$$x \quad \cdot \quad 0 \quad =0 \;;\; a \;\cdot\; (b\cdot c) \;=\; (a\cdot b) \;\cdot c$$

> **定 理**
>
> $x \in B$，則　(1)$x \cdot x = x$　(2)$x + x = x$（此即冪等性）

(1) $x \cdot x = x \cdot x + 0$

$\quad = x \cdot x + x \cdot \overline{x}$

$\quad = x(x + \overline{x})$

$\quad = x \cdot 1$

$\quad = x$

(2) $x + x = (x + x) \cdot 1$

$\quad = (x + x) \cdot (x + \overline{x})$

$\quad = x + x \cdot \overline{x}$（利用分配律）

$\quad = x + 0$

$\quad = x$

定理

$x \in B$，則　(1)$x+1=1$　(2)$x \cdot 0=0$

證

(1) $x+1=(x+1) \cdot 1=(x+1) \cdot (x+\overline{x})=x \cdot x+x \cdot \overline{x}+1 \cdot x+1 \cdot \overline{x}$

$\quad\quad =x+0+x+\overline{x}=(x+x)+\overline{x}=x+\overline{x}=1$

(2) 由對偶原理即得

定理

$x, y, z \in B$ 則 $x+(y+z)=(x+y)+z$，且 $x(yz)=(xy)z$

證

本定理 $x+(y+z)=(x+y)+z$ 之證明，見本節作業第 9 題。

定理

$x \in B$ 則 $\overline{\overline{x}}=x$

證

∵ $\overline{\overline{x}}$ 是 $\overline{x}$ 之補數，而 $\overline{x}$ 又是 x 之補數，但 $\overline{x}$ 之補數是惟一的

∴ $\overline{\overline{x}}=x$。

定理 》》

$x, y \in B$，則 $x = x \cdot (x+y)$ 及 $x = x + (x \cdot y)$

證

(1) $x \cdot (x+y) = x \cdot x + x \cdot y = x + x \cdot y = x(1+y) = x \cdot 1 = x$

(2) 利用(1)之結果及對偶原理即得

定理 》》

$\overline{0} = 1$ 且 $\overline{1} = 0$

證

$\overline{0} = \overline{0} + 0 = 1$

由對偶原理即得 $\overline{1} = 0$

定理 》》

$x, y \in B$，則 $(1)\ \overline{x \cdot y} = \overline{x} + \overline{y}$ 且 $(2)\ \overline{x + y} = \overline{x} \cdot \overline{y}$

證

(1) 此相當於證明 xy 之補數是 $\overline{x} + \overline{y}$：

　　① $xy \cdot (\overline{x} + \overline{y}) = 0$：

$$xy \cdot (\overline{x} + \overline{y}) = xy \cdot \overline{x} + xy \cdot \overline{y}$$
$$= \overline{x} \cdot xy + x(y \cdot \overline{y})$$
$$= (x \cdot \overline{x})y + x(y \cdot \overline{y})$$
$$= 0 \cdot y + x \cdot 0 = 0 + 0 = 0$$

② $xy+(\overline{x}+\overline{y})=1$：

$$xy+\overline{x}+\overline{y}=(x+\overline{x})\cdot(y+\overline{x})+\overline{y}=1\cdot(y+\overline{x})+\overline{y}=y+\overline{x}+\overline{y}$$
$$=(y+\overline{y})+\overline{x}=1+\overline{x}=1$$

因此 xy 之補數為 $\overline{x}+\overline{y}$，但布林代數任一元素之補數是惟一的，

$$\therefore \quad \overline{xy}=\overline{x}+\overline{y}$$

(2) 由(1)，利用對偶原理即得。

現在我們將舉一些例子說明這些定理之應用。

例 1

試證 $x(\overline{x}+y)=xy$, $x, y\in B$ 。

解

$$x(\overline{x}+y)=x\cdot\overline{x}+x\cdot y$$
$$=0+x\cdot y$$
$$=x\cdot y$$

（別解）利用真值表

x	y	$x\cdot(\overline{x}+y)$		$x\cdot y$
0	0	0	1	0
0	1	0	1	0
1	0	0	0	0
1	1	1	1	1

└──── 相等 ────┘

例 2

試證 $x+yzw=(x+y)(x+z)(x+w)$，$x, y, z, w \in B$。

解

$$x + yzw = x + (yz)w = (x + yz)(x + w) = (x + y)(x + z)(x + w)$$

【別證】

$$x(y + z + w) = xy + xz + xw$$

$\therefore$ 由對偶原理 $x + yzw = (x + y)(x + z)(x + w)$

例 3

試證 $x+xy=x$，$x, y \in B$。

解

$x+xy= x \cdot 1 + xy$

　　$=x(1+y)$

　　$= x \cdot 1$

　　$=x$

（別解）利用真值表

x	y	x	$+$	$x \cdot y$	x
0	0	0		0	0
0	1	0		0	0
1	0	1		0	1
1	1	1		1	1

└──相等──┘

作業 7 B
Homework

若 $a, b, c \in B$，試解下列各題：

1. $a + \bar{a}b = a + b$，並用此結果說明何以立即有 $a(\bar{a} + b) = ab$ 之結果。

2. 證明 $ab + bc + ac = (a+b)(b+c)(a+c)$ 成立。

3. 若 $ab = ac$ 且 $a + b = a + c$，試證 $b = c$。

4. 證 $b + b(a+1) = b$。

5. 證：若且惟若 $a\bar{b} = 0$ 則 $ab = a$。

6. 若 $a + b = ab$ 試證 $a = b$。

7. 若 $a + b = a + c$，$\bar{a} + b = \bar{a} + c$ 試證 $b = c$。

8. 證：$a\bar{b} + b\bar{c} + c\bar{a} = \bar{a}b + \bar{b}c + \bar{c}a$。

   提示：先證 $(a + \bar{b})(b + \bar{c})(c + \bar{a}) = (\bar{a} + b)(\bar{b} + c)(\bar{c} + a)$ 然後用對偶原理。

9. 請參考下列步驟以證明 $a + (b + c) = (a + b) + c$。

   (1) 利用第 7 題結果證明：若 $ab = ac$，$\bar{a}b = \bar{a}c$ 則 $b = c$。

   (2) 令 $x = a + (b + c)$，$y = (a + b) + c$，

   證 $ax = ay = a$ 及 $\bar{a}x = \bar{a}y$。

   (3) 由(1)，(2)得 $x = y$。

10. 若 $a \cdot x = 0$ 且 $a + x = 1$，$a, x \in B$，求證 $x = \bar{a}$。

11. 若 $ab = a$，試證 $a + b = b$。

12. 若 $a + b = b$，試證 $\bar{a} + b = 1$。

7.3　布林代數之偏序性質

　　布林代數有許多涉及偏序之性質，在本章之前幾節中已陸續提到，本節將進一步研究。

> **定 義**
>
> $x, y \in B$，則定義偏序關係 $\leq$ 為 $x \leq y$　*iff*　$xy=x$。

　　回想集合 A, B　$A \subseteq B$　*iff*　$A \cap B = A$ 之性質，那麼上述定義便很自然理解。

> **定 理**
>
> $x, y \in B$，$x \leq y$　*iff*　$x+y=y$。

(1) $x \leq y \Rightarrow x + y = y$：

$\because$　$x \leq y \Rightarrow xy = x$

$\therefore$　$x + y = xy + y = y(x+1) = y \cdot 1 = y$

(2) $x + y = y \Rightarrow x \leq y$（即 $x + y = y \Rightarrow xy = x$）：

$xy = x(x + y) = x$

$\therefore$　$x \leq y$

> **定 理**
>
> $x, y \in B$，$x \overline{y} = 0 \Leftrightarrow x \leq y$

證

(1) $x\overline{y}=0 \Rightarrow x \cdot y = x$ ：

$x = x \cdot 1 = x(y + \overline{y}) = xy + x\overline{y} = xy + 0 = xy$

(2) $x \cdot y = x \Rightarrow x\overline{y} = 0$ ：

$x\overline{y} = (xy)\overline{y} = x(y\overline{y}) = x \cdot 0 = 0$

由(1)(2)得 $x\overline{y} = 0 \Leftrightarrow x \leq y$

定 理 》》

若 $x, y \in B$ 則 $xy \leq x$ ，$x \leq x + y$

 證

(1) $(xy)\overline{x} = \overline{x}(xy) = (\overline{x}x)y = 0y = 0 \therefore xy \leq x$

(2) $x\overline{(x + y)} = x(\overline{x}\ \overline{y}) = (x\overline{x})\overline{y} = 0\overline{y} = 0 \therefore x \leq x + y$

下面我們將舉一些例子來說明上述定理之應用：

 例 1

$x, y, z \in B$，若 $x \leq y$，試證 $xz \leq y$。

 解

$x \leq y \Rightarrow x = xy \quad \therefore xz = (xy)z = x(yz) = x(zy) = (xz)y$

即 $xz \leq y$

例 2

$x, y \in B$，若 $x \le y$，試證 $\bar{x} + y = 1$。

解

∵ $x \le y$，$x = xy$　∴ $1 = \bar{x} + x = \bar{x} + xy = (\bar{x} + x)(\bar{x} + y) = 1 \cdot (\bar{x} + y) = \bar{x} + y$

例 3

$a, b, c \in B$，若 $a \le b, b \le c$，試證 $a \le c$。

解

∵　$a \le b$　∴　$a\bar{b} = 0$

∵　$b \le c$　∴　$b\bar{c} = 0$

又 $a\bar{c} = a\bar{c}(b + \bar{b}) = a\bar{c}b + a\bar{c}\bar{b} = a\underset{0}{\underline{b\bar{c}}} + \underset{0}{\underline{a\bar{b}}}\bar{c} = 0$　∴ $a \le c$

例 4

$a, b, c \in B$，若 $a \le b, a \le c$，試證 $a \le bc$。

解

$\begin{cases} a \le b　\therefore a\bar{b} = 0 \\ a \le c　\therefore a\bar{c} = 0 \end{cases}$

$a(\overline{bc}) = a(\bar{b} + \bar{c}) = a\bar{b} + a\bar{c} = 0 + 0 = 0$　∴ $a \le bc$

作業 7C
Homework

$a, b, c \in BB$，B 為布林代數：

1. 若 $a \leq b$，試證 $a \leq b + c$。

2. 若 $a \leq b$，試證 $a + bc = b(a + c)$。

3. $a \cdot b \leq a + b$。

4. 若 $a \leq b$，試證 $\bar{b} \leq \bar{a}$。

   定義「$\oplus$」為 $x \oplus y = x\bar{y} + \bar{x}y$，$x, y \in B$，$\oplus$ 稱為布林代數之 $X-OR$ 算子，用 $\oplus$ 定義證明 5-7，$a, b \in B$。

5. $a \oplus 0 = a$。

6. $a + (a \oplus b) = a + b$。

7. $(a \oplus b) \oplus b = a$。

基本組合理論

8.1　基本計數原理與符號

基本計數原理

　　組合理論(combinatorics)是討論**計數問題**(probem of counting)的理論與計算技巧之一門學問。它的理論建構在第一章之排容原理，以及本章之二個基本計數原理，**加法法則**(sum rule)與**乘法法則**(product rule)。

　　乘法法則：做一件事有 k 個步驟，其中第一步驟有 n_1 種方法，第二步驟有 n_2 法，…，第 k 步驟有 n_k 種方法，則做完整件事之方法有 $(n_1 \cdot n_2 \cdots n_k)$ 種方法。

　　加法法則：完成 A_1 有 n_1 種方法，完成 A_2 有 n_2 種方法，完成 A_k 有 n_k 種方法，若 $A_1, A_2 \cdots A_k$ 為互斥（即 $A_1, A_2 \cdots A_k$ 只做其中之一項）則完成方法有 $n_1 + n_2 + \cdots + n_k$ 種。

　　用白話不嚴謹的說法是：加法法則是一氣呵成地完成，乘法法則是分段逐次完成，我們以下列幾個例子說明之：

例 1

　　王先生有紅、白、藍三色運動上衣，也有紅、白、藍三色運動褲。

(1) 王先生運動時，他穿的上衣與褲子有幾種搭配？

(2) 若王先生運動時，上衣與褲子必須同色，請問他有幾種搭配法？

(3) 若王先生運動時，上衣與褲子必須異色，請問他有幾種搭配法？

解

(1) 利用乘法法則，共有 $3 \times 3 = 9$ 種方法。

(2) 利用加法法則，共有 3 種方法（此相當於他是從 3 種套裝中做選擇，故其穿法有 3 種）。

(3) $1 \times 2 + 1 \times 2 + 1 \times 2 = 6$，也可用乘法法則 $3 \times 2 = 6$。

例 2

試依下圖決定 A 至 C 之走法有幾種？

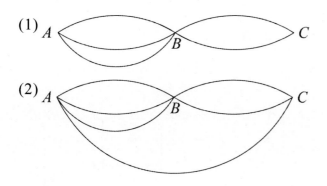

(1)

(2)

解

(1) $A \to B$ 有 3 種，$B \to C$ 有 2 種　$\therefore A \to C$ 有 $3 \times 2 = 6$ 種走法。

(2) $A \to C$ 可分 $\begin{cases} ① \ A \to B \to C \ 依(1)有 \ 6 \ 種 \\ ② \ A \ 直接到 \ C \ 有 \ 1 \ 種 \end{cases}$

　　$\therefore \ A \to C$ 有 $6 + 1 = 7$ 種走法。

例 3

　　求由 A 到 B（但只能走↑，↓或→）之走法有幾種？

(1) 根據題給規則（即不加限制條件）。

(2) 不得經過 C。

(3) 必經過 C。

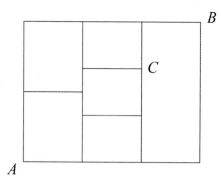

解

　　(1) 由 A 到 B 有 $3 \times 4 \times 2 = 24$ 種方法（如圖 1）

　　(2) 將經過 C 之路線拆掉後由 A 到 B 有 $3 \times 3 \times 2 = 18$ 種方法（如圖 2）

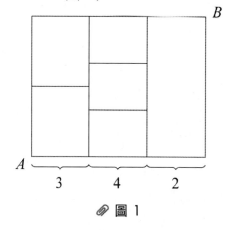

◎ 圖 1

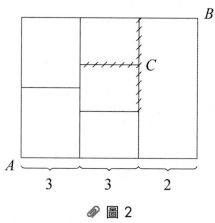

◎ 圖 2

　　(3) 由排容原理，共有 $24 - 18 = 6$ 種方法

基本符號

階乘(factorial)

> **定義**
>
> n 為自然數，則 n 階乘記做 $n!$，定義為 $n!=n(n-1)(n-2)\cdots 3\cdot 2\cdot 1$；若 $n=0$，特規定 $0!=1$，換言之，$n!$ 是由 1 到 n 之連乘積。

例如：$5!=5\cdot 4\cdot 3\cdot 2\cdot 1=120$

例 4

若 $(n+1)!=30(n-1)!$，求 $n=$ ？

解

$(n+1)!=(n+1)n(n-1)!=30(n-1)!$

$\therefore\ (n+1)n=30\ \ ;\ \ n^2+n-30=(n+6)(n-5)=0$

$\therefore\ n=-6$（不合），5，即 $n=5$

例 5

$a_n=n!$，若 $10a_n=a_{n+1}\cdot a_{n-2}$，求 $n=$ ？

解

$10a_n=a_{n+1}\cdot a_{n-2}=(n+1)\,a_n\cdot a_{n-2}$

$\therefore\ 10=(n+1)a_{n-2}=(n+1)\cdot(n-2)!$

又 $10=5\cdot 2=(n+1)\cdot(n-2)!$　　得 $n=4$

例 6

試證 $n! \geq 2^n$，$n \geq 4$ 並由此結果證明若 $S_n = \dfrac{1}{4!} + \dfrac{1}{5!} + \dfrac{1}{6!} + \cdots + \dfrac{1}{n!}$ 則 $S_n \leq \dfrac{1}{8}$。

解

先證 $n! \geq 2^n$，$n \geq 4$

利用數學歸納法：

(1) $n=4$ 時左式 $4!=24$，右式 $2^4=16$ $\therefore$ $n=4$ 時原關係式成立。

(2) $n=k$ 時設 $k! \geq 2^k$

(3) $n=k+1$ 時：

$(k+1)! = (k+1) \cdot k! \geq (k+1) \cdot 2^k \geq 2 \cdot 2^k = 2^{k+1}$

由數學歸納法原理知 $n \geq 4$ 時 $n! \geq 2^n$，對所有正整數均成立。

$$\therefore S_n = \frac{1}{4!} + \frac{1}{5!} + \frac{1}{6!} + \cdots + \frac{1}{n!}$$

$$\leq \frac{1}{2^4} + \frac{1}{2^5} + \frac{1}{2^6} + \cdots + \frac{1}{2^n}$$

$$\leq \frac{1}{2^4} + \frac{1}{2^5} + \frac{1}{2^6} + \cdots + \frac{1}{2^n} + \frac{1}{2^{n+1}} + \cdots$$

$$= \frac{\dfrac{1}{2^4}}{1 - \dfrac{1}{2}} = \frac{1}{8}$$

排列數

n 個相異物有順序的排成一列稱為直線排列，在不混淆情形下我們直接簡稱它為排列(permutation)。

> n 個相異元素全取排列之方法有 $n!$ 種。

一直線上有 n 個位置，則將 n 個相異元素放入第一個位置之方法有 n 種，俟第一個元素排好後，剩下 $n-1$ 個元素放入第 2 個位置之方法有 $n-1$

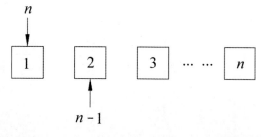

種，……以此類推，由乘法原理易知，n 個相異元素全取排列共有 $n(n-1)(n-2)\cdots3\cdot2\cdot1=n!$ 種方法。

上述定理是在 n 個元素不限定規則下所作之全取直線排列，以後我們將對不同條件下排法進行研究。

例 7

有 5 個人排一直線，其排法有 $5!=5\times4\times3\times2\times1=120$ 種，有 4 男 1 女排一直線，其排法亦為 $5!=120$ 種。

從 n 個相異物中取出 m 個所作之**排列數**記做 P_m^n，定義為

$$P_m^n=\underbrace{n(n-1)(n-2)\cdots[n-(m-1)]}_{m個}$$

例 8

　　甲、乙、丙、丁、戊、己、庚 7 人做直線排座。我們以不同之限制條件說明直線排列基本技巧。

1. 7 人全取做直線排列：

　　　　第一個座位有 7 個人可以坐，故坐法有 7 種，當第一個座位選定一人後，第二個座位可由剩下 6 個人中之某個人坐定，故第二個座位之坐法有 6 種…到第 7 個人，只剩最後一個座位，別無選擇，故只有 1 種坐法。

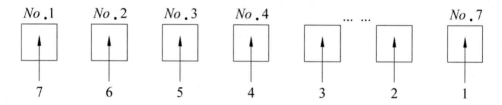

　　　　依乘法原理知，7 個人坐直線排列有 7! = 7×6×5…

×3×2×1 = 5040 種

2. 7 人坐 4 個位置之直線排列：

　　　　依前述之分析方法，7 人坐 4 個位置之直線排列有

7×6×5×4 = 840 種

以下我們將討論一些限制條件下之坐法：

3. 7 人坐 7 個位置，但甲必須坐第二個位置：

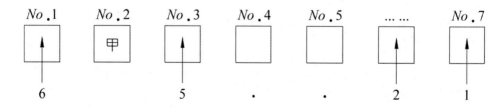

第一個座位有 $7-1=6$ 種坐法，

第二個座位有 1 種坐法（甲坐第二個座位），

第三個座位有 5 種坐法，第四、五、六、七個座位分別有 4，

3，2，1 種坐法。

∴甲必須坐第二個位置之直線排列有 $6×1×5×4×3×2×1=720$

種。

4. 7 人坐 7 個位置，但甲必須坐第一個位置且乙必須坐第四個位

置：

甲坐第一個位置且乙坐第四個位置之直線排法（如下圖）

有 $5!=5×4×3×2×1=120$ 種

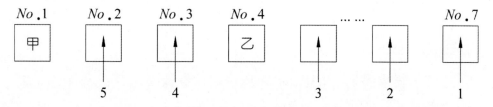

5. 7 人坐 7 個位置，但甲坐第一個位置或乙坐第四個位置：

令 A 為甲坐第一個位置之排列所成之集合，B 為乙坐第四

個位置之排列所成之集合，則 $A\cap B$ 為甲坐第一個位置且乙坐

第四個位置之排列所成之集合，由排容原理：

$$|A\cup B|=|A|+|B|-|A\cap B|$$
$$=6!+6!-5!=2×6!-5!=1320 \text{ 種}$$

6. 7 人坐 7 個位置，但甲必須坐第一個位置且乙不得坐第四個位置：

　　令 A 為甲坐第一個位置排列所成之集合，令 B 為乙坐第四個位置排列所成之集合則由排容原理：

$$|A \cap \overline{B}| = |A| - |A \cap B|$$
$$= 6! - 5! = 600 \text{ 種（由(4)）}$$

7. 7 人坐 7 個位置，若乙丙丁必須相鄰其坐法有幾？

　　將乙丙丁 3 人視做 1 人，與其他 4 人作直線排列，其法有 5! 種，又乙丙丁 3 人坐法有 3! 種

　　由乘法法則乙丙丁必須相鄰之坐法有 5!×3!=120×6=720 種。

組合數

　　由 n 個相異物中取出 m 個為一組，不論取出之先後順序，則有 $\binom{n}{m}$ 組，其中

$$\binom{n}{m} = \frac{n!}{m!(n-m)!} \ , \ n \geq m$$

本書之組合公式 $\binom{n}{m}$ 之 m，n 均為自然數。

顯然有：

1. $\binom{n}{0} = \dfrac{n!}{0!(n-0)!} = \dfrac{n!}{0!n!} = 1$。

2. $\binom{n}{n-m} = \dfrac{n!}{(n-m)![n-(n-m)]!} = \dfrac{n!}{(n-m)!m!} = \binom{n}{m}$。

例 9

若 $\dbinom{n}{11} = \dbinom{n}{14}$，求 $\dbinom{n}{23} = ?$

解

$\because \dbinom{n}{m} = \dbinom{n}{n-m}$，$\dbinom{n}{11} = \dbinom{n}{14}$　$\therefore$　$n=25$

$\dbinom{n}{23} = \dbinom{25}{23} = \dfrac{25!}{23!\,2!} = \dfrac{25 \times 24}{2} = 300$

例 10

自 5 位男生 3 位女生中任選若干人組成一小組：

(1) 小組共有 4 人，其中 3 人為男生，1 人為女生，其選法有幾？

(2) 小組共有 4 人，其中 3 人為男生，1 人為女生，做直線排列，問其排法有幾種？

(3) 小組共有 4 人，其中 3 人為男生，1 人為女生，但男生不能排在第一位，其排法有幾？

解

(1) $\dbinom{5}{3}\dbinom{3}{1} = \dfrac{5!}{3!2!} \cdot 3 = 3 \cdot \dfrac{5 \times 4}{2} = 30$。

(2) 先選 4 人有 $\binom{5}{3}\binom{3}{1}=30$ 種方法，然後再將這 4 人作直線排列

有 4!=24 種排法，依乘法法則共有 $\binom{5}{3}\binom{3}{1}\cdot 4! = 30\times 24 = 720$

種排法。

(3) 3 男 1 女之直線排列中男生不得排第一位，即女生排第一

位之排法有 3!=6 種。

$\therefore$ 依乘法法則有 $\binom{5}{3}\binom{3}{1}\cdot 3! = 30\times 6 = 180$ 種。

函數個數問題

現在我們要討論 $f: A \to B$ 之個數問題，其中 A, B 有有限集合，設 $|A| = m$ ， $|B| = n$ 。

1. f 為一對一函數，其先決條件為 $|A| \leq |B|$ ，即 $n \leq m$ ，當 $|A| \leq |B|$ 時，可定義出 $n(n-1)\cdots(n-(m-1)) = \dfrac{n!}{(n-m)!}$ 個不同之一對一映射情形。

2. f 為映成函數，其先決條件為 $|A| \geq |B|$ ，即 $n \geq m$ ，此時我們可定義 $n^m - \left(\binom{n}{1}(n-1)^m - \binom{n}{2}(n-2)^m + \binom{n}{3}(n-3)^m - \cdots \right.$

$\left. +(-1)^{n-1}\binom{n}{n-1}1^m \right)$ 個不同之映成函數。

證明：由排容原理：$f: A \to B$ 共有 n^m 個不同之映射，我們現在看看「不映成」之映射：

(1) B 只有 1 個元素在 A 中沒有一個元素與之對應，假定 B 之「1」在 A 中沒有元素與之對應，則這種映射有 $(n-1)^m$ 種，但 B 中之「1」選法有 $\binom{n}{1}$ 種，故 $S_1 = \binom{n}{1}(n-1)^m$。

(2) B 只有 2 個元素在 A 中沒有一個元素與之對應：不失一般性下設在 A 中沒有元素與 B 之「1」與「2」對應，則這種映射有 $(n-2)^m$ 種，但這種「1」與「2」之選法有 $\binom{n}{2}$ 種，故 $S_2 = \binom{n}{2}(n-2)^m$。

∴由排容原理得 $f:A \to B$ 之映成有

$$n^m - (S_1 - S_2 + S_3 + \cdots + (-1)^{n-1}S_{n-1}) =$$

$$n^m - \left(\binom{n}{1}(n-1)^m - \binom{n}{2}(n-2)^m + \cdots + (-1)^n \binom{n}{n-1}1^m \right) \text{個}。$$

3. f 為一對一且映成函數：其先決條件為 $|A| = |B|$，當 $|A| = |B| = n$ 時可定義出 $n!$ 種一對一且映成函數。

例 11

$A = \{a, b, c, d\}$，$B = \{1, 2, 3\}$，問 $f:A \to B$ 可有幾個函數映射、一對一映射、映成映射？

解

$|A| = 4$，$|B| = 3$　∴$f:A \to B$ 有 $3^4 = 81$ 種映射

又 $|A| > |B|$　∴不存在一對一映射。

而映成映射有

$$3^4 - \left(\binom{3}{1}(3-1)^4 - \binom{3}{2}(3-2)^4 \right)$$

$$= 81 - 3 \cdot 16 + 3 \cdot 1 = 36$$

Pascal 定理

定理

（Pascal 定理）：$\binom{n}{m} = \binom{n-1}{m} + \binom{n-1}{m-1}$ ，$n \geq m$

證

$$\binom{n-1}{m} + \binom{n-1}{m-1}$$

$$= \frac{(n-1)!}{m!(n-m-1)!} + \frac{(n-1)!}{(m-1)!(n-m)!}$$

$$= \frac{(n-m)(n-1)!}{m!(n-m)!} + \frac{m(n-1)!}{m!(n-m)!}$$

$$= \frac{(n-1)![(n-m)+m]}{m!(n-m)!} = \frac{n!}{m!(n-m)!} = \binom{n}{m}$$

【別證】

考慮 n 個相異元素中之一個特殊元素「S」：

(1) 自 n 個相異元素中取 m 個之組合數為 $\binom{n}{m}$，它是下列二互斥事件之和：

① n 個相異元素不含「S」：組合數為 $n-1$ 個其他元素中取 m 個元素，其組合數為 $\binom{n-1}{m}$。

② n 個相異元素含「S」：組合數為 $n-1$ 個其他元素中取 $m-1$ 個元素，其組合數為 $\binom{n-1}{m-1}$，依加法法則，$\binom{n}{m} = \binom{n-1}{m} + \binom{n-1}{m-1}$。

上述定理之別證即通稱為 **組合論證法** (combinatorial argument)，通常依題意假設一個組合問題之「情境」，再用組合論觀點解它，其解法有別於代數法。

(2) Pascal 三角形

圖：由 Pascal 三角形可知 $\binom{3}{1} + \binom{3}{2} = \binom{4}{2}$；$\binom{3}{2} + \binom{3}{3} = \binom{4}{3}$。

作業 8A
Homework

1. 求下列之 k 值：

   (1) $5p_k^9 = 6p_{k-1}^{10}$，(2) $\binom{k}{13} = \binom{k}{20}$，(3) $\binom{k}{6} = \binom{k}{9}$，(4) $\binom{10}{4} = \binom{10}{k+5}$。

2. 證：$1(1!)+2(2!)+3(3!)+\cdots+n(n!)=(n+1)!-1$。

3. A, B, C, D, E, F, G 七人做直線排列，求

   (1)7 人直線排法，(2)C 要排首，(3)A 要排首且 B 要排尾，
   (4)A 要排首或 C 要排中，(5)A 不得排首或 C 不得排中，
   (6)A 不得排首且 C 不得排中。

*4. 有 4 對夫妻參加舞會，若規定每對夫妻不得共舞，問有幾種找舞伴之方法？

5. 由 6 個男生，4 個女生中選出 4 人委員會，分別求出選法數：

   (1)不論性別，(2)男生 3 人女生 1 人，(3)男女生各半，
   (4)至少有一女生，(5)包含一特定女生。

6. 有 3 男生 2 女生　(1)5 人直線排列之排法，(2)首尾均為女生，
   (3)3 男生相鄰且 2 女生相鄰，(4)3 男生相鄰且 2 女生不相鄰。

7. 微積分期中考共有 10 題，規定 10 題中選作 7 題：

   (1)任選 7 題，(2)前 4 題必須全作，(3)前 4 題中至少作 3 題。

8. 用組合論證法證明：若 $m \geq n$，$m, n \in N$ 則

   $$\binom{m}{0}\binom{n}{0}+\binom{m}{1}\binom{n}{1}+\cdots+\binom{m}{n}\binom{n}{n}=\binom{m+n}{n}。$$

9. 用組合論證法證明：$\dbinom{2n+2}{n+1} = \dbinom{2n}{n+1} + 2\dbinom{2n}{n} + \dbinom{2n}{n-1}$（提示：

　　考慮 $2n$ 位男生與 2 位女生取 $n+1$ 人組委員會）。

10. 用組合論證法試證　$P_k^n = P_k^{n-1} + kP_{k-1}^{n-1}$。

8.2　二項展開式

二項係數

$$(1+x)^1 = 1+x = \binom{1}{0} + \binom{1}{1}x$$

$$(1+x)^2 = 1+2x+x^2 = \binom{2}{0} + \binom{2}{1}x + \binom{2}{2}x^2$$

$$(1+x)^3 = 1+3x+3x^2+x^3 = \binom{3}{0} + \binom{3}{1}x + \binom{3}{2}x^2 + \binom{3}{3}x^3$$

由上面之規則性，讀者不難推出：

$$(1+x)^{13} = \binom{13}{0} + \binom{13}{1}x + \binom{13}{2}x^2 + \binom{13}{3}x^3 + \cdots + \binom{13}{13}x^{13}$$

我們可用上節之 Pascal 三角形看出：

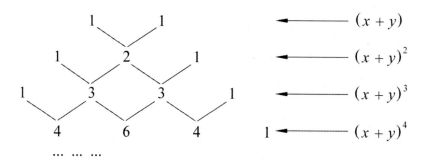

我們正式將上述觀察歸納到下個定理中：

定 理 》》

$$(1+x)^n = \binom{n}{0} + \binom{n}{1}x + \binom{n}{2}x^2 + \cdots + \binom{n}{n}x^n, \quad n \in N$$

證

我們可應用數學歸納法：

1. $n=1$ 時，左式$=(1+x)=\binom{n}{0}+\binom{n}{1}x$

2. $n=k$ 時，設$(1+x)^k=\binom{k}{0}+\binom{k}{1}x+\cdots+\binom{k}{k}x^k$

3. $n=k+1$ 時，$(1+x)^{k+1}=(1+x)(1+x)^k$

$$=(1+x)(\binom{k}{0}+\binom{k}{1}x+\cdots+\binom{k}{k}x^k)$$

$$=(\binom{k}{0}+\binom{k}{1}x+\cdots+\binom{k}{4}x^k)+(\binom{k}{0}x+\binom{k}{1}x^2+\cdots\binom{k_1}{k-1})x^k+\binom{k}{k}x^{k+1}$$

$$=\binom{k}{0}+(\binom{k}{1}+\binom{k}{0})x+(\binom{k}{2}+\binom{k}{1})x^2+\cdots+(\binom{k}{k}+\binom{k}{k-1})x^k+\binom{k}{k}x^{k+1}$$

$$=\binom{k+1}{0}+\binom{k+1}{1}x+\binom{k+1}{2}x^2+\cdots+\binom{k}{k}+\binom{k}{k-1}x^k+\binom{k}{k}x^{k+1}$$

$$(\because \binom{k}{k}=\binom{k+1}{k+1})$$

在上述定理證明中，我們用到 Pascal 定理：

$$\binom{n}{k}=\binom{n-1}{k}+\binom{n-1}{k-1}$$

例 1

利用二項式定理證明下列結果：

(1) $\sum_{k=0}^{n} \binom{n}{k} = 2^n$ ；它的組合意義？

(2) $\sum_{k=0}^{n} 2^k \binom{n}{k} = 3^n$ 。

解

(1) $(1+x)^n = 1 + \binom{n}{1}x + \binom{n}{2}x^2 + \cdots + \binom{n}{n}x^n$

$\qquad = \binom{n}{0} + \binom{n}{1}x + \binom{n}{2}x^2 + \cdots + \binom{n}{n}x^n$

在上式，令 $x=1$ 則

$2^n = \binom{n}{0} + \binom{n}{1} + \binom{n}{2} + \cdots + \binom{n}{n}$

它的組合意義是 n 個相異物中，每次可取 0 個或 1 個…

或 n 個其組合總數為 2^n，由此，我們可得若集合 A 有 n 個

相異元素，其冪集合有 2^n 個元素。

(2) 在(1)的二項係數展開式中，令 $x = 2$ 得

$3^n = 2^0 \binom{n}{0} + 2\binom{n}{1} + 2^2 \binom{n}{2} + \cdots + 2^n \binom{n}{n}$

例 2

利用二項式定理證明：

(1) $\displaystyle\sum_{k=1}^{n} k\binom{n}{k} = n2^{n-1}$

(2) $\dbinom{n}{0} + \dfrac{1}{2}\dbinom{n}{1} + \dfrac{1}{3}\dbinom{n}{2} + \cdots + \dfrac{1}{n+1}\dbinom{n}{n} = \dfrac{2^{n+1}-1}{n+1}$

解

$$(1+x)^n = \binom{n}{0} + \binom{n}{1}x + \binom{n}{2}x^2 + \cdots + \binom{n}{n}x^n$$

(1) 兩邊同時對 x 微分得：

$$n(1+x)^{n-1} = \binom{n}{1} + \binom{n}{2}(2x) + \cdots + \binom{n}{n}(nx^{n-1})$$

令 $x=1$ 則

$$n2^{n-1} = \binom{n}{1} + 2\binom{n}{2} + \cdots + n\binom{n}{n}$$

(2) 兩邊同時對 x 積分：

$$\int_0^1 (1+x)^n\,dx = \int_0^1\left[\binom{n}{0} + x\binom{n}{1} + x^2\binom{n}{2} + \cdots + x^n\binom{n}{n}\right]dx$$

$$\therefore \ \dfrac{(1+x)^{n+1}}{n+1}\Big]_0^1 = x\binom{n}{0} + \dfrac{x^2}{2}\binom{n}{1} + \dfrac{x^3}{3}\binom{n}{2} + \cdots + \dfrac{x^{n+1}}{n+1}\binom{n}{n}\Big]_0^1$$

得 $\dbinom{n}{0} + \dfrac{1}{2}\dbinom{n}{1} + \dfrac{1}{3}\dbinom{n}{2} + \cdots + \dfrac{1}{n+1}\dbinom{n}{n} = \dfrac{2^{n+1}-1}{n+1}$

基礎離散數學
A Short Course in **Discrete Mathematics**

> **定理**
>
> $$\binom{k}{k}+\binom{k+1}{k}+\binom{k+2}{k}+\cdots+\binom{n}{k}=\binom{n+1}{k+1}$$

證 由 Pascal 定理 $\binom{i}{k}=\binom{i+1}{k+1}-\binom{i}{k+1}$，$i \geq k+1$ 得：

$$\binom{k}{k}=1$$

$$\binom{k+1}{k}=\binom{k+2}{k+1}-\binom{k+1}{k+1}(=1)$$

$$\binom{k+2}{k}=\binom{k+3}{k+1}-\binom{k+2}{k+1}$$

$$\cdots\cdots$$

$$+)\ \binom{n}{k}=\binom{n+1}{k+1}-\binom{n}{k+1}$$

$$\sum_{i=k}^{n}\binom{i}{k}=\binom{n+1}{k+1}$$

例 3

利用上述定理求 $1+2+\cdots+n=$？

解

$$1+2+3+\cdots+n=\binom{1}{1}+\binom{2}{1}+\binom{3}{1}+\cdots+\binom{n}{1}=\binom{n+1}{2}=\frac{(n+1)n}{2}$$

定 理

$$(a+b)^n = \sum_{k=0}^{n} \binom{n}{k} a^{n-k} b^k, \quad a, b \in R, \quad n \in Z^+ \text{。}$$

證

（此一部分需用 5.2 節「不屬相異物件之直線排列」之觀念）

$(a+b)^n$ 之 $a^{n-k}b^k$ 項之係數是相當於 $n-k$ 個 a 與 k 個 b 之重複排列，因此 $a^{n-k}b^k$ 之係數相當於 $n-k$ 個 a 與 k 個 b 之重複排列數 $\dfrac{n!}{(n-k)!k!}$，但 $\dfrac{n!}{(n-k)!k!} = \binom{n}{k}$

$\therefore (a+b)^n = \sum_{k=0}^{n} \binom{n}{k} a^{n-k} b^k$

由上一定理知 $(x+y)^n$ 之第 $k+1$ 項為 $\binom{n}{k} x^{n-k} y^k$，因此 $(x+y)^n$ 之 $x^{n-k} y^k$ 之係數為 $\binom{n}{k}$

例 4

求 (1) $(x+y)^8$ 之展開式中 $x^2 y^6$ 項之係數與 $x^3 y^4$ 項之係數為何？

　　(2) $(2x+5y)^6$ 之 $x^2 y^4$ 之係數為何？

解

(1) $x^2 y^6$ 之係數為 $\binom{8}{6} = \dfrac{8!}{6!2!} = 28$

　　$(x+y)^8$ 中不含 $x^3 y^4$ 項，故 $x^3 y^4$ 之係數為 0

(2) 令 $u=2x$, $v=5y$ 則 $(2x+5y)^6=(u+v)^6$ 其 u^2v^4 係數為

$$\binom{6}{4} = \frac{6!}{4!2!} = 15$$

$\therefore$ $(2x+5y)^6$ 之 x^2y^4 係數$=15(2)^2(5)^4$

例 5

求 $(2x+\dfrac{1}{x^2})^8$ 之 (1)x^2 項係數,(2)常數項係數。

解

(1) 設 $(2x+\dfrac{1}{x^2})^8$ 之第 $r+1$ 項 $\binom{8}{r}(2x)^{8-r}(\dfrac{1}{x^2})^r$ 則 $\binom{8}{r}(2)^{8-r}$ 是對應

係數

又 $x^{8-r} \cdot (\dfrac{1}{x^2})^r = x^{8-r} \cdot x^{-2r} = x^{8-3r} = x^2$

$\therefore$ $r=2$

故 $\binom{8}{r}2^{8-r} = \binom{8}{2}2^{8-2} = \binom{8}{2}2^6 = 1792$ 是為所求

(2) 設 $(2x+\dfrac{1}{x^2})^8$ 之第 $r+1$ 項為常數項即 x^0 項,則

$\binom{8}{r}(2x)^{8-r}(\dfrac{1}{x^2})^r$, $x^{8-r}(\dfrac{1}{x^2})^r = x^0$, $r = \dfrac{8}{3} \notin Z$

$\therefore$ 不存在常數項

作業 8B
Homework

1. 求下列各子題指定項之係數：$(1)\,(x-y)^{10}$ 之 x^5y^5 係數，
   $(2)\,(1+x^2)^{21}$ 之 x^6 係數，$(3)\,(7x+5)^{60}$ 之 x^{35} 係數，$(4)\,(2x-3y)^{28}$ 之
   $x^{11}y^{17}$ 係數，$(5)\,(1+x^2)^{31}$ 之 x^8 係數，$(6)\,(3x+\dfrac{1}{x^2})^6$ 之常數項係數。

2. 求 $(m+x+n)^2(m+x+p)^3$ 之 m^2x^3 係數。

3. 問 $(a+b+c)(x+y)(u+v+w)(s+t)$ 展開式共有幾項？

4. $(1+x)+(1+x)^2+\cdots(1+x)^n$ 之 x^k 係數 $(1\le k\le n)$。

5. 求 $[x^2+(\alpha+\beta)x+\alpha\beta]^n$ 之 x^n 係數。

　　利用二項式定理證明下列結果，證明 6,7 題：

6. $\dbinom{n}{0}+\dbinom{n}{2}+\dbinom{n}{4}+\cdots=\dbinom{n}{1}+\dbinom{n}{3}+\dbinom{n}{5}+\cdots=2^{n-1}$。

7. $\dbinom{n}{0}-2\dbinom{n}{1}+2^2\dbinom{n}{2}+\cdots+(-1)^n2^n\dbinom{n}{n}=(-1)^n$。

8. 利用下列關係求 x^k 之係數以證明下列等式：

(1) $(1+x)^{n+1} = (1+x)(1+x)^n$

$$= (1+x)[\binom{n}{0} + \binom{n}{1}x + \binom{n}{2}x^2 + \cdots + \binom{n}{n}x^n]$$

從而得到 $\binom{n+1}{k} = \binom{n}{k-1} + \binom{n}{k}$。

(2) $(1+x)^{n+2} = (1+2x+x^2)[\binom{n}{0} + \binom{n}{1}x + \binom{n}{2}x^2 + \cdots + \binom{n}{n}x^n]$

從而得到 $\binom{n+2}{k} = \binom{n}{k} + 2\binom{n}{k-1} + \binom{n}{k-2}$。

8.3 組合論之一些特殊題型

組合問題千變萬化，題給條件不同其解法即可能大不同，因此它無法像微積分一樣，利用一組定義、定理便可機械地解下去，因此，本書只就一些基本問題以題組方式表現出各問題之特性，希望讀者有基礎訓練後，可詳閱一些較深入之書籍。

不盡相異物件之直線排列

> **定理**
>
> 將 n 個元素，其中第 1 型有 n_1 個相同元素，第 2 型有 n_2 個相同元素，…第 k 型有 n_k 個相同元素，若 $n_1+n_2+\cdots+n_k=n$ 則此 n 個元素全取排列數為 $\dfrac{n!}{n_1!n_2!\cdots n_k!}$。

 證

我們將 n 個元素作直線排列：

1. 第 1 型之 n_1 個元素在 n 個位置上之配置法有 $\dbinom{n}{n_1}$ 種。

2. 完成第 1 型之 n_1 個元素之配置後，第 2 型之 n_2 個元素在其餘 $n-n_1$ 個位置上有 $\dbinom{n-n_1}{n_2}$ 種配置法。

以此類推，由乘法法則得此 n 個元素之全取排列之排列數為

$$\binom{n}{n_1}\binom{n-n_1}{n_2}\binom{n-n_1-n_2}{n_3}\cdots\binom{n-n_1-n_2\cdots n_{k-1}}{n_k}$$

$$=\frac{n!}{n_1!(n-n_1)!}\frac{(n-n_1)!}{n_2!(n-n_1-n_2)!}\cdots\frac{(n-n_1-n_2\cdots-n_{k-1})!}{n_k!0!}$$

$$=\frac{n!}{n_1!n_2!\cdots n_k!}$$

例 1

MISSISSIPPI 之 11 個字母中，M 有 1 個，I 有 4 個，S 有 4 個，P 有 2 個，求　(1)此 11 個字母全取排列，(2)若 P 不能在首位亦不在尾位之排法數。

解

(1) $\dfrac{11!}{1!4!4!2!}=34650$

(2) P 排在首位時，則其餘字母（含剩下的一個 P）排法有

$$\frac{10!}{1!4!4!1!}=6300$$

同法 P 排在尾位時，則其餘字母（含剩下的一個 P）排法有

$$\frac{10!}{1!4!4!1!}=6300$$

一個 P 排在首位，另一個 P 排在尾位，則其餘字母之排法有

$$\frac{9!}{1!4!4!}=630$$

∴ 依排容原理知，P 不能排在首尾亦不能排在尾位之排法有

$$\frac{11!}{1!4!4!2!}-\left(\frac{10!}{1!4!4!1!}+\frac{10!}{1!4!4!1!}-\frac{9!}{1!4!4!}\right)$$

$$=34650-(6300+6300-630)=22680$$

例 2

將 3 支相同的鋼筆，5 本相同的辭典送給學生，每人至多一項，依下列人數求給完獎之方法有幾？　(1)8 人，(2)10 人，(3)12 人。

解

(1) 8 人：有 $\dfrac{8!}{5!3!}=56$ 種方法

(2) 10 人：相當於 3 支鋼筆，5 本辭典，2 個無獎分給 10 人，故其排法有 $\dfrac{(3+5+2)!}{3!5!2!}=\dfrac{10!}{3!5!2!}=2520$ 種方法

(3) 12 人：相當於 3 支鋼筆，5 本辭典，4 個無獎分給 12 人，故其排法有 $\dfrac{(3+5+4)!}{3!5!4!}=27720$ 種方法。

例 3

　　某甲爬登一含有 8 階之樓梯，若其可能走法有 1 階或 2 階，求他爬完樓梯之方法有幾種？

解

　　設某甲登樓走一階有 x 次，二階有 y 次則 $1x+2y=8$，(x, y) 之解有 $(0, 4), (2, 3), (4, 2), (6,1), (8, 0)$ 五種：

(1) $(0, 4)$：表某甲登樓每次均走 2 階，∴ 此法有 $\dfrac{(0+4)!}{0!4!}=1$ 種

(2) $(2, 3)$：表某甲登樓走 1 階有 2 次，走 2 階有 3 次，

　　∴ 此法有 $\dfrac{(2+3)!}{2!3!}=10$ 種

(3) $(4, 2)$：表某甲登樓走 1 階有 4 次，走 2 階有 2 次，

　　∴ 此法有 $\dfrac{(4+2)!}{4!2!}=15$ 種

(4) $(6, 1)$：表某甲登樓走 1 階有 6 次，走 2 階有 1 次，

　　∴ 此法有 $\dfrac{(6+1)!}{6!1!}=7$ 種

(5) $(8, 0)$：表某甲登樓走 1 階有 8 次，走 2 階有 0 次，

　　∴ 此法有 $\dfrac{(8+0)!}{8!0!}=1$ 種

∴ 某甲上樓方式有 $1+10+15+7+1=34$ 種。

多項式定理

定理

$$(x_1 + x_2 + \cdots + x_t)^n = \sum P(n;\ q_1, q_2 \cdots q_t) x_1^{q_1} x_2^{q_2} \cdots x_t^{q_t} \text{，但}$$

$$q_1 + q_2 + \cdots + q_t = n, \quad P(n;\ q_1, q_2 \cdots q_t) = \frac{n!}{q_1! q_2! \cdots q_t!}$$

證

$x_1^{q_1} x_2^{q_2} \cdots x_t^{q_t}$ 之係數相當於 q_1 個 x_1, q_2 個 $x_2 \cdots q_t$ 個 x_t 所做的重複排列數，又 $q_1 + q_2 + \ldots + q_t = n$

$\therefore \dfrac{n!}{q_1! q_2! \cdots q_t!}$ 是為所求。　■

例 4

求 $(1)(x+y+q)^{10}$ 之 $x^2 y^4 q^4$ 之係數，又此展開式之各項係數和為何？

$(2)(x+2y+3q)^{10}$ 之 $x^2 y^4 q^4$ 之係數。

解

(1) $(x+y+q)^{10}$ 之 $x^2 y^4 q^4$ 之係數為 $P(10;\ 2, 4, 4) = \dfrac{10!}{2!4!4!}$ ；

　　令 $x = y = q = 1$　得 $(x+y+q)^{10}$ 之各項係數和為 3^{10}

(2) $P(10;\ 2, 4, 4)$ 之 $x^2 y^4 q^4$ 係數 $= \dfrac{10!}{2!4!4!} 2^4 \cdot 3^4$

重複排列

 例 5

0, 1, 2, …,9 十個數字　(1)不可重複下可有幾個三位數，(2)可排幾個三位數？(3)300－700 間有幾個偶數，(4)大於 453（含）有幾個三位數？

解

(1) 百位數為 1～9 中某一數，共 9 數，十位數為百位數那個數字以外之 9 個數，而個位數為百位數、十位數外之其餘之 8 個數，∴ 所求之三位數有 9×9×8=648 種。

(2) 百位數為 1～9 中某一數，共 9 數，十位數與個位數均可為 0～9 之任一數，∴ 所求之三位數有 9×10×10=900 種。

(3) 因所求之三位數為偶數，其百位數有 3, 4, 5, 6（共 4 個數）十位數可為 0~9 任一數，個位數只能 0, 2, 4, 6, 8（共 5 個數）∴ 所求三位數共 4×10×5=200 個。

(4) 此可分為下列幾種情況：
　① 百位數為 5, 6, 7, 8, 9 時有 5×10×10=500 種，
　② 百位數為 4，十位數為 6, 7, 8, 9 時有 1×4×10=40 種，
　③ 百位數為 4，十位數為 5 時，個位數只可能為 4, 5, 6, 7, 8, 9，此時共有 1×1×6=6 種，
　∴ 共有 500+40+6=546 個數大於 453。（細心的讀者或許由算術易知：999−453=546，但本題是以排列之觀點求算出的。）

例 6

求下列排列數：

(1) 5 封相異的信件投入 $A, B, C, D, 4$ 個信箱之投法有幾？

(2) 紅、白、黑三色球各有許多個，分給 A, B, C, D 四人，每人一個，問分法有幾？

(3) 紅、白、黑三色球各有許多個，分給 A, B, C, D 四人，每人二個，問分法有幾？

解

(1)

$$\boxed{1}\ \boxed{2}\ \boxed{3}\ \boxed{4}\ \boxed{5}$$

$$\downarrow\ \downarrow\qquad\quad\ \downarrow$$

$$\begin{array}{ccc} A & A & \quad A \\ B & B & \cdots\cdots\quad B \\ C & C & \quad C \\ D & D & \quad D \end{array}$$

∴ 共有 $4\times4\times4\times4\times4=4^5$ 種

有些讀者可能會考慮成下列情況而寫成 $5\times5\times5\times5=5^4$ 種。

$$\boxed{A}\ \boxed{B}\ \boxed{C}\ \boxed{D}$$

$$\begin{array}{cccc} 1 & 1 & 1 & 1 \\ 2 & 2 & 2 & 2 \\ 3 & 3 & 3 & 3 \\ 4 & 4 & 4 & 4 \\ 5 & 5 & 5 & 5 \end{array}$$

這表示信件 1 可同時出現在信箱 A, B, C, D 中，但這是不可能的。

(2)

A	B	C	D

紅　紅　　　紅
白　白　…　白
藍　藍　　　藍

A 可有紅、白、藍 3 球中之一種，故其分法有 3 種，B, C, D 也是一樣故每人一個色球之分法有 3^4 種。

(3) A 可有（紅球，紅球），（紅球，白球），（紅球，黑球），（白球，白球），（白球，黑球），（黑球，黑球）六種給法，B, C, D 也同樣都有 6 種給法，故共有 $6 \times 6 \times 6 \times 6 = 6^4$ 種。

環狀排列

將 n 個相異物沿一圓周排列，且若只考慮這 n 個相異物之左右相鄰關係，而不考慮它們的實際位置，這種排法稱為**環狀排列** (circular permutation)。

> **定理**
>
> n 個相異物全取之環狀排列數為 $(n-1)!$ 或 $\dfrac{1}{n} \cdot n!$（即 $\dfrac{1}{n} \cdot P_n^n$）。

（為便於說明，我們以 $n=4$ 說明之）

我們考慮 4 個相異物全取之直線排列共有 4!種，但這些排列中，

$$\begin{cases} a_1, a_2, a_3, a_4 \\ a_2, a_3, a_4, a_1 \\ a_3, a_4, a_1, a_2 \\ a_4, a_1, a_2, a_3 \end{cases}$$
之 a_1, a_2, a_3, a_4 環狀排列下，各元素 $a_i, i=1, 2, 3, 4$

均保有相同之相對位置，可視為同一種環狀排列，故 4 個相異物之全取環狀排列$=\dfrac{1}{4}$全取直線排列，即 $\dfrac{1}{4}P_4^4 = \dfrac{1}{4}\cdot 4! = 3!$。

推論　自 n 個相異物中取 m 個作環狀排列之排列數為 $\dfrac{1}{m}P_m^n$。

例 7

以甲，乙，丙，丁，戊，己，庚 7 人圍圓桌而坐為例，說明環狀排列。

（一）7 人全部參加

1. 7 人任意圍坐：有$(7-1)!=6!=720$ 種坐法。

2. 甲丙必須相鄰：把甲、丙當作 1 人，與其餘 5 人共 6 人圍桌而坐有$(6-1)!=5!$種坐法，又甲、丙可互換有 2!種坐法，故甲、丙相鄰有 $5!\cdot 2! = 240$ 種坐法。

3. 乙丁必須相對有 5!種。

（二）7 人中有 4 人參加

1. 任意 4 人圍圓桌而坐：有 $\frac{1}{4}P_4^7 = 210$ 種坐法。

2. 甲不許參加；此相當是 6 人中選 4 人圍圓桌而坐，故有 $\frac{1}{4}P_4^6 = 90$

   種坐法。

3. 甲必須參加：

   $|S| - |\overline{A}|$　（$\overline{A}$：甲不許參加之環狀排列所成之集合）

   $= \frac{1}{4}P_4^7 - \frac{1}{4}P_4^6 = \frac{1}{4}(P_4^7 - P_4^6) = 120$ 種坐法。

4. 甲、乙均不許參加：

   $= \frac{1}{4}P_4^5 = 30$

5. 甲、乙均需參加：

   設 A 為甲必須參加，B 為乙必須參加則

   $|A \cap B| = |S| - |\overline{A} \cup \overline{B}|$

   $\qquad = \frac{1}{4}P_4^7 - (|\overline{A}| + |\overline{B}| - |\overline{A} \cap \overline{B}|)$

   $\qquad = \frac{1}{4}P_4^7 - (\frac{1}{4}P_4^6 + \frac{1}{4}P_4^6 - \frac{1}{4}P_4^5)$

   $\qquad = 6$

分組問題

有 12 個骨牌，第一位玩者從中取 4 個，第二位從其餘 8 個取 4 個，第三位則取最後剩下 4 個，問選法有幾種？（假定我們只在意選出的骨牌是什麼，而不在意它們取出之順序）

解

第一位玩牌的人從 12 張取 4 張之方法有 $\binom{12}{4}$ 種（因不在意取出順序，故用組合公式），第二位玩牌的人從剩下 8 張取 4 張之方法有 $\binom{8}{4}$ 種，第三位由最後 4 張取 4 張，方法有 $\binom{4}{4}$ 種，

∴ 依題意取法有 $\binom{12}{4}\binom{8}{4}\binom{4}{4}$。

作業 8C
Homework

1. (1)將 1, 2, 3 三數字可排成幾個七位數？

   (2)1,1, 1, 2, 2, 3, 3 可做成幾個七位數？

2. 1, 2, 3, 4, 5 五個數字可做幾個四位數？

   (1)若數字不可重複　　(2)若數字可重複

   (3)若數字可重複且各數字和為 16（如 5551）。

3. $A=\{1, 2, 3, 4\}$, $B=\{1, 2, 3, 4, 5\}$, $f: A \to B$，求

   (1)f 為函數時有幾種定義方式？

   (2)f 為一對一函數時有幾種定義方式？

4. 自 a, a, b, b, b, c, c, c 等 8 個字母全取環狀之排列數有幾？

5. 將 1, 2, 3, 4, 5 五個號球放入上面書有「忠」、「孝」、「仁」、「愛」四個箱子，其法有幾？

6. 從一付牌中抽 5 張，求下列可能之組合數，用組合符號表示即可。

   (1)有 4 張 A

   (2)2 張方塊，一張黑桃，一張紅心，一張梅花

   (3)4 張同一花色，1 張其他花色（如 4 張黑桃，1 張方塊）

   (4)5 張全是同一花色

   (5)full house，即有 2 張是同點數，另 3 張又是同一組點數

7. 若 $A=\{a, b, c, d\}$, $B=\{x, y, z, w\}$，試求下列條件下之個數：

   (1)A 中每一元素至多與 B 中的一個元素有對應

   (2)A 中每一元素至少與 B 中的三個元素有對應

8. (1) 一個**二元敘列**(binary sequence)之長度為 15（註：二元敘列是由 0, 1 組成，長度是指敘列中 0, 1 之個數）之個數有幾？

   (2) 若(1)中恰有 6 個 0，求其個數有幾？

9. 5 對夫婦中選 4 人，

   (1)恰有 3 男 1 女之選法有＿＿＿種。

   (2)男比女多之選法有＿＿＿種。

   (3)至少有 2 個女的選法有＿＿＿種。

   (4)恰有 1 對是夫婦之選法有＿＿＿種。

   (5)均不為夫婦有＿＿＿種。

10. 8 雙不同之鞋子中任取 5 隻，但 5 隻均不成雙之取法有幾種？

11. 若 A、B 均為有限集，$|A|=n$，$|B|=m$，問我們可定義由 A 至 B 之關係有幾種？

    （提示：由關係之定義，計算 $A \times B$ 有多少個子集合）

8.4　重複組合與生成函數在組合論中之應用

重複組合

> **定理》**

$x_1+x_2+\cdots+x_m=n$ 之非負整數解個數有 $\dbinom{m+n-1}{n}$ 個，m，$n \in Z^+$。

上述定理可用重複組合之觀念證出，但本書則略之。

例 1

依下列條件求 $x+y+z+t=7$ 之非負整數解個數：

(1) $x \geq 0, y \geq 0, z \geq 0, t \geq 0$，　　　　　(2) $x \geq 1, y \geq 1, z \geq 1, t \geq 1$。

解

(1) $x+y+z+t=7$ 之非負整數解個數為

$$\binom{4+7-1}{7}=\binom{10}{7}=\frac{10 \times 9 \times 8}{3 \times 2 \times 1}=120$$

(2) $x+y+z+t=7$，取 $a=x-1, b=y-1, c=z-1, d=t-1$ 則

$$a+b+c+d=(x-1)+(y-1)+(z-1)+(t-1)$$

$$=(x+y+z+t)-4=7-4=3$$

$\because a \geq 0, b \geq 0, c \geq 0, d \geq 0$

∴　$a+b+c+d=3$ 之非負整數解個數為

$$\binom{4+3-1}{3}=\binom{6}{3}=\frac{6\times5\times4}{3\times2\times1}=20$$

例 2

　　求　(1)$x+y+z=3$ 之非負整數解個數，(2)$x+y+z\leq3$ 之非負整數解個數。

解

(1) 依定理易得 $\binom{3+3-1}{3}=\binom{5}{3}=10$

(2) $x+y+z\leq3$ 之非負整數解個數為

$x+y+z=0,\ x+y+z=1,\ x+y+z=2，x+y+z=3$ 之非負整數解個數和

∴　$\binom{3+0-1}{0}+\binom{3+1-1}{1}+\binom{3+2-1}{2}+\binom{3+3-1}{3}$

$=1+3+6+10=20$

我們也可以設一個變數 $t，t$ 為非負整數，則 $x+y+z+t=3$ 之非負整數解個數為 $\binom{4+3-1}{3}=\binom{6}{3}=20$，這是一個很有用之技巧。

例 3

　　將 5 個相同的蘋果，2 個相同的香蕉分給 3 個人其分法有幾種？

解

將 5 個相同之蘋果分給 3 個人之分法是：

$x+y+z=5$

$$\therefore 有\begin{pmatrix} 3+5-1 \\ 5 \end{pmatrix}=21\ 種分法$$

將 2 個相同之香蕉分給 3 個人之分法是：

$x+y+z=2$

$$\therefore \begin{pmatrix} 3+2-1 \\ 2 \end{pmatrix}=6\ 種分法$$

因此 5 個相同蘋果，2 個相同香蕉分給 3 個人之分法有 21×6=126 種。

例 4

(1) 5 個相同之球放入 4 個不同之盒子中有幾種放法？
(2) 5 個相同之球放入 4 個相同之盒子中有幾種放法？
(3) 5 個不同之球放入 4 個相同之盒子中有幾種放法？
(4) 5 個不同之球放入 4 個不同之盒子中有幾種放法？

解

(1) $x_1+x_2+x_3+x_4=5$

$$\therefore \begin{pmatrix} 4+5-1 \\ 5 \end{pmatrix}=\begin{pmatrix} 8 \\ 5 \end{pmatrix}=56$$

(2) 此相當於將 5 個球分成 4 堆，其分法有(5, 0, 0, 0), (4, 1, 0, 0), (3, 1, 1, 0), (3, 2, 0, 0), (2, 1, 2, 0), (2, 1, 1, 1)共 6 種。

(3) $(5, 0, 0, 0)$之排法有$\dfrac{4!}{3!}=4$ 種，

　　$(4, 1, 0, 0)$之排法有$\dfrac{4!}{2!}=6$ 種，

　　$(3, 1, 1, 0), (3, 2, 0, 0), (2, 1, 2, 0)$之排法亦均為 6 種，

　　$(2, 1, 1, 1)$之排法有$\dfrac{4!}{3!}=4$ 種，

　　$\therefore 4+6+6+6+6+4=32$ 種。

(4) $4^5=1024$ 種。

生成函數

▶ 該 $\{a_n\}_{n=0}^{\infty}=\{a_0, a_1, a_2, \cdots a_n \cdots\}$是一數列，則

$f(x)=a_0+a_1 x+a_2 x^2+\cdots+a_n x^n+\cdots$

為對應之**生成函數**(generating function)。a_i 稱為**計數子**(enumerator)。

▶ $(1+x+x^2+x^3+\cdots)^n$ 之 x^r 係數等於 $e_1+e_2+e_3+\cdots+e_n=r$, $e_i \geq 0$ 之非負整數解之個數 $\dbinom{n+r-1}{r}$。

例 5

求(1) $(1+x+x^2+\cdots)^{15}$ 之 x^8 係數，(2) $(x^5+x^6+x^7+\cdots)^8$ 之 x^k　$k > 40$ 係數。

解

(1) $(1+x+x^2+\cdots)^{15}$ 之 x^8 係數為 $\begin{pmatrix} 15+8-1 \\ 8 \end{pmatrix} = \begin{pmatrix} 22 \\ 8 \end{pmatrix}$

(2) $(x^5+x^6+x^7+\cdots)^8 = [x^5(1+x+x^2+\cdots)]^8 = x^{40}(1+x+x^2+\cdots)^8$

∴ $(x^5+x^6+x^7+\cdots)^8$ 之 x^k 係數相當於求 $(1+x+x^2+\cdots)^8$ 之 x^{k-40} 之

係數 $\begin{pmatrix} 8+(k-40)-1 \\ k-40 \end{pmatrix} = \begin{pmatrix} k-33 \\ k-40 \end{pmatrix}$ 即為所求。

例 6

求 $\dfrac{x^2-2x}{(1-x)^4}$ 中 x^{12} 之係數。

解

∵ $\dfrac{1}{1-x} = 1+x+x^2+\cdots$

∴ $\dfrac{x^2-2x}{(1-x)^4} = x^2(1+x+x^2+\cdots)^4 - 2x(1+x+x^2+\cdots)^4$　　　　　*

(1) $x^2(1+x+x^2+\cdots)^4$ 中 x^{12} 的係數相當於 $(1+x+\cdots)^4$ 中 x^{10} 之係數亦

即 $e_1+e_2+e_3+e_4 = 10$ 之非負整數解個數：$\begin{pmatrix} 10+4-1 \\ 10 \end{pmatrix} = \begin{pmatrix} 13 \\ 10 \end{pmatrix}$

(2) $x(1+x+x^2+\cdots)^4$ 中 x^{12} 的係數相當於 $(1+x+\cdots)^4$ 中 x^{11} 之係數亦

即 $e_1+e_2+e_3+e_4 = 11$ 之非負整數解個數：$\begin{pmatrix} 11+4-1 \\ 11 \end{pmatrix} = \begin{pmatrix} 14 \\ 11 \end{pmatrix}$

∴ * 之 x^{12} 係數為 $\begin{pmatrix} 13 \\ 10 \end{pmatrix} - 2\begin{pmatrix} 14 \\ 11 \end{pmatrix}$。

限制條件下非負整數解

生成函數亦可用作求非負整數解問題，它的觀念比較複雜，但作法卻很簡單，例如，我們要求 $e_1+e_2+e_3=r$ 之非負整數解個數，生成函數法架構是分別找到 e_1、e_2 及 e_3 限制條件下之生成函數 $A(x)$、$B(x)$及 $C(x)$，則 $A(x)B(x)C(x)$之 x^r 係數即為所求。

例 7

試用生成函數法求 $e_1+e_2+e_3=8$，$e_1=0, 2, 3$，$0 \le e_2 \le 4$，$3 \le e_3 \le 5$ 之非負整數解個數。

解

∵$e_1=0, 2, 3$,　　　對應之 $A(x)=x^0+x^2+x^3$

$0 \le e_2 \le 4$,　　　對應之 $B(x)=x^0+x^1+x^2+x^3+x^4$

$3 \le e_3 \le 5$,　　　對應之 $C(x)=x^3+x^4+x^5$

∴$(x^0+x^2+x^3)(x^0+x^1+x^2+x^3+x^4)(x^3+x^4+x^5)$之 x^8 係數為所求：

$$(x^0 + x^2 + x^3)(x^0 + x + x^2 + x^3 + x^4)(x^3 + x^4 + x^5)$$

$$= x^3(1 + x^2 + x^3)(1 + x + x^2 + x^3 + x^4)(1 + x + x^2)$$

$$= x^3(1 + x^2 + x^3)(1 + x + x^2)(1 + x + x^2 + x^3 + x^4)$$

$$= x^3(1 + x + 2x^2 + 2x^3 + 2x^4 + x^5)(1 + x + x^2 + x^3 + x^4)$$

而 $(1 + x + 2x^2 + \cdots + x^5)(1 + x + x^2 + x^3 + x^4)$ 之 x^5 係數為 8

∴本題之非負整數解個數為 8。

例 8

用生成函數法重解例 1 之(2)。

解

$x \geq 1, y \geq 1, z \geq 1, t \geq 1$ 對應之生成函數均為$(x+x^2+\cdots)$

$\therefore$ 本題相當於求$(x+x^2+\cdots)(x+x^2+\cdots)(x+x^2+\cdots)(x+x^2+\cdots)$

$=(x+x^2+\cdots)^4$ 之 x^7 的係數，又$(x+x^2+\cdots)^4=x^4(1+x+\cdots)^4$，

故原題相當於求$(1+x+\cdots)^4$ 之 x^3 係數，相當於 $e_1+e_2+e_3=4$

之非負整數解個數。

$\therefore \binom{4+3-1}{3}=\binom{6}{3}=20$是為所求。

例 9

求 $e_1+e_2+e_3+e_4=20$, $e_i=1, 2, \cdots, 6$, $i=1, 2, 3, 4$ 之非負整數解個數。

解

e_1 之限制條件為 $e_1=1, 2, 3, 4, 5, 6$,

$\therefore$對應之生成函數 $A(x)=(x+x^2+\cdots x^6)$

同法 e_2, e_3, e_4 之生成函數亦均為$(x+x^2+\cdots x^6)$

$\therefore$本題相當於求 $(x+x^2+\cdots+x^6)^4=x^4(1+x+\cdots+x^5)^4=x^4(\dfrac{1-x^6}{1-x})^4$ 之

x^{20} 的係數即求$(1-x^6)^4(1+x+\cdots)^4$ 之 x^{16} 的係數：

$(1-x^6)^4(1+x+\cdots)^4=(1-\binom{4}{1}x^6+\binom{4}{2}x^{12}+\cdots)(1+x+\cdots)^4$

$$\therefore x^{16} 之係數 = 1 \cdot [(1+x+\cdots)^4 之 x^{16} 係數] + (-1)\binom{4}{1}[(1+x+\cdots)^4$$

$$之 x^{10} 係數] + \binom{4}{2}[(1+x+\cdots)^4 之 x^4 係數]$$

$$= 1\binom{4+16-1}{16} - 4\binom{4+10-1}{10} + 6\binom{4+4-1}{4} = 35$$

例 10

求 $(1+x+x^2+x^3)(1+x+x^2+x^3+x^4)(1+x+x^2+\cdots+x^{12})$ 之 x^6 係數。

解

$$(1+x+x^2+x^3)(1+x+x^2+x^3+x^4)(1+x+x^2+\cdots+x^{12})$$

$$= \frac{(1-x^4)}{1-x}\frac{(1-x^5)}{1-x}\frac{(1-x^{13})}{1-x}$$

$$= (1-x^4)(1-x^5)(1-x^{13})(1-x)^{-3}$$

$$= (1-x^4)(1-x^5)(1-x^{13})(1+x+x^2+\cdots)^3$$

$$= (1-x^4-x^5+\cdots)(1+x+x^2+\cdots)^3$$

$$= (1+x+x^2+\cdots)^3 - x^4(1+x+x^2+\cdots)^3 - x^5(1+x+x^2+\cdots)^3 + \cdots$$

其 x^6 係數分別為下列三式之和：

① $(1+x+x^2+\cdots)^3$ 之 x^6 係數 $\binom{3+6-1}{6} = \binom{8}{6}$

② $-x^4(1+x+x^2+\cdots)^3$ 之 x^6 係數

即 $-(1+x+x^2+\cdots)^3$ 之 x^2 係數 $-\binom{3+2-1}{2} = -\binom{4}{2}$

③ $-x^5(1+x+\cdots)^3$ 之 x^6 係數

即 $-(1+x+x^2+\cdots)^3$ 之 x 係數 $-\dbinom{3+1-1}{1}=-\dbinom{3}{1}$

$\therefore \dbinom{8}{6}-\dbinom{4}{2}-\dbinom{3}{1}=19$

生成函數在組合論上之應用

例 11

擲一骰子 10 次,求點數和為 25 之擲法有幾?

解

骰子之每面分別標示 1, 2···6,本題對應之生成函數為 $(x+x^2+\cdots+x^6)^{10}$,現要求的是 x^{25} 係數:

$$(x+x^2+\cdots+x^6)^{10}=x^{10}(1+x+\cdots+x^5)^{10}=x^{10}(\frac{1-x^6}{1-x})^{10}$$

$\therefore (\dfrac{1-x^6}{1-x})^{10}$ 之 x^{15} 係數即為所求:

$$(\frac{1-x^6}{1-x})^{10}=(1-x^6)^{10}(1+x+x^2+\cdots)^{10}$$

$$=(1-\binom{10}{1}x^6+\binom{10}{2}x^{12}-\cdots\cdots)(1+x+x^2+\cdots)^{10} \text{ 之 } x^{15}$$

係數

$=1\,((1+x+x^2+\cdots)^{10} \text{ 之 } x^{15} \text{ 係數})-\dbinom{10}{1}((1+x+\cdots)^{10}$

之 x^9 係數)$+\dbinom{10}{2}((1+x+\cdots)^{10} \text{ 之 } x^3 \text{ 係數})$

$$= 1 \binom{10+15-1}{15} - \binom{10}{1}\binom{10+9-1}{9} + \binom{10}{2}\binom{10+3-1}{3}$$

$$= \binom{24}{15} - 10\binom{18}{9} + 45\binom{12}{3}$$

例 12

自含 2 紅球，3 黑球，3 綠球之袋中任抽 4 球可有幾種組合數？

解

紅球可能抽出個數為 0, 1, 2 對應之生成函數為 $(1+x+x^2)$

黑，綠球可能抽出個數分別為 0, 1, 2, 3，其對應之生成函數均為 $(1+x+x^2+x^3)$，依題意，要求 $(1+x+x^2)(1+x+x^2+x^3)^2$ 之 x^4 係數：

$$(1+x+x^2)(1+x+x^2+x^3)^2$$

$$= (\frac{1-x^3}{1-x}) \cdot (\frac{1-x^4}{1-x})^2 = \frac{(1-x^3)(1-x^4)^2}{(1-x)^3}$$

$$= (1-x^3-2x^4+\cdots)(1+x+x^2+\cdots)^3$$

上式 x^4 之係數

$$= 1[(1+x+x^2+\cdots)^3 \text{ 之 } x^4 \text{ 係數}] - 1[(1+x+x^2+\cdots)^3 \text{ 之 } x \text{ 係數}]$$

$$-2[(1+x+x^2+\cdots)^3 \text{ 之常數項}=1]$$

$$= 1\binom{3+4-1}{4} - \binom{3+1-1}{1} - 2 \cdot 1 = 15-3-2=10 \text{ 是為所要求之}$$

組合數。

1260 有幾個正因數？

解

$1260 = 2^2 \times 3^2 \times 5 \times 7$

$\therefore 540$ 有 $(2^0+2^1+2^2)(3^0+3^1+3^2)(5^0+5^1)(7^0+7^1)=4368$ 個正因數。

指數生成函數

$$(1+x)^n = \binom{n}{0} + \binom{n}{1}x + \binom{n}{2}x^2 + \cdots + \binom{n}{n}x^n$$

$$= 1 + P_1^n x + P_2^n \cdot \frac{x^2}{2!} \cdots + P_n^n \cdot \frac{x^n}{n!}$$

根據此一展開式，我們可得到一個基本想法，P_k^n 可從 $e^x = 1+x+\frac{x^2}{2!}+\frac{x^3}{3!}+\cdots$ 之展開式獲得，我們稱 $e^x = 1+x+\frac{x^2}{2!}+\frac{x^3}{3!}+\cdots$ 為敘列 $\left[1, 1, \frac{1}{2!}, \frac{1}{3!}, \cdots\right]$ 之 **指 數 生 成 函 數** (exponential generating function)。

指數生成函數通常是用作解排列問題，其技巧大致與一般生成函數相同，但在求出指數生成函數所得之 x^k 係數後，必須再乘上 $k!$ 才是 P_k^n。

例 14

求 ENGINEER 8 個字母中抽出 5 個字母之排法有幾？

我們的指數生成函數 $g(x)$ 為：

$$g(x)=\underbrace{(1+x+\frac{x^2}{2!}+\frac{x^3}{3!})}_{E}\underbrace{(1+x+\frac{x^2}{2!})}_{N}\underbrace{(1+x)^3}_{I,R,G} ,$$

其 $\frac{x^5}{5!}$ 對應係數即為所求。若我們規定 E 字母至少 2 個：

$$g(x)=\underbrace{(\frac{x^2}{2!}+\frac{x^3}{3!})}_{E至少2個}\underbrace{(1+x+\frac{x^2}{2!})}_{N}\underbrace{(1+x)^3}_{I,R,G} , x^5 係數與 5!之積即為所求：$$

$$(\frac{x^2}{2!}+\frac{x^3}{3!})(1+x+\frac{x^2}{2!})(1+x)^3$$

$$= x^2(\frac{1}{2}+\frac{x}{6})(1+x+\frac{x^2}{2})(1+3x+3x^2+x^3)$$

現求 $(\frac{1}{2}+\frac{x}{6})(1+x+\frac{x^2}{2})(1+3x+3x^2+x^3)$ 之 x^3 項之係數

$$(\frac{1}{2}+\frac{x}{6})(1+x+\frac{x^2}{2})(1+3x+3x^2+x^3)$$

$$= (\frac{1}{2}+\frac{2}{3}x+\frac{5}{12}x^2+\frac{1}{12}x^3)(1+3x+3x^2+x^3)$$

$$\therefore x^3 項為 \frac{1}{2}x^3+2x^3+\frac{5}{4}x^3+\frac{1}{12}x^3=\frac{46}{12}x^3$$

故排法有 $5!\cdot\frac{46}{12}=460$ 種。

例 15

將 dankanung 中任取 3 個字母求其排列數。

解

本題 n 有 3 個，a 有 2 個 d, k, u, g 各一個，因此，指數生成函數 $g(x)$ 為：

$$g(x)=\underbrace{(1+x+\frac{x^2}{2!}+\frac{x^3}{3!})}_{n（3個）}\underbrace{(1+x+\frac{x^2}{2!})}_{a（2個）}(\underbrace{1+x}_{d,k,u,g})^4$$

現在要求的是 $g(x)$ 中 x^3 的係數：

$$g(x)=[(1+x+\frac{x^2}{2!}+\frac{x^3}{3!})(1+x+\frac{x^2}{2!})](1+x)^4$$

$$=[(1+x+\frac{x^2}{2!}+\frac{x^3}{3!})+x(1+x+\frac{x^2}{2!})+\frac{x^2}{2!}(1+x)+\frac{x^3}{3!}(1)]$$

$$(1+4x+6x^2+4x^3+\cdots)$$

$$=(1+2x+2x^2+\frac{7}{6}x^3)(1+4x+6x^2+4x^3+\cdots)$$

$$\therefore x^3 \text{ 項}=1\cdot 4x^3+2x\cdot 6x^2+2x^2\cdot 4x+\frac{7}{6}x^3\cdot 1=\frac{151}{6}x^3$$

$\therefore$ 排列數 $=3!\times\dfrac{151}{6}=151$，即 dankanung 任取 3 個字母之排列數有 151 種。

例 16

將 1 個紅球 2 個白球 3 個黑球任取 3 個之排法有幾？

解

本題之指數生成函數為

$$g(x)=(1+x)(1+x+\frac{x^2}{2!})(1+x+\frac{x^2}{2!}+\frac{x^3}{3!})$$

$$=(1+x+\frac{x^2}{2}+x+x^2+\frac{x^3}{2})(1+x+\frac{x^2}{2}+\frac{x^3}{6})$$

$$=(1+2x+\frac{3}{2}x^2+\frac{x^3}{2})(1+x+\frac{x^2}{2}+\frac{x^3}{6})$$

$\therefore$ $g(x)$ 之 x^3 項為 $1 \cdot \frac{x^3}{6}+2x(\frac{x^2}{2})+\frac{3}{2}x^2(x)+\frac{1}{2}x^3 \cdot 1=\frac{19}{6}x^3$

得排列數為 $\frac{19}{6}\times 3!=19$，即本題之排法有 19 種。

作業 8D
Homework

1. 從含 4 個黑球，3 個白球，3 個紅球及 1 個綠球的袋中取出 4 球，問有幾種配法？

2. Mississippi 11 個字母中任取 4 個字母有幾種組合數？

3. 將 12 枚 10 元銅板分給 6 人，每人至少 1 枚，但最多不得多過 3 枚，其分法有幾？

4. 在第 2 題中，4 個字母中至少必須含有一個 s，求排列數。

5. 將 19 面大小相同之國旗分給 3 人，但每人得之面數須為奇數，問分法有幾？

6. opinion 這個字中每次取 4 個字母，求其組合數與排列數。

7. $x+y+z+t=10$
   (1) 有多少組正整數解？
   (2) 有多少組非負整數解？
   (3) $x+y+z+t \leq 10$ 有多少組非負整數解？

8. (1) 5 個相同的球分給 3 個人每個人至少 1 球之分法有幾種？
   (2) 5 個不同的球分給 3 個人每個人至少 1 球之分法有幾種？

9. (1) 3 個相同的球分給 5 個人每個人於多 1 球之分法有幾種？
   (2) 3 個不同的球分給 5 個人每個人至多 1 球之分法有幾種？

10. 自 a, a, a, b, b, c, c 等 7 個字母中任取 6 個字母排列，求排列數。

Chapter

09

遞迴關係

9.1　遞迴關係之定義

$\{a_0, a_1, \cdots, a_{n-1}, a_n, \cdots\}$ 為一數列，若 $a_n,\ n \geq 1$ 可用 $a_0, a_1, \cdots$ a_{n-1} 中之一個或一個以上來表示，則稱數列 $\{a_n\}_{n=1}^{\infty}$ 具有**遞迴關係** (recurrence relation)。也有人稱之為**遞迴函數**(recurrence function) 或**差分方程式**(difference equation)，大家熟悉的本利和問題即是一個標準的遞迴關係，說明如下：

$\{S_1, S_2, \cdots S_n, \cdots\}$ 中之 S_i 為第 i 期本利和，若 P 是期初本金，r 是利率，則

$$S_1 = P \times (1+r)$$

$$S_2 = P \times (1+r)^2 = (1+r) \times S_1$$

$$S_3 = P \times (1+r)^3 = (1+r) \times S_2$$

……

$$S_n = P \times (1+r)^n = (1+r) \times S_{n-1}$$

$S_n = (1+r)S_{n-1}$，故 $\{S_1, S_2, \cdots S_n, \cdots\}$ 為一遞迴關係。

例 1

設遞迴關係 $a_n = a_{n-1} + d$，求

(1) a_3。　　　　　　　　(2) 這是一個什麼數列？

(3) 試證 $a_n = a_1 + (n-1)d$。　(4) 若 $a_1 = 3$，$d = 2$ 用(c)之結果求 $a_{20} = ?$

解

(1) $a_3=a_2+d=(a_1+d)+d=a_1+2d$

(2) 顯然 $a_1, a_2 \cdots a_n$ 是公差為 d 之等差數列。

(3) 由(1)之規則性，可猜 $a_n=a_1+(n-1)d$，但我們可用以下方法求得 a_n：

$$
\left.
\begin{array}{l}
a_2 = a_1 + d \\
a_3 = a_2 + d \\
a_4 = a_3 + d \\
\quad\vdots \qquad \vdots \\
a_n = a_{n-1} + d
\end{array}
\right\} \text{共 } (n-1) \text{ 項} \qquad \therefore a_n=a_1+(n-1)d
$$

(4) $\because a_n=a_1+(n-1)d \qquad \therefore a_{20}=3+(20-1)\times2=41$

例 2

給定一遞迴關係式 $a_{n+1}=(n+1)a_n$，$n=1, 2\cdots$，且 $a_1=1$，

(1) 試書出此關係式之前 3 項。

(2) 請說明此關係式代表的意義。

(3) 試求 a_n 之一般式。

解

(1) $a_1=1$, $a_2=2\cdot1=2!$, $a_3=3\cdot a_2=3\cdot2!=3!$

(2) 此為一階乘式。

(3) $a_2 = 2a_1$

$a_3 = 3a_2$

$a_4 = 4a_3$

$\vdots$

$a_{n-1} = (n-1)a_{n-2}$

$a_n = n\,a_{n-1}$

$\therefore a_n = 2 \cdot 3 \cdot 4 \cdots (n-1) \cdot n = n!$

例 3

設一遞迴關係式 $a_{n+1} = a_n + n,\ n = 1, 2\cdots$，試求 a_n 之一般式。

解

我們還是用例 1, 2 之方法：

$a_2 = a_1 + 1$

$a_3 = a_2 + 2$

$a_4 = a_3 + 3$

$\vdots$

$a_n = a_{n-1} + (n-1)$

$a_n = a_1 + (1 + 2 + 3 + \cdots + (n-1))$

$\qquad = a_1 + \dfrac{(n-1)[(n-1)+1]}{2} = a_1 + \dfrac{n(n-1)}{2}$

Fibonacci 數列

Fibonacci 數列是最有名的遞迴關係之一，它的定義是：

(1) $F_0=F_1=1$

(2) $F_n=F_{n-2}+F_{n-1}$，$\forall n \geq 2$，$n \in Z^+$

Fibonacci 數列除了 $F_n=F_{n-1}+F_{n-2}$, $\forall n \geq 2$, $F_0=F_1=1$ 之表示方式外，還有下列之表達方式：

- $F_{n+1}=F_n+F_{n-1}$，$\forall n \geq 1$　$F_0=F_1=1$，

- $F_{n+2}=F_n+F_{n+1}$, $\forall n$, $F_0=F_1=1$。

例如：

$$F_2=F_1+F_0=1+1=2$$
$$F_3=F_2+F_1=2+1=3$$
$$F_4=F_3+F_2=3+2=5$$
$$\cdots\cdots$$

如何求出 Fibonacci 數列之一般項 F_n=？需要一些技巧，這些技巧將在下節討論。

例 4

$F_0, F_1, F_2\cdots$ 為 Fibonacci 數列，試證 $F_1+F_3+\cdots+F_{2n-1}=F_{2n}-1$

解

$$F_0 + F_1 = F_2 \qquad \text{將左列各式相加得}$$

$$F_2 + F_3 = F_4 \qquad F_0 + (F_1 + F_3 + F_5 + \cdots + F_{2n-1}) = F_{2n}$$

$$F_4 + F_5 = F_6 \qquad F_1 + F_3 + \cdots + F_{2n-1} = F_{2n} - F_0$$

$$F_6 + F_7 = F_8 \qquad\qquad\qquad\qquad\qquad = F_{2n} - 1$$

$$\vdots$$

$$F_{2n-2} + F_{2n-1} = F_{2n}$$

例 5

$F_0, F_1, F_2 \cdots$ 為 Fibonacci 數列，試證 $F_0^2 + F_1^2 + F_2^2 + F_3^2 + \cdots + F_k^2$
$= F_k F_{k+1}$

解

$$F_{k+1} = F_k + F_{k-1} \qquad \text{得} \quad F_k = F_{k+1} - F_{k-1},$$

$$F_k^2 = F_k \cdot F_k = F_k(F_{k+1} - F_{k-1}) = F_k F_{k+1} - F_k F_{k-1}$$

$$\therefore F_0^2 = F_0 F_1 \quad (\because \text{Fibonacci 數列之 } F_0 = F_1 = 1)$$

$$F_1^2 = F_1 F_2 - F_1 F_0$$

$$F_2^2 = F_2 F_3 - F_2 F_1$$

$$\cdots\cdots\cdots\cdots\cdots\cdots\cdots$$

$$+ F_k^2 = F_k F_{k+1} - F_k F_{k-1}$$

$$\overline{\qquad\qquad\qquad\qquad\qquad\qquad}$$

$$\sum_{n=0}^{k} F_n^2 = F_k F_{k+1}$$

例 6

$F_0, F_1, F_2\cdots$為一 Fibonacci 數列，試用 F_n 與 F_{n+1} 來表示 F_{n+3}, F_{n+4}。

解

$$F_{n+3}=F_{n+2}+F_{n+1}$$

$$=(F_{n+1}+F_n)+F_{n+1}=2F_{n+1}+F_n$$

$$F_{n+4}=F_{n+3}+F_{n+2}$$

$$=(2F_{n+1}+F_n)+(F_{n+1}+F_n)$$

$$=3F_{n+1}+2F_n$$

作業 9A
Homework

1. 寫出下列遞迴關係之前 4 項：

   (1) $a_n=2a_{n-1}+3$, $a_0=1$。

   (2) $a_n=3a_{n-1}^2+1$, $a_0=0$。

   (3) $a_{n+1}=\sqrt{2+\sqrt{a_n}}$, $a_0=2$。

   (4) $a_{n+1}=\dfrac{1}{1+a_n}$, $a_0=\dfrac{1}{2}$。

2. 若遞迴關係 $a_n=a_{n-1}+a_{n-2}$, $a_1=1$, $a_2=2$ 求 a_6。

3. 試證 $a_n=c_1+c_25^n$，滿足 $a_{n+2}-6a_{n+1}+5a_n=0$。

4. F_n 為一 Fibonacci 數列：

   (1) 若 $F_n=2F_{87}+F_{86}$，求 n。

   (2) 若 $F_m=5F_{87}+3F_{86}$，求 m。

5. Ackerman 函數定義為：
$$A(m,\ n)=\begin{cases} n+1,\ m=0 \\ A(m-1,\ 1),\ n=0 \\ A(m-1,\ A(m,\ n-1)),\ 其他 \end{cases}$$

   求 $A(1,\ 1)=$？

6. 若一遞迴關係式 $F_n=F_{n-1}+F_{n-2}$, $F_0=3$, $F_1=1$，試證 $F_1+F_3+F_5+\cdots$
   $+F_{2n+1}=F_{2n+2}-3$。

7. $\{F_0,\ F_1,\ F_2\cdots F_n\cdots\}$ 為一 Fibonacci 數列，試證 $\displaystyle\sum_{n=0}^{\infty}\frac{F_{n+2}}{F_{n+1}F_{n+3}}=2$

   （提示：$\dfrac{F_{n+2}}{F_{n+1}F_{n+3}}=\dfrac{F_{n+3}-F_{n+1}}{F_{n+1}F_{n+3}}=\dfrac{1}{F_{n+1}}-\dfrac{1}{F_{n+3}}$）；$F_0=F_1=1$。

8. 若 Ackerman 函數定義為：

$$A(m,n) = \begin{cases} 2n & m = 0 \\ 0 & m \ge 1 且 n = 0 \\ 2 & m \ge 1 且 n = 1 \\ A(m-1, A(m,n-1)), & m \ge 1 且 n \ge 2 \end{cases} \quad 求\ A(2,2)\ 及\ A(2,3)\ 。$$

9. （承上題）證 $A(m,2) = 4$，$m \ge 1$（提示：利用數學歸納法）。

10. （承上題）求證 $A(1,n) = 2^n, n \ge 1$（提示：利用數學歸納法）。

9.2　強的數學歸納法

在證明遞迴關係式時，我們往往需借助於**強的數學歸納法** (strong mathematical induction)，它在本質上與以前我們介紹的數學歸納法同義。

$P(n)$為一命題，其中 n 為自然數。

(1) 若 $P(1), P(2), \cdots, P(q)$ 成立。

(2) 假設對所有介於 $1 \le i \le k$ 之自然數（其中 $k \ge q$）$P(i)$ 成立。

(3) 在(1), (2)成立下，若 $P(k+1)$ 亦成立時，則 $P(n)$ 對所有自然數成立。

例 1

證明：Fibonacci 數列 $F_{n+2}=F_n+F_{n+1}$, $F_1=1$, $F_2=1$ 之第 n 項 $F_n<(\frac{7}{4})^n$。

解

由強的數學歸納法：

(1) $F_1=1<\frac{7}{4}$，$F_2=1<(\frac{7}{4})^2$

　　$\therefore F_1, F_2$ 成立。

(2) 設 $1 \le i \le k$，$k \ge 2$，均有 $F_i<(\frac{7}{4})^i$，

(3) $F_{k+2}=F_k+F_{k+1}<(\frac{7}{4})^k+(\frac{7}{4})^{k+1}=(\frac{7}{4})^k(1+\frac{7}{4})$

$\qquad =(\frac{7}{4})^k(\frac{11}{4})<(\frac{7}{4})^k(\frac{7}{4})^2=(\frac{7}{4})^{k+2}$

即對任意自然數 $F_n<(\frac{7}{4})^n$ 均成立。

例 2

設遞迴關係 X_n 有以下關係：

(1) $X_1=1,\ X_2=3,\ X_3=5$

(2) $X_n=X_{n-1}+X_{n-2}+X_{n-3}$

試證 $X_n<2^n,\quad n\geq 4$。

解

由強的數學歸納法：

(1) $X_1=1<2,\ X_2=3<2^2,\ X_3=5<2^3$

　　 即 $i=1, 2, 3$ 時原式成立。

(2) 設 $1\leq i\leq k,\ k\geq 3$ 時，原式成立，即 $X_i<2^i$

(3) $X_{k+1}=X_k+X_{k-1}+X_{k-2}$

　　 $<2^k+2^{k-1}+2^{k-2}=2^{k-2}(2^2+2+1)=2^{k-2}\cdot 7<2^{k-2}\cdot 8=2^{k-2}\cdot 2^3=2^{k+1}$

　　 ，故得證。

例 3

若一遞迴關係式滿足：(1)$a_1=\sqrt{2}$；(2)$a_{n+1}=\sqrt{2+a_n}$
試證 $a_n<2,\ \forall n \in N$。

解

(1) $a_1=\sqrt{2}<2$，$a_2=\sqrt{2+\sqrt{2}}<\sqrt{2+2}=2$
即 $i=1,2$ 時，原式成立。

(2) 設 $1\le i \le k,\ k \ge 2$，原式成立，即 $a_i<2$

(3) $n=k+1$ 時
$a_{k+1}=\sqrt{2+a_k}<\sqrt{2+2}=2$，故得證。

作業 9B
Homework

1. 若 a_n 為一遞迴關係，它滿足

   $a_0=1$，$a_n=\sqrt{3a_{n-1}+1}$，$n \geq 1$，試證 $a_n < \dfrac{7}{2}$。

2. 若 $a_n=a_{n-2}+a_{n-3}$, $n \geq 3$, $a_0=a_1=a_2=1$，試證：$a_n \leq (\dfrac{4}{3})^n$

3. 若一遞迴關係式為 $a_n=a_{n-1}+a_{n-2}+a_{n-3}$, $a_0=a_1=a_2=1$，

   試證 $a_n \leq 2^{n-1}$, $n \geq 3$。

4. 若一遞迴關係式為 $a_n=2a_{n-1}+3a_{n-2}$, $n \geq 2$, $a_0=a_1=1$，試證

   $a_n < 2 \cdot 3^{n-1}$。

5. 若 $\mathrm{LOVE}(0)=1$，$\mathrm{LOVE}(1)=1$，

   且 $\mathrm{LOVE}(n) = \dfrac{1}{n}\mathrm{LOVE}(n-1) + \dfrac{n-1}{n}\mathrm{LOVE}(n-2)$，$n \geq 2$，

   試證 $0 \leq \mathrm{LOVE}(n) \leq 1$，$\forall n \in N$。

6. Fibonacci 數列之 F_n，$F_n < (\dfrac{13}{8})^n$ 試證之。

9.3 遞迴關係之基本解法

遞迴關係 $a_n+c_1 a_{n-1}+c_2 a_{n-2}+\cdots+c_k a_{n-k}=b(n)$, $b(n)=0$ 時為**齊次遞迴關係**(homogenous recurrence relation)，否則為**非齊次遞迴關係**(non-homogenous recurrence relation)。

遞迴關係在解法上大約有特徵根法及**生成函數法**(method of generating funtion)本節先討論特徵根法，下節再討論生成函數法。

先考慮下列齊次遞迴關係：

$$a_n+c_1 a_{n-1}+c_2 a_{n-2}+\cdots+c_k a_{n-k}=0$$

則定義其**特徵方程式**(characteristic equation)為：

$$c(x)=x^k+c_1 x^{k-1}+c_2 x^{k-2}+\cdots+c_k=0$$

上述方程式之解稱為特徵根。

例如：① $a_n-3a_{n-1}-4a_{n-2}=0$ 之特徵方程式為 $x^2-3x-4=0$，

$(x-4)(x+1)=0$, $x=4, -1$ 為其特徵根。

② $a_n-3a_{n-1}+3a_{n-2}-a_{n-3}=0$ 之特徵方程式為

$x^3-3x^2+3x-1=0$, $(x-1)^3=0$, $x=1$（三重根）為特徵根。

用特徵根法時應注意到是否有重根。

> **定 理**

▶ 若遞迴關係 $a_n = r_1 a_{n-1} + r_2 a_{n-2}$ 之特徵方程式

$x_1^2 - r_1 x - r_2 = 0$ 之解為 α, β。

(1) α, β 為相異根，則

$\quad a_n = c_1 \alpha^n + c_2 \beta^n$，$c_1,\ c_2$ 為待定值。

(2) α, β 為相同根，則

$\quad a_n = c_1 \alpha^n + c_2 n \alpha^n = (c_1 + c_2 n) \alpha^n$

> **證**

(1) $\alpha \neq \beta$ 時 ∵ $a_n = c_1 \alpha^n + c_2 \beta^n$

$\therefore a_n - r_1 a_{n-1} - r_2 a_{n-2}$

$\quad = (c_1 \alpha^n + c_2 \beta^n) - r_1(c_1 \alpha^{n-1} + c_2 \beta^{n-1}) - r_2(c_1 \alpha^{n-2} + c_2 \beta^{n-2})$

$\quad = (c_1 \alpha^n - c_1 r_1 \alpha^{n-1} - c_1 r_2 \alpha^{n-2}) + (c_2 \beta^n - c_2 r_1 \beta^{n-1} - c_2 r_2 \beta^{n-2})$

$\quad = \alpha^{n-2} c_1(\alpha^2 - r_1 \alpha - r_2) + \beta^{n-2} c_2(\beta^2 - r_1 \beta - r_2) = 0$

(2) 留作習題

上述待定值可由遞迴關係之初始條件決定之。

> **例 1**

求解遞迴關係 $a_n = 5a_{n-1} - 6a_{n-2}$，其初始條件為 $a_0 = a_1 = 1$, $n \geq 2$。

> **解**

$a_n = 5a_{n-1} - 6a_{n-2}$ 之特徵方程式為

$x^2 - 5x + 6 = 0$，其根為 2, 3

$\therefore\ a_n = c_1 2^n + c_2 \cdot 3^n$

又 $a_0 = a_1 = 1$

解 $\begin{cases} a_0 = c_1 + c_2 = 1 \\ a_1 = c_1 \cdot 2 + c_2 \cdot 3 = 1 \end{cases}$ 得 $c_1 = 2$, $c_2 = 1$

$\therefore a_n = 2(2^n) - 3^n = 2^{n+1} - 3^n$

我們可驗證如下：

(1) $a_0 = 2^1 - 3^0 = 1$, $a_1 = 2^2 - 3^1 = 1$ ，即初始條件獲得滿足。

(2) $a_n - 5a_{n-1} + 6a_{n-2}$

$= (2^{n+1} - 3^n) - 5(2^n - 3^{n-1}) + 6(2^{n-1} - 3^{n-2})$

$= (4 \cdot 2^{n-1} - 10 \cdot 2^{n-1} + 6 \cdot 2^{n-1}) - (9 \cdot 3^{n-2} - 15 \cdot 3^{n-2} + 6 \cdot 3^{n-2})$

$= 0$

例 2

求解遞迴關係 $a_n - 3a_{n-1} + 2a_{n-2} = 0$ ，其初始條件為 $a_0 = 3,\ a_1 = 2$, $n \geq 2$ 。

解

$a_n - 3a_{n-1} + 2a_{n-2} = 0$ 之特徵方程式為

$x^2 - 3x + 2 = 0$, 根為 $1, 2$

$\therefore a_n = c_1 \cdot 1^n + c_2 \cdot 2^n = c_1 + c_2 \cdot 2^n$

$\begin{cases} a_0 = c_1 + c_2 = 3 \\ a_1 = c_1 + 2c_2 = 2 \end{cases}$ 解之 $c_1 = 4, c_2 = -1$

$\therefore a_n = 4 - 2^n$ 是為所求

例 3

求解 $a_n - 4a_{n-1} + 4a_{n-2} = 0$，$n \geq 2$。

解

$a_n - 4a_{n-1} + 4a_n = 0$ 之特徵方程式為

$x^2 - 4x + 4 = (x-2)^2 = 0$, $x = 2$（重根）

∴　$a_n = (c_1 + c_2 n) 2^n$

上述特徵根法可推廣至更高階之遞迴關係上。

例 4

求解遞迴關係 $a_n = 6a_{n-1} - 11a_{n-2} + 6a_{n-3}$。

解

$a_n - 6a_{n-1} + 11a_{n-2} - 6a_{n-3} = 0$ 之特徵方程式為

$x^3 - 6x^2 + 11x - 6 = (x-1)(x-2)(x-3) = 0$

∴　$a_n = c_1 \cdot 1^n + c_2 \cdot 2^n + c_3 \cdot 3^n = c_1 + c_2 \cdot 2^n + c_3 \cdot 3^n$

例 5

若已知 $x^3 - 7x^2 + 16x - 12 = (x-2)^2(x-3)$，

試解遞迴關係 $a_n - 7a_{n-1} + 16a_{n-2} - 12a_{n-3} = 0$。

解

$a_n-7a_{n-1}+16a_{n-2}-12a_{n-3}=0$ 之特徵方程式為

$x^3-7x^2+16x-12=(x-2)^2(x-3)=0$

$\therefore$ $x=2$（重根）及 3，可得 $a_n=(c_1+c_2 n)2^n+c_3 \cdot 3^n$

非齊次遞迴關係之解法

非齊次遞迴關係 $a_n+c_1 a_{n-1}+c_2 a_{n-2}+\cdots+c_k a_{n-k}=f(n)$，其中 c_1, $c_2\cdots c_n$ 為常數，其解是由 $(1)a_n+c_1 a_{n-1}+\cdots+c_k a_{n-k}=0$ 得到一個**齊次解** (homogeneous solution) a_n^H，及 $(2)a_n+c_1 a_{n-1}+\cdots+c_k a_{n-k}=f(n)$ 之任一**特解**(particular solution) a_n^P，則 $a_n=a_n^H+a_n^P$ 是為全解。

茲將 $f(n)$ 之常用形式及其對應之特解 a_n^P 列表如下，以供參考：

$f(n)$	特徵根之可能情況	特解 a_n^P 之形式
$k\,a^n$	$C(a)\neq 0$	$a_n^P=A_0 a^n$
$k\,a^n$	a 為 $C(t)=0$ 之 m 重根	$a_n^P=A_0 n^m a^n$
$k\,n^s a^n$	$C(a)\neq 0$	$a_n^P=(A_0+A_1 n+\ldots+A_s n^s)a^n$
$k\,n^s a^n$	a 為 $C(t)=0$ 之 m 重根	$a_n^P=n^m(A_0+A_1 n+\ldots+A_s n^s)a^n$
$k\,n^s$	$C(1)\neq 0$	$a_n^P=(A_0+A_1 n+\ldots+A_s n^s)$
$k\,n^s$	1 為 $C(t)=0$ 之 m 重根	$a_n^P=n^m(A_0+A_1 n+\ldots+A_s n^s)$

上表之 k，$A_0, A_1, \cdots, A_s$ 均為常數，且 m 可為 1。

例 6

求解 $a_n - 7a_{n-1} + 12a_{n-2} = 2^n$。

解

(1) 求 $a_n - 7a_{n-1} + 12a_{n-2} = 0$ 之齊次解 a_n^H

　　$a_n - 7a_{n-1} + 12a_{n-2} = 0$ 之特徵方程式為

　　$x^2 - 7x + 12 = 0$，得 $x = 3, 4$　　故 $a_n^H = c_1 3^n + c_2 4^n$

(2) 求特解 a_n^P：

　　∵　2 不為特徵方程式 $x^2 - 7x + 12 = 0$ 之根

　　∴　取 $a_n^P = k2^n$ 代入 $a_n - 7a_{n-1} + 12a_{n-2} = 2^n$：

　　　　$k2^n - 7k2^{n-1} + 12k2^{n-2} = 2^n$

　　　　$(4k - 14k + 12k)2^{n-2} = 4 \cdot 2^{n-2}$

　　得　$2k = 4,\ k = 2$

　　即　$a_n^P = 2 \cdot 2^n = 2^{n+1}$

　　∴　$a_n = a_n^H + a_n^P = c_1 3^n + c_2 4^n + 2^{n+1}$

例 7

求解 $a_n - 3a_{n-1} + 2a_{n-2} = 3^n$。

解

(1) 求 $a_n - 3a_{n-1} + 2a_{n-2} = 0$ 之齊次解 a_n^H：

　　$a_n - 3a_{n-1} + 2a_{n-2} = 0$ 之特徵方程式為

　　$x^2 - 3x + 2 = 0$　　∴　$x = 2, 1$

　　故 $a_n^H = c_1 1^n + c_2 \cdot 2^n = c_1 + c_2 \cdot 2^n$

(2) 求特解 a_n^P：

$\because$　3 不為特徵方程式 $x^2-3x+2=0$ 之根，

$\therefore$　取 $a_n^P=k\cdot 3^n$ 代入 $a_n-3a_{n-1}+2a_{n-2}=3^n$

得 $k3^n-3k3^{n-1}+2k3^{n-2}=3^n$

$\therefore$　$(9k-9k+2k)3^{n-2}=9\cdot 3^{n-2}$

$2k=9,\ k=\dfrac{9}{2}$

即　$a_n^P=\dfrac{9}{2}\cdot 3^n=\dfrac{1}{2}(3^{n+2})$

$\therefore$　$a_n=a_n^H+a_n^P=c_1+c_2\cdot 2^n+\dfrac{1}{2}(3^{n+2})$

例 8

解 $a_n-7a_{n-1}+12a_{n-2}=3^n$。

解

(1) 求 $a_n-7a_{n-1}+12a_{n-2}=0$ 之齊次解 a_n^H：

$a_n-7a_{n-1}+12a_{n-2}=0$ 之特徵方程式為

$x^2-7x+12=(x-3)(x-4)=0,$　得 $x=3,\ 4$

故齊次解為 $a_n^H=c_13^n+c_24^n$

(2) $\because$ 3 為 $x^2-7x+12=0$ 之一根

$\therefore$　令 $a_n^P=c_3n3^n$

代 $a_n^P=c_3n3^n$ 入 $a_n-7a_{n-1}+12a_{n-2}=3^n$ 中：

$c_3n3^n-7c_3(n-1)3^{n-1}+12c_3(n-2)3^{n-2}=3^n$

$9c_3n3^{n-2}-21c_3(n-1)3^{n-2}+12c_3(n-2)3^{n-2}=9\cdot 3^{n-2}$

$$\therefore \quad 9nc_3-21(n-1)c_3+12(n-2)c_3=9$$

$$-3c_3=9$$

$$\therefore \quad c_3=-3 \; , \; \therefore \quad a_n^P=-3n3^n$$

$$故 \; a_n=a_n^H+a_n^P=c_13^n+c_24^n-3n3^n$$

$$=(c_1-3n)3^n+c_24^n$$

例 9

求解 $a_n-2a_{n-1}+a_{n-2}=1$ 。

解

(1) 先求 $a_n-2a_{n-1}+a_{n-2}=0$ 之齊次解 a_n^H ：

$\because \; a_n-2a_{n-1}+a_{n-2}=0$ 之特徵方程式為

$$x^2-2x+1=(x-1)^2=0$$

$\therefore \; x=1$（重根）

$$故 \quad a_n^H=(c_1+c_2n)1^n$$

$$=c_1+c_2n$$

(2) 次求 $a_n-2a_{n-1}+a_{n-2}=1$ 之特解 a_n^P ：

令 $a_n^P=c_3n^2$ ，代入原方程式得：

$$c_3n^2-2c_3(n-1)^2+c_3(n-2)^2=1 \quad \therefore \; c_3=\frac{1}{2} \; , \; 得 \; a_n^P=\frac{1}{2}n^2$$

$$\therefore \; a_n=a_n^H+a_n^P=c_1+c_2n+\frac{1}{2}n^2$$

作業 9C
Homework

1. 用本節方法證 Fibonacci 數列：$a_n = a_{n-1} + a_{n-2}$；$a_0 = a_1 = 1$，其解為

$$F_n = \frac{1}{\sqrt{5}}[(\frac{1+\sqrt{5}}{2})^{n+1} - (\frac{1-\sqrt{5}}{2})^{n+1}]$$

2. 利用上題結果，證明 $\lim_{n\to\infty} \frac{F_{n+1}}{F_n} = \frac{1+\sqrt{5}}{2}$。

3. 用本節方法解

   (1) $a_n = 3a_{n-1} + 4a_{n-2}$, $a_0 = a_1 = 1$。

   (2) $a_n = 3a_{n-1} - 2a_{n-2}$。

   (3) $a_n = a_{n-1} + 12a_{n-2}$, $a_0 = 1$, $a_1 = 3$。

4. 若 $a_n = r_1 a_{n-1} + r_2 a_{n-2}$ 之特徵方程式為 $(x-\alpha)^2 = 0$，試證 $a_n = (c_1 + c_2 n) \alpha^n$。

5. 設 3 個齊次遞迴關係之特徵方程式分別為

   (1) $(x-4)^2(x-2) = 0$，

   (2) $(x-4)^3(x-2)^2 = 0$，

   (3) $(x-4)^2(x-2)^3(x-3)^2 = 0$，

   試書出它們解的形式。

6. (1) 求 $a_n - 5a_{n-1} + 6a_{n-2} = 4^n$，$n \geq 2$ 之全解。

   (2) 求 $a_n - 5a_{n-1} + 6a_{n-2} = 2^n$，$n \geq 2$ 之全解。

   (3) 求 $a_n - 5a_{n-1} = 5^n$ 之一個特解。

   (4) 求 $a_n - 5a_{n-1} = 3$ 之一個特解。

   (5) 求 $a_n - 5a_{n-1} = 4n - 1$ 之一個特解。

9.4　生成函數在遞迴關係解法上之應用

生成函數

生成函數又稱為**形式冪級數**(formal power series)，在求生成函數時，我們習慣上不考慮它的斂散性。如同一般函數，生成函數也有加法、乘法與微分、積分等運算。例如：

$$f(x)=a_0+a_1x+a_2x^2+\cdots+a_nx^n+\cdots$$
$$g(x)=b_0+b_1x+b_2x^2+\cdots+b_nx^n+\cdots$$

則　$f(x)+g(x)=(a_0+b_0)+(a_1+b_1)x+(a_2+b_2)x^2+\cdots+(a_n+b_n)x^n+\cdots$

$\quad f'(x)=a_1+2a_2x+\cdots+na_nx^{n-1}+\cdots$

$\quad f(x)g(x)=d_0+d_1x+d_2x^2+d_3x^3+\cdots$，其中 $d_n=\displaystyle\sum_{k=0}^{n}a_kb_{n-k}$

我們現將二個最基本也是常用之公式表列如下：

1. $\dfrac{1}{1-bx}=1+bx+b^2x^2+b^3x^3+\cdots=\displaystyle\sum_{k=0}^{\infty}b^kx^k$ 。

2. $\dfrac{1}{1+bx}=1-bx+b^2x^2-b^3x^3+\cdots=\displaystyle\sum_{k=0}^{\infty}(-1)^kb^kx^k$ 。

設　$G(x) = \sum_{n=0}^{\infty} a_n x^n = a_0 + a_1 x + a_2 x^2 + a_3 x^3 + \cdots$

則　$\sum_{n=1}^{\infty} a_{n-1} x^n = xG(x)$

　　$\sum_{n=2}^{\infty} a_{n-2} x^2 = x^2 G(x)$

⋯⋯⋯⋯

證

$$\sum_{n=1}^{\infty} a_{n-1} x^n = a_0 x + a_1 x^2 + a_2 x^3 + a_3 x^4 + \cdots$$

$$= x(a_0 + a_1 x + a_2 x^2 + a_3 x^3 + \cdots) = xG(x)$$

同法可證 $\sum_{n=2}^{\infty} a_{n-2} x^n = x^2 G(x)$

在用生成函數法解遞迴關係時，上述定理扮演關鍵之角色。

例　I

用生成函數解 $a_n = 3a_{n-1} + 2$, $a_0 = 0$。

解

令 $G(x) = a_0 x^0 + a_1 x^1 + a_2 x^2 + a_3 x^3 + \cdots = a_1 x + a_2 x^2 + a_3 x^3 + \cdots$

∵ $a_n = 3a_{n-1} + 2$

∴ $a_n x^n = 3a_{n-1} x^n + 2x^n$

$$\underbrace{\sum_{n=1}^{\infty} a_n x^n}_{G(x)} = 3 \underbrace{\sum_{n=1}^{\infty} a_{n-1} x^n}_{xG(x)} + \sum_{n=1}^{\infty} 2x^n$$

則 $G(x) = 3xG(x) + \dfrac{2x}{1-x}$ （$\because \displaystyle\sum_{n=1}^{\infty} x^n = \dfrac{x}{1-x}$ ）

$\therefore (1-3x)G(x) = \dfrac{2x}{1-x}$

即 $G(x) = \dfrac{2x}{(1-x)(1-3x)} = \dfrac{-1}{1-x} + \dfrac{1}{1-3x}$

$\qquad = -(1+x+x^2+\cdots+x^n+\cdots) + (1+3x+3^2 x^2+\cdots+3^n x^n+\cdots)$

$\therefore a_n = G(x)$ 之 x^n 係數 $= 3^n - 1$

例 2

承例 1，如果 $a_0 = -1$ 時 a_n 結果如何？

解

令 $G(x) = a_0 x^0 + a_1 x^1 + a_2 x^2 + \cdots$

$\qquad = (-1) + a_1 x + a_2 x^2 + \cdots$

即 $G(x) + 1 = a_1 x + a_2 x^2 + a_3 x^3 + \cdots$

$\because a_n = 3a_{n-1} + 2 \quad \therefore a_n x^n = 3a_{n-1} x^{n-1} + 2x^n$

$$\underbrace{\sum_{n=1}^{\infty} a_n x^n}_{G(x)+1} = 3 \underbrace{\sum_{n=1}^{\infty} a_{n-1} x^n}_{xG(x)} + \sum_{n=1}^{\infty} 2x^n$$

$$G(x) + 1 = 3xG(x) + \dfrac{2x}{1-x}$$

$$(1-3x)G(x)=\frac{2x}{1-x}-1=\frac{3x-1}{1-x}$$

$$\therefore G(x)=-\frac{1}{1-x}$$

$$=-(1+x+x^2+\cdots+x^n+\cdots)$$

$a_n=G(x)$ 之 x^n 係數 $=-1$。

例 3

用生成函數法解 $a_n-5a_{n-1}+6a_{n-2}=0$, $a_0=0$, $a_1=1$。

解

令 $G(x)=a_0+a_1x+a_2x^2+\cdots$

$a_nx^n-5a_{n-1}x^n+6a_{n-2}x^n=0$

$$\underbrace{\sum_{n=2}^{\infty}a_nx^n}_{G(x)-0-x}-5\underbrace{\sum_{n=2}^{\infty}a_{n-1}x^n}_{xG(x)}+6\underbrace{\sum_{n=2}^{\infty}a_{n-2}x^n}_{x^2G(x)}=0 \qquad *$$

$$\therefore (G(x)-x)-5xG(x)+6x^2G(x)=0$$

$$\therefore G(x)=\frac{x}{1-5x+6x^2}=\frac{-1}{1-2x}+\frac{1}{1-3x}$$

$$=\frac{-1}{1-2x}+\frac{1}{1-3x}$$

$$=-(1+2x+2^2x^2+\cdots+2^nx^n+\cdots)+(1+3x+3^2x^2+\cdots+3^nx^n+\cdots)$$

$a_n=G(x)$ 之 x^n 係數 $=3^n-2^n$

在例 3 之＊，我們用 $\sum\limits_{n=2}^{\infty}$ 而不是 $\sum\limits_{n=1}^{\infty}$，是因為原遞迴問題 $a_n - 5a_{n-1} + 6a_{n-2} = 0$ 之 a_{n-2} 關係。

 4

用生成函數法解 $a_n - 2a_{n-1} + a_{n-2} = 0$

解

令 $G(x) = a_0 + a_1 x + a_2 x^2 + \cdots$

$a_n x^n - 2a_{n-1} x^n + a_{n-2} x^n = 0$

$$\sum_{n=2}^{\infty} a_n x^n - 2 \sum_{n=2}^{\infty} a_{n-1} x^n + \sum_{n=2}^{\infty} a_{n-2} x^n = 0$$

上式中：

$$\sum_{n=2}^{\infty} a_n x^n = G(x) - (a_0 + a_1 x)$$

$$\sum_{n=2}^{\infty} a_{n-1} x^n = x(G(x) - a_0)$$

$$\sum_{n=2}^{\infty} a_{n-2} x^n = x^2 G(x)$$

$\therefore G(x) - (a_0 + a_1 x) - 2x(G(x) - a_0) + x^2 G(x) = 0$

$(1 - 2x + x^2) G(x) = a_0 - (a_1 + 2a_0)x$

即 $G(x) = \dfrac{a_0 - (a_1 + 2a_0)x}{(1-x)^2}$

令 $\dfrac{a_0-(a_1+2a_0)x}{(1-x)^2}=\dfrac{\alpha}{1-x}+\dfrac{\beta}{(1-x)^2}$ *

$$=\alpha(1+x+x^2+\cdots+x^n+\cdots)+\beta(1+2x+3x^2+\cdots$$
$$+(n+1)x^n+\cdots)$$

$\therefore a_n=G(x)$ 之 x^n 係數 $=\alpha+\beta(n+1)=(\alpha+\beta)+\beta n$

但由*

$$a_0-(a_1+2a_0)x=\alpha(1-x)+\beta=(\alpha+\beta)-\alpha x$$

比較兩邊係數：

$$\begin{cases}\alpha+\beta=a_0\\ \alpha=a_1+2a_0 \quad \therefore \beta=-(a_0+a_1)\end{cases}$$

即 $a_n=a_0-(a_0+a_1)n$

作業 9D
Homework

用生成函數法求解下列遞迴關係式：

1. $a_n - 5a_{n-1} = 3$；$a_0 = 0$，$n \geq 1$。

2. $a_n - 3a_{n-1} + 2a_{n-2} = 0$；$a_0 = 3, a_1 = 2$，$n \geq 2$。（參考上節例 2）

3. $a_n - 5a_{n-1} + 6a_{n-2} = 0$；$a_0 = 0, a_1 = 1$，$n \geq 2$。（比較上節例 1）

4. $a_n = 2a_{n-1} + 1$；$a_0 = 1$。

5. $a_n - a_{n-1} = 3^n$；$a_0 = 1$，$n \geq 1$。

6. $a_n - 5a_{n-1} + 6a_{n-2} = 1$；$a_0 = 0, a_1 = 1$，$n \geq 1$。

MEMO

代數結構

10.1 二元運算

定義

廣集合 $A(A \neq \phi)$ 之**二元運算**(binary operation) $\star$，是由 $A \star A$ 映至 A 之一個函數，即 $\star : S \star S \to S$。

根據定義，S 中任意二元素 a, b 經函數 $\star$ 運算後 $a \star b$ 必須仍在 A 中。換言之，二元運算必須具有「封閉性」。如果 $a, b \in A$，但 $a \star b \notin A$ 則 $\star$ 便不是定義於 A 之二元運算。

例 1

令 $A = Z^+$，定義 $a \star b$ 為 $a \star b = a^2 + b^2 + 2$ $\forall a, b \in Z^+$，求
(1)$3 \star 3$ (2)$(-2) \star 3$。

解

(1) $a \star b = 3^2 + 3^2 + 2 = 20$

(2) $\because -2 \notin Z^+ \therefore (-2) \star 3$ 無意義

例 2

$A = \{a, b, c\}$，定義 $\star$ 運算如下列**乘法表**(multiplication table)

$\star$	a	b	c
a	c	a	b
b	a	b	c
c	b	c	a

求   (1)$a \star b$，(2)$b \star a$，(3)$(c \star b) \star a$。

解

(1) $a \star b = a$　　(2) $b \star a = a$　　(3) $(c \star b) \star a = c \star a = b$

例 3

令 $A = Z^+$，定義 $a \star b$ 為 $a \star b = 1.c.m(a, b) \forall a, b \in Z^+$，即 $a \star b$ 為 (a, b) 之最小公倍數。

求 $4 \star 6$。

解

$4 \star 6 = 1.c.m(4, 6) = 12$

代數結構中六個常見性質

本章要討論之代數結構都是建立在二元運算上，且具有下列部份或全部性質：

1. 交換性

定義

$<A;\ \star>$ 為一代數結構，若 A 中任意二元素 a, b，均滿足 $a \star b = b \star a$，則稱 $<A, \star>$ 具交換性。

例 4

下列各代數結構何者滿足交換性？「＋」、「－」、「·」、「÷」為一般數學中之加減乘除：

(1) $<Z^+;+>$, (2) $<Z^+; \cdot >$, (3) $<Q; \cdot >$, (4) $<Z;->$,

(5) $<R^*;\div>$ （ R^* 表示 $R-\{0\}$ ）。

解

(1), (2), (3)均符合交換性。

(4)$(4-2 \neq 2-4)$, (5)$(4 \div 2 \neq 2 \div 4)$, 故均不符合交換性。

例 5

$A=R$ 且定義二元運算 $\star$ 為 $a \star b=a+b-2a \cdot b$ $\forall a \cdot b \in R$ 符號，+, -, · 為一般實數之加、減、乘法。

(1) $<A; \star>$ 是否滿足交換性？

(2) 若 $a \star 3=7$, 求 a 。

解

(1) $a \star b=a+b-2a \cdot b$; $b \star a=b+a-2b \cdot a=a+b-2a \cdot b$

  $\therefore a \star b=b \star a$ 即 $<A, \star>$ 滿足交換性。

(2) $a \star 3=a+3-2a \cdot 3=a+3-6a=3-5a=7$ $\therefore$ $a=\dfrac{-4}{5}$

代表 $<A, \star>$ 之乘法表中，若主對角線二側之元素為對稱，即 $a_{ij}=a_{ji}$, $\forall i, j$ 則 $<A, \star>$ 滿足對稱性。

例 6

承例 2，驗證交換性。

解

因表內中元素對稱於主對角線，故具交換性。

$$x, y, z$$

結合性

定 義

▶ 對若代數結構$<A;\ \star>$中任意三個元素 a, b, c 而言，均滿足 $(a\star b)\star c = a\star(b\star c)$，則稱$<A, \star>$具結合性。

例 7

承例 4

$<Z^+, +>$，$<Z^+, \cdot>$，$<Q, \cdot>$均具有結合性。

$<Z, ->$，$<R^*, \div>$不具有結合性，$R^*=R-\{0\}$。

例 8

下列之二元運算是否滿足交換性與結合性？

(1) $A=Z^+$；$a \star b = 2a+3b$，$a,b \in A$；

(2) $A=R$；$a \star b = a$，$a,b \in A$。

解

(1) ① $a \star b = 2a+3b$，$b \star a = 2b+3a$

　　 $\because a \star b = b \star a$ 不恆成立 $\therefore$ 交換性不成立。

② $(a \star b) \star c = (2a+3b) \star c = 2(2a+3b)+3c = 4a+6b+3c$

$a \star (b \star c) = a \star (2b+3c) = 2a+3(2b+3c) = 2a+6b+9c$

$\because (a \star b) \star c \neq a \star (b \star c)$ 不恆成立 $\therefore$ 結合性不成立。

(2) ① $a \star b = a$, $b \star a = b$　$\because a \star b \neq b \star a$

　　 $\therefore$ 交換性不成立。

② $(a \star b) \star c = a \star c = a$，$a \star (b \star c) = a \star b = a$ $\because (a \star b) \star c = a \star (b \star c)$ $\therefore$ 滿足結合性（此說明了即便交換性不成立，結合性仍可能成立）

單位元素與反元素

定義

$< A; \star >$ 為一代數結構，若 $e \in A$

(1) $e \star a = a \star e = a$，$\forall a \in A$，則 e 為 $< A, \star >$ 之單位元素或么元(identity element)。

(2) $a^{-1} \star a = a \star a^{-1} = e$，$\forall a \in A$，則 a^{-1} 為 $< A, \star >$ 之反元素或逆元(inverse)。

注意上述定義中之 a^{-1} 為 a 之反元素,不是 a 之負一次方。

由反元素定義可知,二元運算之反元素必須在單位元素存在之前提下才有意義,換言之,單位元素不存在時反元素亦不存在。

 例 9

在集合運算中,聯集($\cup$)之單位元素為何?交集($\cap$)之單位元素為何?

 解

設 S 為全集

$\because \phi \cup X = X \cup \phi = X$,$\forall X \subseteq S$

$\therefore$ 聯集下之單位元素為 ϕ

又 $\because S \cap X = X \cap S = X$,$\forall X \subseteq S$

$\therefore$ 交集下之單位元素為 S,S 為廣集合。

例 10

若定義 $S(S \neq \phi)$ 之二元運算 $\star$ 為:

$$a \star b = b, \quad \forall a, b \in S$$

試問(1)單位元素是否存在,(2)反元素是否存在?

解

(1) 若 e 為單位元素則 $e \star a = a$ 但 $a \star e = e \therefore$ 單位元素不存在

(2) 單位元素不存在因而反元素亦不存在。

定 理 ▶

★為定義 $S(S \neq \phi)$ 之二元運算，若單位元素存在則必為惟一。

證

設 e_1, e' 均為單位元素，由定義：

$e \star e' = e'$，又 $e \star e' = e$

$\therefore e = e \star e' = e'$

此說明了二元運算 ★ 之單位元素若存在則必惟一。

例 11

求例 2 之單元元素，反元素（如果存在的話）。

解

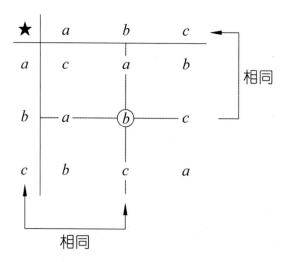

由乘法表找單位元素最簡單的方法是：如果有一行及一列分別與乘法表之上表頭及左表頭排法一樣時，其行與列之交點即為單位元素。本例之單位元素為 b。

∵ $a \star c = c \star a = b$

∴ $a^{-1} = c$，$c^{-1} = a$，顯然 $b^{-1} = b$。

例 12

$A = R$, 定義二元運算 $\star$ 為 $a \star b = a + b - 3$，求單位元素及反元素。

解

(1) 設 e 為單位元素，則 $a \star e = a + e - 3 \Rightarrow a = a + e - 3$　∴ $e = 3$

(2) 設 a^{-1} 為反素則 $a \star a^{-1} = a + a^{-1} - 3 = e = 3$　　∴ $a^{-1} = 6 - a$

基礎離散數學
A Short Course in Discrete Mathematics

作業 10 A
Homework

1 ★是定義於 $A\{\alpha, \beta, \gamma, \delta\}$ 之二元運算，其乘法表如下：

(1) 它是否可交換？

(2) $(\alpha\star\beta)\star\gamma$

(3) $(\alpha\star\alpha)\star\alpha=\alpha\star(\alpha\star\alpha)$嗎？

(4) $(\alpha\star\beta)\star\gamma=\alpha\star(\beta\star\gamma)$嗎？

★	α	β	γ	δ
α	α	β	γ	δ
β	δ	α	β	γ
γ	γ	δ	α	β
δ	β	γ	δ	α

2. 問下列各子題何者可定義為二元運算？若是，何者具交換性？結合性？

(1) $A=N;\ a\star b=\sqrt{a^2+b^2}$

(2) $A=Z^+,\ a\star b=a^b$

(3) $A=Z^+,\ a\star b=1+2ab$

(4) $A=Z^+,\ a\star b=\dfrac{a}{b}$

3. 若○為定義於 $A=\{a, b, c\}$ 之二元運算，試問○是否滿足交換性？結合性？

○	a	b	c
a	c	b	a
b	b	b	b
c	a	b	c

4. 若△為定義於 $A=\{a, b, c\}$ 之二元運算，若△滿足交換性，求 $x,$ y, z

△	a	b	c
a	a	x	z
b	c	a	b
c	b	z	a

5. 若 $A=R'$, $R'=\{x|x\neq 1, x\in R\}$，定義二元運算★為 $a\star b=a+b-ab$, 試求★之單位元素 e 及反元素 a^{-1}，又★可交換否？

6. $A=\{a, b\}$，試建立 $\{P(A),\bigcup\}$ 之二元運算表，$P(A)$ 為冪集合，又此二元運算是否可交換？單位元素為何？

7. 若★為定義於 S 之二元運算，若★滿足交換性，結合性。試證 $(a\star b)\star(c\star d)=[(d\star c)\star a]\star b$。 $a, b, c, d\in S$

8. ★為定義於 $S(S\neq\phi)$ 之二元運算，e 為單位元素，且★滿足結合性，若 $a\star b=b\star a=e, a\star c=c\star a=e,$ 試證 $b=c$。 $a, b, c\in S$ （提示：$b=b\star e=b\star(a\star c)\cdots$）

10.2 半群與單群

半 群

> **定 義**
>
> ★為定義於 $S(S \neq \phi)$ 之一個二元運算，若運算★具有結合性則稱 $\{S; \star\}$ 之為**半群**(semi-group)。

例 1

以下是有關半群判斷的例子：

(1) $\{Z^+; +\}$：因加法在正整數中具有結合性故 $\{Z^+; +\}$ 為半群。

(2) $\{Z^+; -\}$：因減法在正整數中不具有封閉性，故不為二元運算，更遑論半群。

(3) $\{R; \cdot\}$：因乘法在實數中具有結合性；故 $\{R; \cdot\}$ 為一半群。

例 2

★為定義於 R 之二元運算，規定 $a \star b = a + 2b, \forall a, b \in R$ 問 $\{A; \star\}$ 是否為半群？

解

$a \star b = a + 2b \in R$，具封閉性，現要測試結合性：

$(a \star b) \star c = (a + 2b) \star c = (a + 2b) + 2c = a + 2b + 2c$

$a \star (b \star c) = a \star (b + 2c) = a + 2(b + 2c) = a + 2b + 4c$

∵ $(a \star b) \star c = a \star (b \star c)$ 不恆成立

∴ $\{A; \star\}$ 不為半群

例 3

　　$\star$ 為定義於 R 之二元運算，規定 $a \star b = a^2 + b^2$，$\forall a, b \in R$ 問 $\{A; \star\}$ 是否為半群？

解

　　$a \star b = a^2 + b^2 \in R$

∴　$\{A; \star\}$ 具封閉性，

又 $(a \star b) \star c = (a^2 + b^2) \star c = (a^2 + b^2)^2 + c^2$

　　$a \star (b \star c) = a \star (b^2 + c^2) = a^2 + (b^2 + c^2)^2$

∵　$(a \star b) \star c \neq a \star (b \star c)$

∴　$\{A; \star\}$ 不為半群。

單　群

定 義

▶ $\{S; \star\}$ 為一半群，若具有單位元素（以 e 表示）則 $\{S; \star\}$ 為一**單群**(monoid)。

　　單群亦稱為獨異點。

　　換言之，要判斷 $\{S; \star\}$ 為一單群，需驗證①封閉性，②結合性，③單位元素等三項。

例 4

以下是有關單群的例子：

(1) $\{Z^+; +\}$ 因不具有單位元素 $e(=0)$ 故不為單群

(2) $\{Z; +\}$ 為單群，其單位元素 $e=0$

(3) $\{R; \cdot\}$ 為單群，其單位元素 $e=1$

(4) $\{M_{2\times2}; +\}$；$M_{2\times2}$ 為所有二階方陣所成立之集合，則其滿足加法

　　結合性且有加法單位元素 $\begin{bmatrix} 0 & 0 \\ 0 & 0 \end{bmatrix}$；故 $\{M_{2\times2}; +\}$ 為單群。

例 5

　　設 $A=\{a, b\}$，求 $\{P(A), \cap\}$ 之乘法表，$P(A)$ 為 A 之冪集合，驗證 $< P(A), \cap >$ 為單群。

解

　　集合之交集運算具交換性，結合性，單位元素為 A，故為一單群。

　　$P(A)=\{\phi, \{a\}, \{b\}, \{a, b\}\}$，其乘法表為：

$\cap$	ϕ	$\{a\}$	$\{b\}$	$\{a, b\}$
ϕ	ϕ	ϕ	ϕ	ϕ
$\{a\}$	ϕ	$\{a\}$	ϕ	$\{a\}$
$\{b\}$	ϕ	ϕ	$\{b\}$	$\{b\}$
$\{a, b\}$	ϕ	$\{a\}$	$\{b\}$	$\{a, b\}$

例 6

A={a, b, c}，★為定義於 A 之二元運算，其乘法表如下：

★	a	b	c
a	a	b	c
b	a	b	c
c	a	b	c

問{A, ★}是否為半群，單群？

解

1. 半群：

   (1) 封閉性：顯然成立。

   (2) 結合性，對表中之任一組合

   A. $(x \star y) \star z \overset{?}{=} x \star (y \star z)$：

   $\because (x \star y) \star z = y \star z = z$

   且 $x \star (y \star z) = x \star z = z$

   $\therefore (x \star y) \star z = x \star (y \star z)$

   即 ① $(a \star b) \star c = a \star (b \star c)$

   　② $(a \star c) \star b = a \star (c \star b)$

   　③ $(b \star a) \star c = b \star (a \star c)$

   　④ $(b \star c) \star a = b \star (c \star a)$

   　⑤ $(c \star a) \star b = c \star (a \star b)$

   　⑥ $(c \star b) \star a = c \star (b \star a)$

B.$(x \star x) \star y \overset{?}{=} x \star (x \star y)$

　　$(x \star x) \star y = x \star x = y$ 又 $x \star (x \star y) = x \star y = y$

　　$\therefore (x \star x) \star y = x \star (x \star y)$

　　即⑦$(a \star a) \star b = a \star (a \star b)$

　　　⑧$(a \star a) \star c = a \star (a \star c)$

　　　⑨$(b \star b) \star a = b \star (b \star a)$

　　　⑩$(b \star b) \star c = b \star (b \star c)$

　　　⑪$(c \star c) \star a = c \star (c \star a)$

　　　⑫$(c \star c) \star b = c \star (c \star b)$

C.$(x \star y) \star x \overset{?}{=} x \star (y \star x)$

　　$(x \star y) \star x = y \star x = x,\ (x \star y) \star x = x \star x = x$

　　$\therefore (x \star y) \star x = x \star (y \star x)$

　　即⑬$(a \star b) \star a = a \star (b \star a)$

　　　⑭$(a \star c) \star a = a \star (c \star a)$

　　　⑮$(b \star a) \star b = b \star (a \star b)$

　　　⑯$(b \star c) \star b = b \star (c \star b)$

　　　⑰$(c \star a) \star c = c \star (a \star c)$

　　　⑱$(c \star b) \star c = c \star (b \star c)$

D.$(x \star y) \star y \overset{?}{=} x \star (y \star y)$

　　$(x \star y) \star y = y \star y = y,\ (x \star y) \star y = x \star y = y$

　　$\therefore (x \star y) \star y = x \star (y \star y)$

　　即⑲$(a \star b) \star b = a \star (b \star b)$

　　　⑳$(a \star c) \star c = a \star (c \star c)$

　　　㉑$(b \star a) \star a = b \star (a \star a)$

　　　㉒$(b \star c) \star c = b \star (c \star c)$

　　　㉓$(c \star a) \star a = c \star (a \star a)$

　　　㉔$(c \star b) \star b = c \star (b \star b)$

E. $(x \star x) \star x \overset{?}{=} x \star (x \star x)$

$(x \star x) \star x = x \star x = x,\ x \star (x \star x) = x \star x = x$

$\therefore (x \star x) \star x = x \star (x \star x)$

即㉕ $(a \star a) \star a = a \star (a \star a)$

　㉖ $(b \star b) \star b = b \star (b \star b)$

　㉗ $(c \star c) \star c = c \star (c \star c)$

因此 $\{A, \star\}$ 滿足結合性。

故 $\{A, \star\}$ 為半群

2. 單群：

我們只需再研判是否存在單位元素 e 即可：

若 e 為單位元素，則 $x \circ e = e \circ x = x$，$\forall x \in A$ 但依乘法表：

$x \circ e = e$，$e \circ x = x$，故 $x \circ e = e \circ x$ 對所有之 $x \in A$ 不恆成

立，故不存在單位元素，因此 $\{A; \star\}$ 不是單群。

例 7

$A = \{0,\ 1,\ 2\}$，$\odot$ 為定義於 A 之 Z_3 乘法，問 $<A; \odot>$ 是否為一

單群？

解

若 $x, y \in A$ 則 $[x \cdot y] = [x][y]$

$(x \odot y) \odot z = [(x \cdot y) \cdot z] = [xy][z] = ([x][y])[z] = [x][y][z]$

$\qquad x \odot (y \odot z) = [x \cdot (y \cdot z)] = [x][yz] = [x]([y][z])$

$\qquad\qquad = [x][y][z]$

$\therefore$ 結合性成立

現要判斷 $< A;\odot >$ 之單位元素，由下表易看出 1 為單位之素。

$\odot$	0	1	2
0	0	0	0
1	0	1	2
2	0	2	1

$\therefore < A;\odot >$ 為一單群。

作業 10 B
Homework

1. $A=N$; 定義二元運算★為 $a★b=\min(a, b)$, 試證 $\{A; ★\}$ 為半群。是否為單群？

2. $<A, ★>$ 為半群，若對 A 中任意二元素 a, b 而言滿足 ① $a★b=b★a$，② $a★a=a, b★b=b$，試證 $(a★b)★(a★b)=a★b$。

3. ★為定義於 A 之二元運算，★若具有結合性且 A 中任一元素均有反元素，試證反元素為惟一。
   （提示：設 b, c 均為 a 之反元素，$b=b★e=b★(a★c)=\cdots$）

4. $A=\{1, 2, 3\}$, ★為定義於 A 之二元運算，其乘法表為

★	1	2	3
1	3	2	1
2	2	3	2
3	1	2	3

   問 A 是否為半群？

5. $A=R$，★為定義於 A 之二元運算，定義★為 $x★y=x+y-1$，問 $\{A; ★\}$ 是否為半群？是否為單群？

6. $A=\{a, b\}$，問下列定義於 A 之乘法表是否為半群？單群？

★	a	b
a	b	a
b	a	b

7. $<A, ★>$ 為一半群，對 A 中之任意元素 a, b 而言，若 $a \neq b$ 則 $a★b \neq b★a$　試證
   (1) $a★a=a$　$\forall a \in A$　(2) $a★b★a=a$, $\forall a, b \in A$。

10.3　群

定　義

$G \neq \phi$, ★為定義於 G 之一二元運算，若 G 滿足下列條件，則稱 $\{G, \star\}$ 為一個**群**(group)：

(1) $a \star b \in G$ ， $\forall a, b \in G$ （即滿足封閉性）。

(2) $a \star (b \star c) = (a \star b) \star c$ ， $\forall a, b, c \in G$ （即滿足結合性）。

(3) 存在一元素 $e \in G$ ，滿足 $a \star e = e \star a = a$ ， $\forall a \in G$ （即單位元素存在）。

(4) 存在一元素 $a^{-1} \in G$ ，使得 $a \star a^{-1} = a^{-1} \star a = e$ （即反元素存在）。

例　1

★為定義於 R 之二元運算，規定 $a \star b = a + b$ ，問 $\{R, \star\}$ 是否為一個群？

解

(1) 封閉性：　$\because a \star b = a + b \in R, \forall a, b \in R$ 　 $\therefore$ 滿足封閉性。

(2) 結合性：　$\because a \star (b \star c) = a + (b + c) = (a + b) + c = (a \star b) \star c$

　　　$\therefore$ 滿足結合性。

(3) 單位元素：　$\because a \star 0 = a + 0 = 0 + a = 0 \star a \ (= a)$

　　　$\therefore$ 存在單位元素 0 。

(4) 反元素：∵ $a \star (-a) = a + (-a) = (-a) + a = 0$ ∴ 對任 $-a \in A$ 均

存在反元素$(-a)$。

綜上討論 $\{R, \star\}$ 為一群。

例 2

$A = Q - \{1\}$，$\star$ 為定義於 A 之二元運算： $a \star b = a + b - ab$ 判斷 $\{A, \star\}$ 是否為一個群？

解

(1) 結合性：

對任意 $a, b, c \in A$，我們均有

$$(a \star b) \star c = (a + b - ab) \star c$$
$$= (a + b - ab + c) - (a + b - ab)c$$
$$= a + b + c - ab - ac - bc + abc$$

同法可得 $a \star (b \star c) = a + b + c - ab - ac - bc + abc$

∴ $(a \star b) \star c = a \star (b \star c)$ 即結合性成立。

(2) 單位元素：

設 e 為單位元素

$a \star e = a + e - ae = a$ ∴ $e = 0$，$(a \neq 1)$

(3) 反元素：

$$a \star a^{-1} = a + a^{-1} - a \cdot a^{-1}$$
$$= a + a^{-1}(1 - a) = e = 0 \therefore a^{-1} = \frac{a}{a-1}，\ a \neq 1$$

∴ $\{A; \star\}$ 為一個群

3

設 $U=\{a, b, c\}$，□為定義於 U 之二元運算，其規則如下表：

□	a	b	c
a	a	b	c
b	b	c	a
c	c	a	b

問 $\{U;\ \square\}$ 是否為一個群？

解

(1) 封閉性：對 U 中任意二元素 x, y 而言 $x\square y\in U$ 均成立

∴ 滿足封閉性

(2) 單位元素：由視察法 a 為單位元素，即單位元素存在。

(3) 結合性：因 U 含 3 個元素，因此要驗證□是否滿足結合性需測試 $3^3=27$ 次，但因為 a 為單位元素，$a\square(x\square y)=x\square y$, $(a\square x)\square y=x\square y$ ∴ $a\square(x\square y)=(a\square x)\square y$，故含有「$a$」者必滿足結合性，而可省去驗證，亦即只需驗證 $x\square(y\square z) \overset{?}{=} (x\square y)\square z$, $(x, y, z=b, c)$，因只針對含 b, c 者進行驗證，故只需 $2^3=8$ 次：

① $b\square(b\square b)=b\square c=a$; $(b\square b)\square b=c\square b=a$

∴ $b\square(b\square b)=(b\square b)\square b$

② $b\square(b\square c)=b\square a=b$; $(b\square b)\square c=c\square c=b$

∴ $b\square(b\square c)=(b\square b)\square c$

其餘 6 種情況同學自行驗證之。

(4) 反元素：　∵　$b\square c=c\square b=a$（∵ a 為單位元素）

∴　$b^{-1}=c$ 且 $c^{-1}=b$，又 $a\square a=a$

即 b,c 互為反元素，a 也是其自身之反元素。

綜上討論 $\{U;\ \square\}$ 為一個群。

群的性質

定理 ▶▶

{G; ★}為一個群，則其單位元素恰有一個。

設 $e,\ e'$ 均為 G 中之單位元素：

(1) ∵　e 為單位元素　∴　$e\star e'=e$

(2) ∵　e' 為單位元素　∴　$e\star e'=e'$

由(1),(2) $e=e'$，即 G 之單位元素為惟一。

定理 ▶▶

{G; ★}為一個群，a、b 為 G 之元素則

(1)a 之反元素 a^{-1} 為惟一。

(2)$(a^{-1})^{-1}=a$

(3)$(a\star b)=b^{-1}\star a^{-1}$

證

設 a, a' 均為 a 之反元素，則

$$a = a \star e, \quad (e \text{ 為 } G \text{ 之單位元素})$$
$$= a \star (a \star a')$$
$$= (a \star a) \star a'$$
$$= e \star a'$$
$$= a'$$

(2),(3)見本節作業 6、7 題。

定理 》》

$<G, \star>$ 為一個群，則對任意 $a, b, c \in G$ 有

(1) $a \star b = a \star c$ 則 $b = c$（左消去律成立）

(2) $b \star a = c \star a$ 則 $b = c$（右消去律成立）

證

（我們只證(1)之部分）

$\because a \star b = a \star c$

$a^{-1} \star (a \star b) = a^{-1} \star (a \star c)$（$<G, \star>$ 為一個群，故 a 之反元素 a^{-1} 存在）

$(a^{-1} \star a) \star b = (a^{-1} \star a) \star c$

$e \star b = e \star c$（e 為單位元素）

$\therefore b = c$

交換群

顧名思義，交換群是帶有交換性的群，其正式定義如下：

> **定 義**
>
> $\{G; \star\}$ 為一個群，若 $a \star b = b \star a$，$\forall a, b \in G$，則稱 G 為交換群(commutative group)或亞倍爾群(Abelian group)。

例 4

若 $\{G, \star\}$ 為一個群，且對 G 中每一元素 a 而言 $a \star a = e$（e 為單位元素）均成立，試證 $\{G, \star\}$ 為一交換群。

解

依題意，$\{G, \star\}$ 為一個群且 $a \star a = e$

∴對每一個元素 $a \in G$ 均存在一個反元素 a^{-1}

$a^{-1} \star (a \star a) = a^{-1} \star e = a^{-1}$ 又 $(a^{-1} \star a) \star a = e \star a = a$

又 $\{G, \star\}$ 為一個群，結合性成立，即 $a^{-1} \star (a \star a)$

$= (a^{-1} \star a) \star a \Rightarrow a^{-1} = a$

∴ $a \star b = (a \star b)^{-1} = b^{-1} \star a^{-1} = b \star a$

得 $\{G; \star\}$ 為一個交換群。

例 5

$\{G, \star\}$ 為一個群，若且惟若 $(a \star b)^2 = a^2 \star b^2$，$\forall a, b \in R$，則 G 為交換群，試證之。

解

利用群之消去律：

$a, b \in G$ 則 $a \star b \in G$

$\therefore (a \star b)^2 = a^2 \star b^2 \Leftrightarrow (a \star b) \star (a \star b) = (a \star a) \star (b \star b)$

$\Leftrightarrow a \star (b \star a) \star b = a \star (a \star b) \star b$

$\Leftrightarrow b \star a = a \star b$

$\therefore <G, \star>$ 為一交換群

子 群

定 義

已知 $\{G; \star\}$ 為一個群，$H \subseteq G$，$H \neq \phi$，且 $\{H; \star\}$ 亦成一群，則稱 H 為 G 之**子群**(subgroup)。

下面是判斷子群之一個基本定理。

定 理

$\{G; \star\}$ 為 一 個 群，$H \subseteq G$ 且 $H \neq \phi$，若 且 惟 若 $a \star b^{-1} \in H \ \forall a, b \in H$，則 H 為 G 之**子群**。

證

G 為一個群，故滿足結合性，又 $H \subseteq G$，$H \neq \phi$，則 H 亦滿足此結合性，又 $a, b \in H$，則 $b^{-1} \in H$ 從而 $a \star b^{-1} \in H$，即滿足封閉性。

（一）先證 G 之單位元素 e 也是 H 之單位元素：

　　若 a 是 H 中任一元素，則 $a \star a^{-1} = e \in H$，即 e 亦為 H 之單位元素。

（二）次證 H 中每一元素 b 均有反元素 b^{-1}：

　　對 H 中任一元素 b 而言，$e \star b^{-1} \in H \Rightarrow b^{-1} \in H$

（三）最後證★運算具封閉性：

　　對 H 中任意二元素 a,b，由(二)知 $b^{-1} \in H$，且 $b=(b^{-1})^{-1}$

　　$\therefore\ a \star b = a \star (b^{-1})^{-1} \in H$

例 6

　　$A = \{a + b\sqrt{3} \mid a, b \in Z\}$，試問 $\{A; +\}$ 是否為 $\{R; +\}$ 之子群？

解

(1) $A \subseteq R$，且 $\{R; +\}$ 為一個群。

(2) 自 A 中任取 2 個元素 x_1, x_2，其中 $x_1 = a + b\sqrt{3}, \quad x_2 = c + d\sqrt{3}$

　　$a, b, c, d \in Z$ 則

　　$x_1 + x_2^{-1} = a + b\sqrt{3} + (-c - d\sqrt{3}) = (a-c) + (b-d)\sqrt{3} \in A$

　　$\therefore\ \{A; +\}$ 為 $\{R; +\}$ 之一個子群。

　　在例 6，x_2^{-1} 表示 x_2 之加法反元素，而非 x_2 之 -1 次方，讀者宜分辨之。

循環群

定義

$\{G;\star\}$ 為一個群。若存在於某個 $a \in G$ 滿足 $G = \{a^i,\ i \in Z\}$，則稱 G 為一循環群(cyclic group)，其中 a 為 G 之生成元 (generator)。

換言之，若 G 為一循環群，a 為 G 之生成元，則 G 中所有元素均可由 a 所產生，因此循環群 G 中所有元素均與 a 有冪次關係。

例 7

$G = \{\alpha, \beta, \gamma\}$，$\star$ 為定義於 G 之二元運算，其乘法表如下，若已知 $\{G;\star\}$ 為一個群，問 G 是否為循環群，若是其生成元為何？

$\star$	α	β	γ
α	α	β	γ
β	β	γ	α
γ	γ	α	γ

解

$\beta^2 = \beta \star \beta = \gamma,\quad \beta^3 = (\beta \star \beta) \star \beta = \gamma \star \beta = \alpha$

G 中之元素均為 β 所生成

$\therefore \{G, \star\}$ 為一循環群，生成元為 β。

例 8

循環群 $\{C; \star\}$ 必為交換群，試證之。

解

設 $\{C; \star\}$ 為一循環群，x 為生成元。若 $a, b \in C$ 且令 $a = x^r$, $b = x^s$

則 $a \star b = x^r \cdot x^s = x^{r+s}$, $b \star a = x^s \cdot x^r = x^{s+r}$

$\because$ $x^{r+s} = x^{s+r}$

$\therefore$ $a \star b = b \star a$, 即 C 為一交換群。

作業 10 C
Homework

1. $A=\{a, b\}$，★為定義於 A 之二元運算，其乘法表如下，問 $\{A; ★\}$
   是否為一群？

★	a	b
a	b	a
b	a	b

   （參考上節作業第 6 題）

2. 判斷下列之 $\{A; ★\}$ 是否為一個群？

   (1) $A=Z^+$，★為一般之正整數加法。

   (2) $A=R$，★為一般之整數乘法。

   (3) $A=$奇數，★為一般之整數加法。

   (4) $A=$偶數，★為一般之整數加法。

3. $G=\{a, b, c, d\}$（假設 $\{a; ★\}$ 為一群），$\{G; ★\}$ 之運算如下表所
   示：

★	a	b	c	d
a	a	b	c	d
b	b	a	d	c
c	c	d	b	a
d	d	c	a	b

   (1) 驗證 $c^2=b$, $c^3=d$, $c^4=a$ 及 $d^2=b$, $d^3=c$, $d^4=a$。

   (2) 由(a)知 $\{G; ★\}$ 之生成元為_____？

   (3) $\{G; ★\}$ 為循環群？

   (4) $\{G; ★\}$ 是交換群？

4. $\{G, \star\}$為一交換群且單位元素為 $e, H \subseteq G$，令 $H=\{x|x^2=e\}$，試證

   $\{H, \star\}$為 G 之子群。

5. 設 $\{G, \star\}$為一個群，若 $a \in G$，試證$(a^{-1})^{-1}=a$。

6. 設 $\{G, \star\}$為一個群，若 $a, b \in G$，試證$(a \star b)^{-1}=b^{-1} \star a^{-1}$。

7. 設 $\{G, \star\}$為一個群，若 $x \star x=x$，$x \in G$，則我們稱 x 為 G 之一個**冪元素**(idempotent element)，試證$(a)x=e$，(b)一個群內至多一個冪元素。

10.4 同態與同構

同 態

$A=\{a, b, c\}$, $B=\{\alpha, \beta, \gamma\}$, $C=\{甲,乙,丙\}$★，□，◎分別為定義於集合 A, B, C 之三個二元運算，其乘法表分別為：

I.

★	a	b	c
a	c	b	a
b	b	b	a
c	a	c	c

II.

□	α	β	γ
α	γ	β	α
β	β	β	α
γ	α	γ	γ

III.

◎	乙	丙	甲
乙	甲	丙	乙
丙	丙	丙	乙
甲	乙	甲	甲

則

(1) 定義函數 $f：A \rightarrow B$；令 $f(a)=\alpha, f(b)=\beta, f(c)=\gamma$（即 $a \rightarrow \alpha, b \rightarrow \beta, c \rightarrow \gamma$），則表 I 中之 a, b, c 以 α, β, γ 代換後即得表 II，$f(a \star b)=f(b)=\beta$；又 $f(a) \square f(b)=\alpha \square \beta=\beta$ 得 $f(a \star b)=f(a) \square f(b)=\alpha \square \beta=\beta$。

(2) 定義函數 $g：A \rightarrow C$；令 $g(a)=乙$，$g(b)=丙$，$g(c)=甲$，（即 $a \rightarrow 乙, b \rightarrow 丙, c \rightarrow 甲$），則表 I 中之 a, b, c 以乙，丙，甲代換後可得表 III，可驗證的是 $g(a \star b)=g(b)=丙$，$g(a) ◎ g(b)=乙 ◎ 丙=丙$，即 $g(a \star b)=g(a) ◎ g(b)$。同法可驗證其餘。

這就是研討二個代數結構同態之基本想法，其正式定義如下：

定義

設 $<G, \star>$ 及 $<G', \square>$ 為二個代數結構。$\star$，$\square$ 分別為定義於 G 與 G' 之二個二元運算，$f: G \rightarrow G'$ 若對任意之 $a, b \in G$ 均有 $f(a \star b) = f(a) \square f(b)$ 則稱 f 為 G' 映至 G' 之一個**同態** (monomoph ism)。若 $<G, \star>$ 與 $<G', \square>$ 同態則記做 $G \cong G'$。

要注意的是：一個代數結構到另一代數結構之同態映射並非惟一。

例 1

$G = \{a, b, c\}$，$G' = \{\alpha, \beta, \gamma\}$，$\square$，$\triangle$ 分別為定義於 G、G' 之兩個二元運算，其乘法表分別如下：

$\square$	a	b	c
a	a	b	c
b	b	c	a
c	c	a	b

$\triangle$	α	β	γ
α	α	β	γ
β	β	γ	α
γ	γ	α	β

問 $\{G; \square\}, \{G', \triangle\}$ 是否同態？

解

由上二表易知，存在一個映射 $f: G \rightarrow G'$ 定義為：

$f: a \rightarrow \alpha, f: b \rightarrow \gamma, f: c \rightarrow \beta$，則

① $f(a \square a) = f(a) = \alpha$；$f(a) \triangle f(a) = \alpha \triangle \alpha = \alpha$

② $f(a \square b) = f(b) = \gamma$；$f(a) \triangle f(b) = \alpha \triangle \gamma = \gamma$

③ $f(a\square c)=f(c)=\beta$; $f(a)\triangle f(c)=\alpha\triangle\beta=\beta$

④ $f(b\square a)=f(b)=\gamma$; $f(b)\triangle f(a)=\gamma\triangle\alpha=\gamma$

⋮

⑨ $f(c\square c)=f(b)=\gamma$; $f(c)\triangle f(c)=\beta\triangle\beta=\gamma$

（5～8）留作隨堂演練）

∴ $G\cong G'$

例 2

R 為實數　$f: R\rightarrow R$，且定義 $f: x\rightarrow 3^x$, $\forall x\in R$, 試證 $<R,\ +>$ 與 $<R,\ \cdot>$ 同態。

解

本題即驗證 $f(x+y)\overset{?}{=}f(x)\cdot f(y)$：

$f(x)=3^x$ ∴ $f(x+y)=3^{x+y}=3^x\cdot 3^y=f(x)\cdot f(y)$

即 $<R,\ +>$ 與 $<R,\ \cdot>$ 同態。

例 3

設 f 為群 $\{G,\star\}$ 到群 $\{G',\square\}$ 之同態映射，試證(1) $f(e_1)=e_2$，e_1 與 e_2 分別為 $\{G,\star\}$ 與 $\{G',\square\}$ 之單位元素。

解

f 為由 $\{G, \star\}$ 到 $\{G', \square\}$ 之同態映射，則 $f(a \star b) = f(a) \square f(b)$

$e_2 \square f(e_1) = f(e_1) = f(e_1 \star e_1)$

$\qquad\qquad = f(e_1) \square f(e_1)$

$\therefore e_2 = f(e_1)$（由群之右消去律）

例 4

承例 3，證 $f(a^{-1}) = (f(a))^{-1}$，$\forall a \in G$

解

由例 3 $f(e_1) = e_2$

又 $f(e_1) = f(a \star a^{-1}) = f(a) \square f(a^{-1}) = e_2$ .... ①

$\therefore f(a) \square [f(a)]^{-1} = e_2$ .... ②

$\therefore f(a) \square f(a^{-1}) = f(a) \square (f(a))^{-1}$ （由①，②）

由群之消去律得 $f(a^{-1}) = (f(a))^{-1}$

同　構

定義

令 $\{G; \star\}$, $\{G'; \square\}$ 為兩個代數系統，$f: G \to G'$，若 f 為一對一函數且映成，且對 $a, b \in G'$ 恆有 $f(a \star b) = f(a) \square f(b)$ 則稱 f 由 G 映成 G' 之一**同構**(isomophism)，記做 $\{G; \star\} \cong \{G'; \square\}$。

要證明兩個代數系統 $\{G; \star\}$ 與 $\{G'; \square\}$ 為同構，一般可循下列步驟：

1. 找出一個函數 f；$f: G \to G'$。

2. 驗證 f 為 1–1。（證明 f 為 1–1 之方法大致有二種：一是由 $f(b)=f(a)$ 證明 $b=a$ 對定義域內任意二元素 a,b 而言均成立；另一是證 $f'(x)>0$ 或 <0）只要 f 是嚴格增（減）函數，f 便是一對一函數。

3. 驗證 f 為映成。

4. 驗證 $f(a \star b)=f(a) \square f(b)$。

例 5

設 $U=\{x|x$ 為偶數$\}$，$V=\{x|x \in Z^+\}$，試證 $\{U; +\}$ 與 $\{V; +\}$ 為同構。

解

(1) 找出 f：

令 $f: V \to U$，且定義；$f: x \to 2x$，$x \in V$

(2) 證明 f 為 1–1：

令 $f(x_1)=f(x_2)$，即 $2x_1=2x_2$ $\therefore$ 得 $x_1=x_2$，因此 f 為 1–1

(3) 證明 f 為映成：

設 $x_2=\dfrac{x_1}{2} \in Z^+$ 則 $f(x_2)=f(\dfrac{x_1}{2})=2 \cdot \dfrac{x_1}{2}=x_1$ $\therefore$ f 為映成

(4) $f(x_1+x_2) \overset{?}{=} f(x_1)+f(x_2)$：

$f(x_1+x_2)=2(x_1+x_2)=2x_1+2x_2=f(x_1)+f(x_2)$

$\therefore$ $\{U; +\}$ 與 $\{V; +\}$ 為同構。

例 6

設 $U=\{5n|n\in Z\}$, $V=\{7n|n\in Z\}$，試證 $\{U;+\}$ 與 $\{V;+\}$ 為同構。

解

(1) 找出 f： $f: U \to V$；$f(x)=\dfrac{7}{5}x$, $x\in Z$

(2) 證明 f 為 1–1：

令 $f(x_1)=f(x_2)$，則 $\dfrac{7}{5}x_1=\dfrac{7}{5}x_2$ $\therefore x_1=x_2$

知 f 為 1–1

(3) 證明 f 為映成：

取 $x_2=\dfrac{5}{7}x_1$

$$f(x_2)=f(\frac{5}{7}x_1)=\frac{7}{5}\cdot\frac{5}{7}x_1=x_1$$

$\therefore f$ 為映成

(4) $f(x_1+x_2) \overset{?}{=} f(x_1)+f(x_2)$

$$f(x_1+x_2)=\frac{7}{5}(x_1+x_2)=\frac{7}{5}x_1+\frac{7}{5}x_2=f(x_1)+f(x_2)$$

$\therefore \{U;+\}$ 與 $\{V;+\}$ 為同構。

例 7

設二代數 $<A, \star>$ 與 $<B, \square>$ 為同構。若 $<A, \star>$ 有交換性試證 $<B, \square>$ 滿足交換性。

解

∵ $<A, \star>$，$<B, \square>$為同構 ∴存在一個一對一且映成函數
$f：A \to B$ 使得 B 中任意之 y_1, y_2 在 A 中可以找到 x_1, x_2 滿足
$f(x_1) = y_1, f(x_2) = y_2$

又 $f(x_1 \star x_2) = f(x_1) \square f(x_2) = y_1 \square y_2$

$f(x_2 \star x_1) = f(x_2) \square f(x_1) = y_2 \square y_1$

但已知$<A, \star>$滿足交換性，$x_1 \star x_2 = x_2 \star x_1 \Rightarrow f(x_1 \star x_2) = f(x_2 \star x_1)$

∴ $y_1 \square y_2 = y_2 \square y_1$，即$<B, \square>$有交換性。

作業 10 D
Homework

1. $f: Z^+ \to N$，定義 $f(x)=2^x$, $x \in Z^+$, 試證 f 為 $<Z^+; +>$ 與 $<N; \cdot>$ 之同態映射。

2. $f: R^+ \to R$，定義 $f(x) = \ln x$ ，$x \in R^+$，試證 f 為 $<R^+; \cdot>$ 到 $<R; +>$ 之同態映射。

3. $<R; \cdot>$ 與 $<R^+; \cdot>$ 為二個群，定義 $f: R \to R^+$, $f(x)=|x|$, $x \in R$，試問 f 為一同態映射？

4. 設二個代數系統 $<G, \square>$ 與 $<H, \bigcirc>$ 為同構，若 $<G, \square>$ 滿足結合律，試證 $<H, \bigcirc>$ 亦滿足結合律。

5. 若 $<G_1, \square>$，$<G_2, \star>$ 為二個代數系統且為同構，試證：
   (1) $<G_1, \square>$ 與 $<G_1, \square>$ 為同構，即 $<G_1, \square>$ 滿足反身性。
   (2) 若 $<G_1, \square> \cong <G_2, \star>$ 試證 $<G_2, \star> \cong <G_1, \square>$，即滿足交換性。

MEMO

圖與樹入門

11.1 圖的基本要素

頂點與邊有關之名詞

> **定義**
>
> 設一圖形 $(graph)$ 之所有頂點 $(vertices)$ 所成之集合為 V，$V \neq \phi$，**所有邊**（$edges$ 或 $arcs$）所成之集合為 E，則此圖形可用 $G(V，E)$ 表示。在不混淆之情況下，用 G 表示即可。圖 $G(V，E)$ 之頂點數與邊數分別用 $|V|$、$|E|$ 表之。對有 m 個頂點 n 條邊之圖，以 $G(m,n)$ 表之。

例 1

右圖之 $A，B，C，D$ 都是頂點，$e_1, e_2, \cdots e_6$ 都是邊；則

$V = \{ A，B，C，D \}$，$|V| = 4$；

$E = \{ e_1，e_2，e_4，e_5，e_6 \}$，$|E| = 6$。

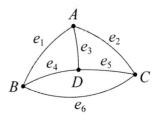

例 2

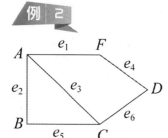

$V = \{ A，B，C，D，F \}$

$E = \{ e_1, e_2, e_3, e_4, e_5, e_6 \}$

　　G 為無向圖，若我們用 (v_1, v_2) 表示連結二頂點 v_1, v_2 的邊，顯然 (v_1, v_2) 與 (v_2, v_1) 均表示同一邊，但 G 為有向圖則 (v_1, v_2) 與 (v_2, v_1) 不同邊。

　　$v_1, v_2 \in V$，若 $(v_1, v_2) \in E$，則稱 v_1, v_2 為**相鄰**(adjacent)。換言之，若兩個頂點有共同的邊，便稱它們為相鄰。

　　在例 2 中，$(B, F) \notin E$　　　　　　　　$\therefore B$，F 不相鄰。

　　在例 2 中，$(D, F) \in E$，（(D,F)即為 e_4）$\therefore D$，F 相鄰。

　　若一頂點 v 為邊 e 之頂點則稱 v 與 e(或 e 與 v)**相接**(incident)。

　　在例 2 中，A 與 F 均為 e_1 之頂點，故 A, F 與 e_1 相接。

　　D 與 A 均不為 e_5 之頂點，故 D 與 A 均不與 e_5 相接。

　　若二個頂點重合於一點的邊，我們稱之為**迴路**(loop)，亦即若 $v \in V$ 則 (v,v) 便成一迴路。

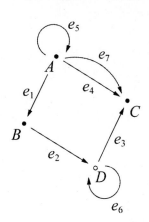

　　左圖之 e_5，e_6 即為迴路。

　　左圖之 e_4，e_7 之頂點均為 A，C，則稱 e_4，e_7 為**平行邊**(parallel edges)。沒有迴路及平行邊之圖形特稱為**簡單圖**(simple graph)。

　　在圖 G 中，以 v 為頂點之邊數稱為頂點 v 之**次數**(degree)，以 $\deg(v)$ 表示。$\deg(v)$ 為偶數時稱 v 為偶頂點，$\deg(v)$ 為奇數時稱 v 為奇頂點。

例 3

在右圖：

$\deg(v_1) = 3$

$\deg(v_2) = \deg(v_3) = \deg(v_6)$
$\qquad = \deg(v_7) \deg(v_8) = 1$

$\deg(v_4) = 2$

$\deg(v_5) = 4$

又 $\deg(v_1) + \deg(v_2) + \cdots + \deg(v_8) = 3 + 1 + 1 + \cdots + 1 + 1 = 14$

例 3 有 7 個邊，$\displaystyle\sum_{i=1}^{7} \deg(v_i) = 14 = 2 \times$ 邊數，下列定理為一般化之結果：

定 理 》

中 $\displaystyle\sum_{i=1}^{n} \deg(v_i) = 2|E|$（亦即，在圖 G 中，所有頂點之次數和恰為其邊數和的 2 倍）。

因為我們計算 $\displaystyle\sum_{i=1}^{n} \deg(v_i)$ 時，每個邊數均被計算 2 次

$\therefore \displaystyle\sum_{i=1}^{n} \deg(v_i) = 2|E|$

定 理 》

$G(V, E)$ 有偶數個（包括 0）奇頂點。

證

令 $V_1 = G(V，E)$ 中之奇頂點所成之集合

$V_2 = G(V，E)$ 中之偶頂點所成之集合

則 $\displaystyle\sum_{v} \deg(v) = \sum_{v_1} \deg(v) + \underbrace{\sum_{v_2} \deg(v)}_{\text{偶數}} = \underbrace{2\left|E(G)\right|}_{\text{偶數}}$

$\therefore \displaystyle\sum_{v_1} \deg(v)$ 必為偶數，又 $\deg(v_i)$ 為奇數($v_i \in V_1$)

故 $\left|V_1\right|$ 為偶數。

定理

若圖 $G = G(V,E)$ 中

$k_1 = \min\left\{\deg(v_1)，\deg(v_2)，\cdots，\deg(v_n)\right\}$，

$k_2 = \max\left\{\deg(v_1)，\deg(v_2)，\cdots，\deg(v_n)\right\}$，則 $k_1 \le 2\dfrac{|E|}{|V|} \le k_2$。

證

$\because \displaystyle\sum_{i=1}^{n} \deg(v_i) = 2|E|$，且 $\deg(v_i) \ge k_1$

$\therefore 2|E| = \displaystyle\sum_{i=1}^{n} \deg(v_i) \ge nk_1 = |V|k_1$

又 $k_2 \ge \dfrac{2|E|}{|V|}$ 見本節作業第 6 題。

$\therefore k_1 \le 2\dfrac{2|E|}{|V|} \le k_2$

基礎離散數學 Discrete
A Short Course in Mathematics

例 4

若圖 G 有 16 條邊，而所有頂點之次數均為 4，問 G 有幾個頂點？

解

設有 n 個頂點

$$\sum_{i=1}^{n} \deg(v_i) = \sum_{i=1}^{n} = 4n = 2 \times 16 = 32$$

$$\therefore n = 8$$

例 5

若 $G=G(V,E)$ 之 $|E| = 41$，所有頂點之次數均 ≥ 3，問 G 之頂點至多有幾個？

解

$$2|E| \geq k|V|$$

$$\therefore 2 \times 41 \geq 3|V| \text{，得} |V| \leq \frac{41 \times 2}{3} = 27.3$$

故 $|V|$ 至多有 27 個。

例 6

設圖形 G 共有 16 個邊，若每個頂點之次數均相同，問圖形 G 可能有之頂點數。

解

$$\sum_{i=1}^{n} \deg(v_i) = 2|E|，n \text{ 為頂點數，又每個 } \deg(v_i) \text{ 都相同，設為 } m。$$

$n \cdot m = 32$ 解之可能組合有五種，即

$\therefore$ ① $m=1$ 時，n=32　② m=2 時，n=16　③ $m=4$ 時，$n=8$

　　④ $m=8$ 時，$n-4$　⑤ $m=16$ 時，n=2

圖形之矩陣表示

圖形之表示(representations of graphs)通常可用矩陣形式表現。基本上，它有二種矩陣表示：

（一）相鄰矩陣—這是顯現二個頂點是否相鄰；

（二）接合矩陣—這是顯現頂點及其鄰邊的關係。

相鄰矩陣(adjacency matrix)A 是個方陣，$A = [a_{ij}]_{nxn}$，$a_{ij}=1$ 時表示第 i 個頂點與第 j 個頂點間有邊相鄰，$a_{ij}=0$ 則表示它們間無邊相鄰，它的運算，與關係矩陣不同之處在於關係矩陣用到布林代數，而相鄰矩陣則是習用之矩陣乘法。

例 6 之相鄰矩陣為

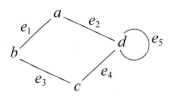

$$A = \begin{array}{c} \\ a \\ b \\ c \\ d \end{array} \begin{array}{c} a \quad b \quad c \quad d \\ \begin{bmatrix} 0 & 1 & 0 & 1 \\ 1 & 0 & 1 & 0 \\ 0 & 1 & 0 & 1 \\ 1 & 0 & 1 & 1 \end{bmatrix} \end{array}$$

在無向圖之相鄰矩陣是一對稱陣（以主對角線為軸兩側元素相同），但可讓我們看出二個頂點間是否有邊相鄰，是否有迴路，但我們無法看出它是否有平行邊，因此它不是表現圖形的一個有效方法。

由各列（或各行）元素加總後可得到該頂點之次數。

$$承上例 \ A^2 = \begin{bmatrix} 0 & 1 & 0 & 1 \\ 1 & 0 & 1 & 0 \\ 0 & 1 & 0 & 1 \\ 1 & 0 & 1 & 1 \end{bmatrix} \begin{bmatrix} 0 & 1 & 0 & 1 \\ 1 & 0 & 1 & 0 \\ 0 & 1 & 0 & 1 \\ 1 & 0 & 1 & 1 \end{bmatrix} = \begin{array}{c} \\ a \\ b \\ c \\ d \end{array} \begin{array}{c} a \quad b \quad c \quad d \\ \begin{bmatrix} 2 & 0 & 2 & 1 \\ 0 & 2 & 0 & 1 \\ 2 & 0 & 2 & 2 \\ 1 & 2 & 1 & 3 \end{bmatrix} \end{array}$$

令人感興趣的是：A^2 之主對角線上之元素恰是各頂點之次數。

定 義

在圖形 $G(V, E)$，我們稱由頂點 x 到頂點 y 之「長度為 n 之邊序列」（*edge sequence of length n*）是下列形式之集合 S：

$S = \left\{ (v_0, v_1), (v_i, v_2) \cdots, (v_{n-1}, v_n) \right\}$ 或

$S = \left\{ v_0 \rightarrow v_1, v_1 \rightarrow v_2, \cdots, v_{n-1} \rightarrow v_n \right\}$，其中 $v_0 = x, v_n = y$。

有了上述定義，我們可證出 A^n 之 a_{ij} 為「頂點 i 到頂點 j 之長度為 n 之邊序列」之個數。換言之，任一點走到其鄰邊接頂點為 1 步的話，那麼 A^n 之 a_{ij} 是指由 i 到 j 為 n 步之走法數。

仍以例 7 說明：

A^2 之 $a_{31}=2$（即 c 走 2 步能到 a 之走法有 2 種：$c{\rightarrow}b{\rightarrow}a$；$c{\rightarrow}d{\rightarrow}a$）

A^2 之 $a_{44}=3$（即 d 走 2 步能回到 d 之走法有 3 種：$d{\rightarrow}a{\rightarrow}d$，$d{\rightarrow}d{\rightarrow}d$；$d{\rightarrow}c{\rightarrow}d$）

接合矩陣(incidence matrix)之列為頂點，行為邊，若 A 為點邊矩陣，點 v_i 與邊 e_j 相鄰，則 $a_{ij}=1$，否則 $a_{ij}=0$，透過點邊矩陣，我們可看出圖 G 是否有平行邊與迴路。

求例 7 之接合矩陣。

解

$$\begin{array}{c} \begin{array}{ccccc} e_1 & e_2 & e_3 & e_4 & e_5 \end{array} \\ \begin{array}{c} a \\ b \\ c \\ d \end{array}\left[\begin{array}{ccccc} 1 & 1 & 0 & 0 & 0 \\ 1 & 0 & 1 & 0 & 0 \\ 0 & 0 & 1 & 1 & 0 \\ 0 & 1 & 0 & 1 & 1 \end{array}\right] \end{array}$$

接合點邊矩陣每列之和恰是該列對應頂點之次數。

接合矩陣在判斷二個圖形是否同構上很有用，我們將在 8-3 節再述。

路徑與迴路

邊 序 列 (edge sequence) $\{(v_0, v_1), (v_1, v_2), (v_2, v_3)\}$ 常 以 $\{v_0, v_1, v_2, v_3\}$ 表之。廣義而言，邊序列 $\{(v_0, v_1), (v_1, v_2)\cdots(v_{n-1}, v_n)\}$ 可簡寫成 $\{v_0, v_1, v_2, \cdots, v_n\}$。

定 義

▸ $G(V, E)$ 為圖，則

(1) **路徑**(path)：給定圖中任意二點，其間經過的邊所成之 敘列 $(u, e_1, e_2, \cdots, e_n, v)$ 即成由頂點 u 到頂點 v 之路徑，此 路徑經過之邊數 n 即為路徑長度。

(2) **簡單路徑**(simple path)：若路徑上之邊都不相同，稱為 簡單路徑。

(3) 若路徑 $(u, e_1, e_2, \cdots, e_n, v)$ 之 $u = v$，則稱此路徑為**迴路** （circuit 或 cycle）。

例 9

根據右圖，指出下列邊序列為迴路還是 簡單路徑？

(1) (b, d, c, b)

(2) (f, e, b, d)

(3) (g, f, b, d, c)

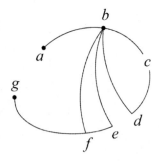

解

(1) b—d—c—b：迴路。

(2) f—e—b—d：簡單路徑。

(3) g—f—b—d—c：簡單路徑。

子圖

定義

▶ $G(V,E)$ 與 $H(W,F)$ 為二個圖，若 $W \subseteq V$，$F \subseteq E$ 則稱 $H(W,F)$
為 $G(V,E)$ 之子圖。

例 10

圖 H 為圖 G 之子圖

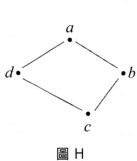

圖 H

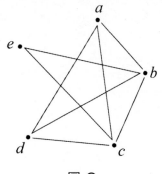

圖 G

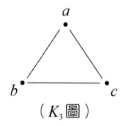

例 11

求 K_3 之所有子圖（至少含一個頂點）

（K_3 圖）

解

K_n 之定義請見 11.2 節。

圖形之聯集

　　有時我們要將兩個圖合併，新的圖要包含原先二個圖之所有頂點與邊，這時，便會用到圖形之聯集運算。

> **定 義**
>
> 二個圖 $G_1(V_1, E_1)$ 與 $G_2(V_2, E_2)$ 均為簡單圖，則 G_1 與 G_2 聯集仍是簡單圖，其頂點集為 $V_1 \cup V_2$，邊集為 $E_1 \cup E_2$，G_1 與 G_2 之聯集記做 $G_1 \cup G_2$

　　當我們在求取二個圖形聯集時，習慣上，二個圖形之相同字母代表同一個頂點，二個邊有相同之頂點（即字母相同時）視為同一邊。

例 12

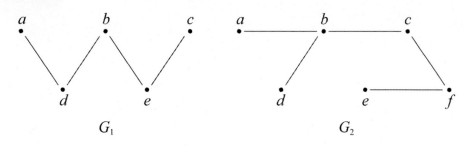

G_1　　　　　　　　　　G_2

則 $G_1 \cup G_2$ 為

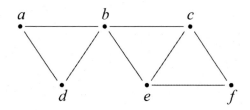

兩個圖 G_1，G_2 除了聯集外，還有交集：

定義：二個圖 $G_1(V_1, E_1), G_2(V_2, E_2)$ 均為簡單圖，則 G_1 與 G_2 之頂點集為 $V_1 \bigcap V_2$，邊集為 $E_1 \bigcap E_2$，G_1 與 G_2 之交集記做 $G_1 \bigcap G_2$

以例 12 為例，$G_1 \bigcap G_2$ 為

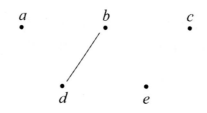

作業 11 A
Homework

1. 試依下列條件繪出圖 $G(V, E)$
   (1) $V=\{a, b, c, d\}$，$E=\{(a, b) (a, c) (b, d) (c, d)\}$
   (2) $V=\{a, b, c, d, e\}$
   $E=\{(a, b)，(a, c)，(a, e)，(b, d)，(d, d)，(c, e)\}$

2. 試舉例說明一個圖 G 有二邊相交，但交點不為頂點。又是否存在一個頂點，但沒有邊交到該點。

3. 試說明何以下列圖形 G 之邊敘列不存在？（假設 G 為無迴路）
   (1) (1, 3, 2, 1, 4)
   (2) (1, 3, 2, 5, 3)

4. 試繪一圖，使頂點之度數為(2, 2, 2, 2, 2, 2)。

5. 試據下列條件繪出適當圖形（愈簡單愈好）：
   (1) 所有頂點均為偶頂點。
   (2) 所有頂點均為奇頂點。
   (3) 恰有 1 個偶頂點。
   (4) 恰有 1 個奇頂點。

6. 圖 $G=G(V, E)$，令 $k = \max\{\deg(v_1),\ \deg(v_2)\cdots,\ \deg(v_n)\}$，試證 $k|V| \geq 2|E|$。

7. 圖 G 有 23 個邊，且每個頂點之次數都≥3，問圖 G 至多有幾個頂點？（參考例 5）

8. 求下列圖形之頂點數。

(1) 14 條邊，且每個頂點之次數均為 2。

(2) 18 個邊，且有 7 個頂點之次數為 3，其餘頂點之次數均為 5，則 $|V| = ?$

9. 試求下列圖 G 之(1)相鄰矩陣 A 與(2)接合矩陣 B，(3) A^2，(4) A^2 之 a_{44} 之意義。

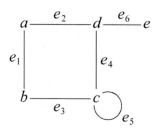

10. 若一圖形之相鄰矩陣如下，試繪其圖。

$$
\begin{array}{c}
 \\
v_1 \\
v_2 \\
v_3 \\
v_4 \\
v_5
\end{array}
\begin{array}{c}
\begin{matrix} v_1 & v_2 & v_3 & v_4 & v_5 \end{matrix} \\
\begin{bmatrix}
1 & 0 & 0 & 1 & 0 \\
0 & 1 & 1 & 0 & 1 \\
0 & 1 & 0 & 1 & 1 \\
1 & 0 & 1 & 0 & 0 \\
0 & 1 & 1 & 0 & 0
\end{bmatrix}
\end{array}
$$

11. 是否存在一個相鄰矩陣為零方陣？

12. 若 A 為表無向圖 $G(V,E)$ 之相鄰矩陣，試證 A^n，$n \in Z^+$ 為對稱陣。

13. 試繪出下圖之所有子圖。

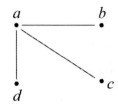

14. 給定 G_1，G_2 如下圖，試繪 $G_1 \bigcup G_2$，$G_1 \bigcap G_2$。

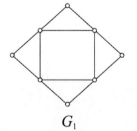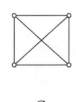

$$G_1 \qquad\qquad\qquad G_2$$

15. 承上題，$G_1 = G(U_1, V_1)$，$G_2 = G(U_2, V_2)$，定義

$$G_1 - G_2 = G(V_1 - V_2, E_1 - E_2)$$

$$G_1 \oplus G_2 = (G_1 \bigcup G_2) - (G_1 \bigcap G_2)$$

試繪 $G_1 - G_2$ 與 $G_1 \oplus G_2$ 之圖。

11.2 簡單圖與完全圖

簡單圖

> **定義**
>
> 若兩頂點間之邊數不多於 1 條,且無迴路之圖,我們稱之為**簡單圖**(simple graph)。換言之,簡單圖無迴路,且無平行邊。

例 1

右圖因 v_1,v_2 間有 2 個邊連結,故不為簡單圖。

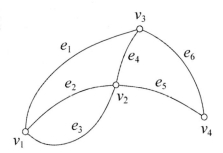

例 2

問右圖是否為簡單圖?

解

顯然是簡單圖。

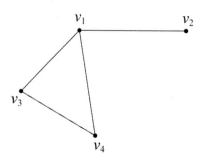

完全圖

> **定義**
>
> 圖形 $G(V，E)$ 之 $|V| = n$，若 $G(V，E)$ 之每一個頂點與其他頂點均恰有 1 個邊相鄰，則稱此圖形 $G(V，E)$ 為 **完全圖**(complete graph)。$G(V，E)$ 為 n 個頂點之**完全圖**(complete graph on nvertices)以 K_n 表之。

依定義在完全圖中顯然不能有迴路與平行邊之情況。

例 3

列舉 K_1 至 K_5 之完全圖。

解

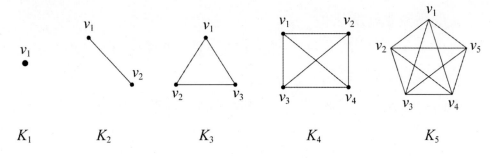

K_1　　　K_2　　　K_3　　　K_4　　　K_5

K_4 亦可有下列之表現法：

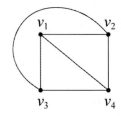

例 4

試求 K_n 之邊數。

解

K_n 有 n 個頂點,每個頂點間均恰有 1 個邊(即無迴路平行邊)

$\therefore K_n$ 有 $\binom{n}{2}$ 個邊。

圖形理論之證明通常是很特殊的,我們以例 5 為例說明之。

例 5

試證 K_n 之每個頂點之次數為 $n-1$。

解

應用數學歸納法:

(1) $n=1$時:K_1為單一頂點,沒有邊,即有$1-1=0$個邊,故在 $n=1$時成立。

(2) $n=p$時:設 K_p 之 n 個頂點的每一頂點次數均為 $p-1$
即 $\deg(v_i)=p-1$,$i=1,2\cdots p$

(3) $n=p+1$時:K_p 之每個頂點之 $\deg(v_i)=p-1$,K_{p+1} 與 K_p 相較下多了一個頂點,為了滿足完全圖之條件,這個新加入頂點必須與其他所有頂點都有邊相鄰,而必須有 p 個邊,即 $(p-1)+1=p$。

$\therefore$ 當 n 為任一自然數,K_n 之每個頂點之次數均為 $n-1$。

例 6

若 $G = G(V \cdot E)$ 為簡單圖，試證 $|E| \leq \begin{pmatrix} n \\ 2 \end{pmatrix}$　$n = |V|$。

解

若 $G = G(V \cdot E)$ 為 V_n 完全圖則因所有頂點均為兩個相鄰，因此 K_n 之邊數為 $\begin{pmatrix} n \\ 2 \end{pmatrix}$，又 n 個頂點之簡單圖之邊數必少於 K_n 之邊數 $|E|$

$\therefore |E| \leq \begin{pmatrix} n \\ 2 \end{pmatrix}$

雙分圖

定 義

若一圖 $G(V \cdot E)$，其中 $V = V_1 \cup V_2$，$V_1 \cap V_2 = \phi$（即 $V_1 \cdot V_2$ 為互斥），使得每一邊的一頂點在 V_1，另一頂點在 V_2，則稱 G 為**雙分圖**(bipartite)。
若一雙分圖中，V_1 之每一點均與 V_2 之每一點有邊相連，則稱此雙分圖為**完全雙分圖**(complete bipartite graph)，設 $|V_1| = m$，$|V_2| = n$ 時之完全雙分圖以 $K_{m \cdot n}$ 表示。

由定義，V_1 內所有頂點均不連接，V_2 亦然。

基礎離散數學 Discrete
A Short Course in **Mathematics**

 7

試繪 $K_{2,3}$ ， $K_{3,3}$ 。

💡 **解**

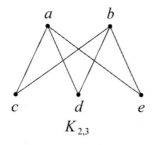

$K_{2,3}$

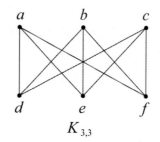

$K_{3,3}$

$V_1 = \{a, b\}$ ， $V_2 = \{c, d, e\}$ $V_1 = \{a, b, c\}$ ， $V_2 = \{d, e, f\}$

故 $K_{2,3}$ ， $K_{3,3}$ 均為雙分圖。

例 **8**

判斷下圖是否為雙分圖？

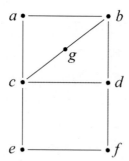

💡解

在判斷圖 G 是否為雙分圖之一個要領是能把 G 內之頂點分成二組,使得組內項點均不相鄰。

$V_1 = \{a, d, e, g\}$

$V_2 = \{b, c, f\}$,依題給圖形重建如下:

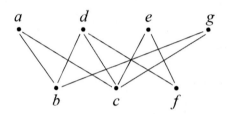

例 7 之 $K_{2,3}$ 與 $K_{3,3}$ 均為完全雙分圖,而例 8 之圖不是完全雙分圖。

補 圖

定義

圖 G 為一不完全圖,若存在一個圖 G' 使得 G 與 G' 有相同之頂點,且 G' 之邊集合是為使 G 成為完全圖增加的邊所成之集合,則稱 G' 為 G 之補圖。

例 9

圖 G 是完全圖，若畫了虛線後，便成為完全圖，G′ 便為圖 G 之補圖。

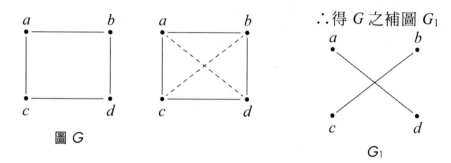

圖 G
∴得 G 之補圖 G_1
G_1

圖的連通性

圖 G 之二個頂點 u,v 間存在一條邊相鄰，我們稱 u,v 為連通 (connect)。若圖之任意二點均為連通，我們便稱 G 為一連通圖。

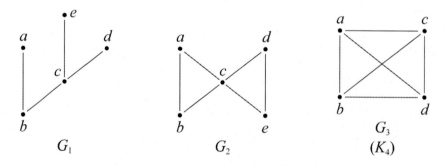

G_1 G_2 G_3 (K_4)

上面 3 個都是連通圖，但它們在連通上之特質均不同：

G_1：只要刪除任一邊，或者刪除點 b 或 c，G_1 便不為連通。

G_2：刪除 c 點，或者二個邊（如 (a,b)，(d,e)）G_2 便不連通了。

G_3：刪除二個以上之頂點，或邊，G_3 便不連通。

作業 11 B
Homework

1. 求右圖之接合矩陣。

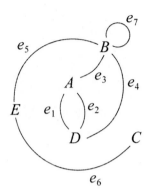

2. 圖形 $G(V,E)$ 之每一頂點次數均為 p 時，稱此圖形為 p 一正則圖(p-regular graph)，試繪 $p=1$，2，3 時之正則圖，又 $p=0$ 是否可能？

3. 試證 K_p 為 $(p-1)$ 正則圖。

4. 求(1) K_5 之相鄰矩陣 A　(2) $A^2 = ?$
(3)描述 A^2 中 a_{22} 之意義。

5. 3-正則圖有 18 條邊，試求頂點數。

6. $K_{m,n}$ 有幾個邊？

7. 是否存在一個 4-正則圖有 10 個邊？若是求 $|V|$ 及可能圖形。

8. 求下圖之補圖。

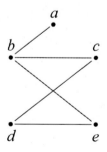

9. 設 $G(m,n)$ 為雙分圖，試證 $m \le \dfrac{n^2}{4}$

11.3 平面圖與著色數問題

平面圖

> **定義**
>
> 若圖 G 能繪在一個平面上，除了頂點外無相交之邊則稱圖 G 為**平面圖**(plannar graph)

　　像圖(a)是平面圖，這是無庸置疑的，在圖(b)，若我們將圖(b)之邊 $\widehat{ad}$ 稍微變形成圖(b′)，這時我們看出圖(b′)為平面圖。

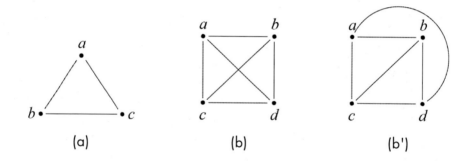

(a)　　　　　　　(b)　　　　　　　(b′)

　　因此，在判斷圖 G 是否為平面圖時，應儘可能地設法將原相交之線條作一「調整」

　　判斷下圖是否為平面圖？

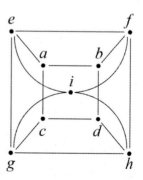

解

把頂點 i 拉到外面，從而邊 (e,i)，(f,i) 也到外面，同時連結邊 (g,i) 與 (h,i)

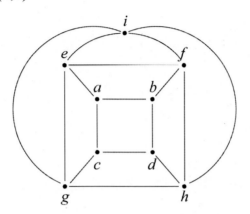

例 2

判斷下圖為一平面圖？

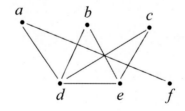

解

∴為平面圖。

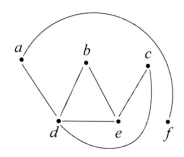

由上述方法判斷一個圖形 G 是否為平面圖並非科學之方法，我們可用下列定理：

定理

（Euler 方式）設 G 為一連通之簡單平面圖，若 G 有 v 個頂點，e 個邊（接線）與 r 個區域，則 $r-e+v=2$。

我們不證明 Euler 公式，但我們要對它有一些了解：

1. Euler 公式之 $r-e+v=2$ 是圖 G 為平面圖之充分條件而非必要條件，換言之，即使圖 G 滿足 $r-e+v=2$，它仍可能是「非平面圖」(non-plannar graph)，因此，Euler 公式可供我們判斷那些圖是非平面圖。若圖 G 之 $r-e+v \neq 2$，則 G 不為平面圖。

2. 我們舉例說明 Euler 公式：

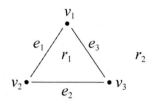

在左圖 $v=3, e=3, r=2$ 讀者應注意 Euler 公式之區域 r 包括封閉區域亦包括封閉區域外之無限區域。

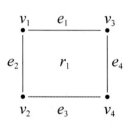

左圖 $v=4, e=4, r=2$

例 3

若一連通之平面圖有 16 個頂點，每個頂點之度數均為 3，問此平面圖有幾個區域？

解

$v=15, 2e=3 \times 16=48 \quad \therefore e=24$

由 Euler 公式 $r-e+v=r-24+15=2 \quad \therefore r=11$

在上例中之每個邊都被重複計算 2 次，因此，頂點之總度數需除 2，讀者應特別留意。

定理

G 為一連通之簡單平面圖，若 G 之頂點 $v \geq 3$，邊數為 e，則 $3v - 6 \geq e$

證

每一區域至少由 3 條邊所圍成，現有 r 個區域故圖 G 邊數總和 N 至少有 $3r$ 條，即 $N \geq 3r$，又每個邊至多落在二個區域之邊界上，故 $N \leq 2e$（可由右圖示意理解）

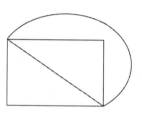

$$\therefore 2e \geq 3r，即 e \geq \frac{3}{2}r \quad 或 \quad r \geq \frac{2}{3}e$$

又由 Euler 公式

$$r + v - e \geq \frac{2}{3}e + v - e = v - \frac{1}{3}e$$

即 $2 \geq v - \frac{1}{3}e$，即 $3v - 6 \geq e$

由上一定理可知，若 $3v - 6 < e$ 時必不為平面圖。

例 4

試證明 K_5 不是平面圖

解

K_5 中 $v = 5$，$e = \begin{pmatrix} 5 \\ 2 \end{pmatrix} = 10$，$3v - 6 = 9 < 10$

$\therefore K_5$ 不是平面圖

定理 ▶▶

G 為一連通之簡單平面圖，若每個區域均至少含 4 條邊，則 $2e \geq 4r$。

證

每一區域至少有 4 個邊所圍成，現有 r 個區域故圖 G 邊數總和 N 至少有 $4r$ 條，即 $N \geq 4r$，又每邊至多落在二個區域之邊界上故 $N \leq 2e$

$\therefore 2e \geq 4r$

定理 ▶▶

G 為連通之簡單平面圖，則 G 至少有一點 v_i，$\deg(v_i) \leq 5$。

 證

利用反證法：

設 $\deg(v) \geq 6$　令 $|v| = n$，則

$\sum_{i=1}^{n} \deg(v_1) \geq \sum_{i=1}^{n} 6 = 6n$　$\because 2e \geq 6n$　$\therefore e \geq 3n$

又　$e \le 3v-6 \Rightarrow 3n-6 \ge 3n \Rightarrow -6 \ge 0$（矛盾）

$\therefore$ 圖 G 至少有一點 $\deg(v_i) \le 5$

例 5

K_6 為非平面圖

解

$\because K_6$ 之每個頂點之度數均為 6，即不存在一個頂點其次數小於 5 $\therefore K_6$ 為非平面圖。

著色問題

著色問題(coloration)與平面圖有密切關係，典型之著色問題是「如何用最少之不同顏色能將地圖繪出，以使相鄰國家之顏色不同」，因為地圖都是針對區域去著色，但利用對偶圖之觀念，我們將對地圖區域著色轉換成對頂點著色，這對著色問題很有幫助。

定義

簡單圖形之著色(coloring)是對圖形不同頂點預以配置顏色，以最少之著色數(chromatic number)使得相鄰頂點之顏色不同，圖 G 之著色圖以 $x(G)$ 表示。

例 6

求下列圖形之著色數

(a)
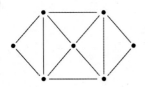

(b)
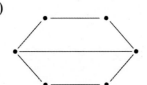

(c) $K_{3,2}$

解

(a)
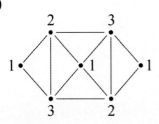

$x(G) = 3$

(b)
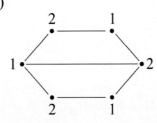

$x(G) = 2$

(c)
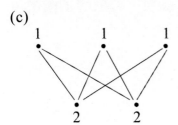

$\therefore x(K_{3,2}) = 2$

求 $x(K_5)$

 解

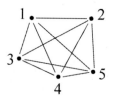

$x(K_5) = 5$

Welsh-Powell 演算法

　　Welsh-Powell 演算法(Welsh-Powell Algorithm)在本質上是貪婪式演算法(greedy Algorithm)的一種。這種演算法是從某一起點開始,不斷的改進解答,直到無法改進為止,是一種尋找最佳解的方法。

　　Welsh-Powell 演算法之做法是:首先把圖上每個點,依照其度數由大到小排序,然後一一塗色。由度數最大的頂點優先塗第一種顏色,並在不相鄰的頂點塗上相同之顏色,若牴觸了已塗色的點,就換下一種顏色,直到顏色不牴觸為止。

　　這個演算法不保證著色數最小。

用 Welsh-Powell 演算法對下列地圖著色

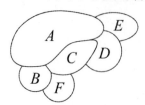

解

首先作成關係圖

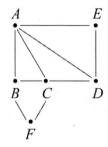

頂點	度數	著色		
		第一次	第二次	第三次
A	4	1		
D	3		2	
B	3		2	
C	3			3
E	2			3
F	2	1		

$\therefore x(G) = 3$

在上例著色之 1, 2, 3 是表示不同之顏色

用 Welsh-Powell 演算法進行著色

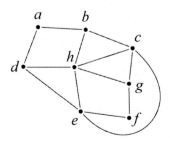

解

因已成關係圖形式，我們可直接列表演算：

頂點	度數	著色		
		第一次	第二次	第三次
h	5	1		
e	4		2	
c	4			3
b	3		2	
d	3			3
g	3		2	
a	2	1		
f	2	1		

$\therefore x(G) = 3$

作業 11 C
Homework

1. 求下列各圖之著色數

(1)

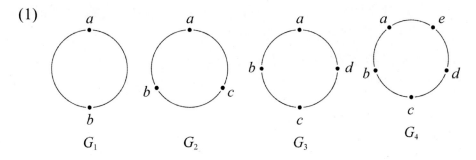

G_1　　　　G_2　　　　G_3　　　　G_4

(2) 由(1)之結果你是否能得到有關「一圓上有 n 個頂點」。其著色數之規則？

2. 用 Welsh-Powell 演算法求 Petersen 圖之著色數。

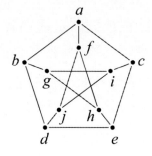

11.4 Euler 圖與 Hamilton 圖

在圖學理論中，一筆劃問題始終令人有興趣，所謂一筆劃是指「在鉛筆不離紙之情況下能描完圖形，但圖上之每一個邊都只能描一次，不能重複。」一筆劃問題是圖學中之古老問題，Euler、Hamilton 二數學家在此方面有重要啟蒙之著作。

Euler 圖

定義

> 圖 $G(V, E)$ 中若存在一條經過 G 之每一邊一次且僅有一次之路徑則稱此路徑為 Euler 路徑(Euler path)，Euler 路徑為一迴路者稱為 Euler 迴路(Euler circuit)。若圖 G 有 Euler 路徑則稱圖 G 為**圖遍歷**(traversable)，亦即可「一筆劃」。

根據定義，Euler 路徑或迴路是通過圖 G 之每一邊一次且恰有一次，且通過每個結點，結點可能重複。

不論 G 為 Euler 路徑或 Euler 迴路，都表示 G 具有圖遍歷性，也就是俗稱之一筆劃。

大約在 1736 年，Euler 對所謂一筆劃，即一圖形內是否有 Euler 路徑，已有下列重要結果，本書假設 G 為無向圖：

1. 若且惟若 G 為連通圖且無奇頂點。

2. 若一圖形中恰有 2 個奇頂點時，則它含有 Euler 路徑。如果我們由其中一奇頂點為起點，那麼必以另一奇頂點為終點。例 1 之 a, b 即是。

如果圖形中有奇頂點但奇頂點數不為 2 者必不為 Euler 圖。

3. 若一圖形中都是偶頂點,則它有 Euler 迴路,即由其中任一頂
點作起點,終點亦為該點。

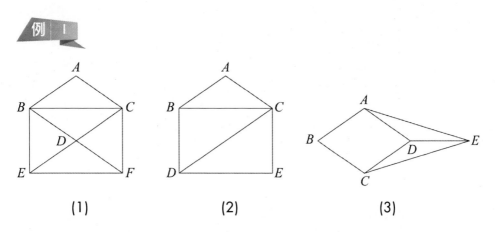

(1)　　　　　　　　　(2)　　　　　　　　　(3)

上列三圖何者有 Euler 迴路? Euler 路徑? 一筆劃?

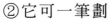 解

(1) ①圖(1)中,E,F 為二奇頂點,餘
均為偶頂點

∴ G 有 Euler 路徑,其徑過頂點
之序列為 $E-B-A-C-B-D$
$-E-F-D-C-F$

G 無 Euler 迴路。

②它可一筆劃

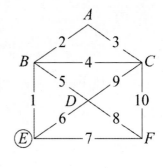

(2) ①圖(2)中 B，D 為二奇頂點，餘均

　　為偶頂點 　∴　G 有 Euler 路徑

　　其經過頂點之敘列為

　　$D - B - A - C - E - D - C - B$

　　G 無 Euler 迴路

　②它可一筆劃

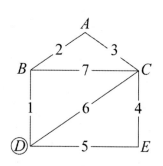

(3) ①圖(3)A，C，D，E 均為奇頂點，

　　∴ G 既無 Euler 路徑亦無 Euler 迴路

　②不可一筆劃

例 2

是否有 Euler 路徑？Euler 迴路？

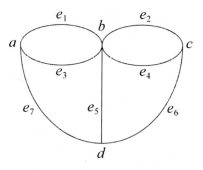

解

∵所有頂點均為奇頂點

∴無 Euler 迴路，亦無 Euler 路徑

例 3

問下圖是否有 Euler 迴路？若有並求其中一條迴路。

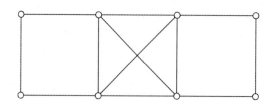

💡 解

因每個頂點均為偶頂點

∴有 Euler 迴路，其中一條迴路是：$v_2 \to v_4 \to v_6 \to v_8 \to v_7$ $\to v_5 \to v_6 \to v_3 \to v_4 \to v_5 \to v_3 \to v_1 \to v_2$。

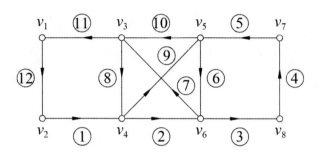

Hamilton 圖

定義

圖 $G(V, E)$ 中若存在一條經過 G 之每一頂點一次且僅一次之路徑則稱此路徑為 **Hamilton 路徑**(Hamiltonian path)，**Hamilton 迴路**(Hamiltonian circuit)是除了第一個頂點外，經過每一個頂點恰好一次之迴路。

Hamilton 迴路之判斷不若 Euler 迴路那麼有規則可循，在判斷上較為困難，因此我們舉了一些例子供讀者體認。圖 G 若有 Hamilton 路徑或迴路時，我們稱之為 Hamiltonian。

例 4

由下圖(1)，我們找到一條迴路 $a-b-d-e-c-a$ 通過圖 G_1 之每一頂點。

∴ G_1 為 Hamilton 迴路。

圖 (2) 是在圖 (1) 加了一些邊，造成 K_5 仍不損其 G_1 為 Hamiltonian 之結果，G_2 有 Hamilton 迴路，故為 Hamiltonian。

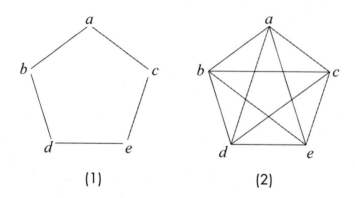

(1)   (2)

例 5

根據下圖，判斷何者為 Hamiltonian？

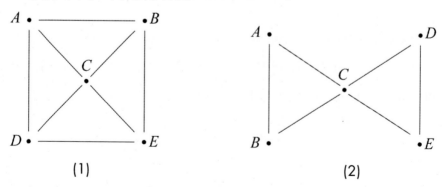

(1)   (2)

解

(1) Hamilton 迴路：

$A - B - C - E - D - A$，路徑順序如右。

(2) 顯然無法找到一個 Hamilton 路徑或迴路，故不為 Hamiltonian。

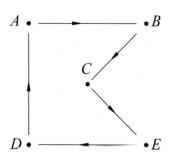

例 6

問右圖是否為 Hamiltonian？

解

存在 Hamilton 迴路：

$F - C - A - B - E - D - G - F$。

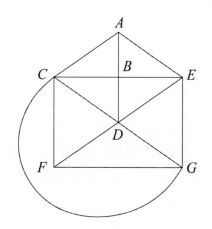

Hamilton 圖之一些定理

定理

$G(V, E)$ 為一簡單圖，$|V| \geq 3$，$\deg(v_i) \geq \dfrac{|V|}{2}$，$v_i$ in G，則 G 為 Hamiltonian。

這個定理只能說滿足 $|V| \geq 3$ 且 $\deg(v_i) \geq \dfrac{|V|}{2}$ ， $\forall \ v_i \ in \ G$ ，是 G 為 Hamiltonian 之充分條件，但由上述定理推易知 $n \geq 3$ 時 K_n 為 Hamilton 。

作業 11 D
Homework

1. 問(1)右圖是否含有 Euler 路
　 徑？
　　(2)若自任一頂點為起點，
　　　是否最後可回到該起點？

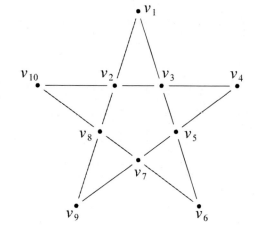

　　判斷 2.～3.是否有 Euler 迴路？Euler 路徑？

2.
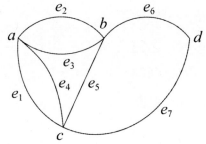

3.
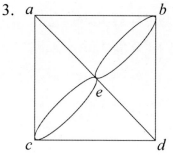

4. 問下圖(1)(2)是否可一筆劃？

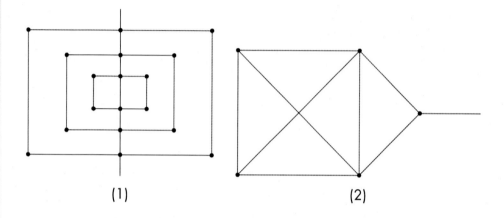

(1)　　　　　　　　　　　　　　　(2)

5. G 為一連通圖，根據下列條件各給一個圖：

(1)　G 有 Euler 迴路，也有 Hamilton 迴路

(2)　G 有 Euler 迴路，但無 Hamilton 迴路

(3)　G 無 Euler 迴路，但有 Hamilton 迴路

(4)　G 無 Euler 迴路，也無 Hamilton 迴路

6. 下列各圖何者可一筆劃？

(1)

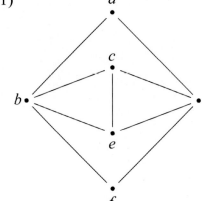

(2)

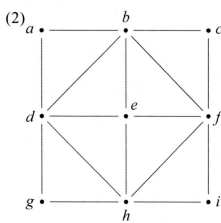

7. 問右圖是否為 Hamiltonian？

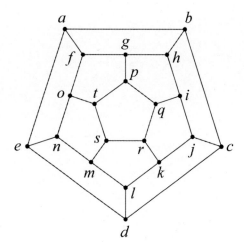

8. 問右圖是否為 Hamiltonian？

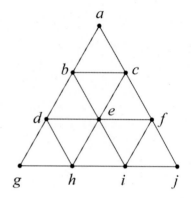

11.5　同　構

　　圖 $G = (V,\ E)$ 之圖形的結點位置和連線的曲直長短可任意選擇，使得圖 G 之圖形表示不是唯一的，但是它們所描述的圖之實質上卻是相同的。

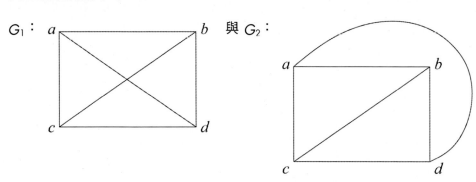

G_1：　a　　　　　　b　與 G_2：

　　如 G_1 與 G_2 之頂點與鄰邊間有一對一與映成關係，研究 G_1 性質也往往可從 G_2 得到解答，因此我們對此便有討論之動機。

定　義

$G_1(V_1,E_1)$，$G_2(V_2,E_2)$ 為二個無向圖形存在一個一對一且映成之函數 g，$g:V_1 \to V_2$，$e = (v_1, v_2)$ 為 G_1 之一條邊，若且惟若 $e' = g(v_i)$，$g(v_j)$ 是 G_2 之一條邊則 G_1 與 G_2 為 **同 構** (isomorphism)。

　　證明或判斷兩個圖形是否同構是蠻麻煩的事，一個直接之方法是看 2 個圖形：

- 頂點數是否相同？頂點數即便相同時還需考慮比較二圖對應頂點之次數是否相同？
- 邊數是否相同？
- 迴路情況是否相同？

2 個圖形 $G_1(V_1，E_1)$，$G_2(V_2，E_2)$ 滿足上述情況未必同構，但不滿足上列情況之一者必不為同構。

G_1：

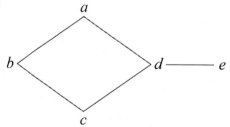

G_2：

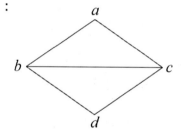

解

G_1：有 5 個頂點，G_2：有 4 個頂點

∵ G_1，G_2 之頂點數不相等

∴ G_1，G_2 不同構

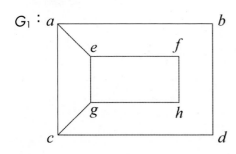 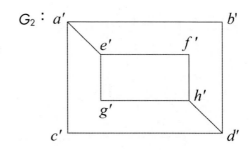

解

G_1，G_2 有相同之邊數，頂點數，但 G_1 有 3 條長度為 4 之迴路

（$a \to b \to d \to c \to a$，$a \to e \to g \to c \to a$，$e \to f \to h \to g \to e$）

但 G_2 只有 2 條長度為 4 之迴路

（$a' \to b' \to d' \to c' \to a'$，$e' \to f' \to h' \to g' \to e'$）

$\therefore G_1$，G_2 不同構。

1. 研判下列圖形是否同構？

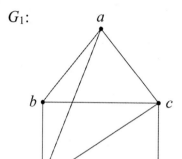

G_1: a
b c
d e

G_2: a'
b' c'
d' e'

2.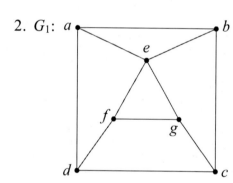

G_1: a b
e
f g
d c

G_2: a' b'
e'
f' g'
d' c'

3.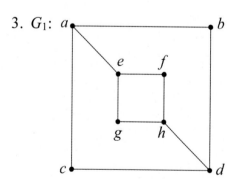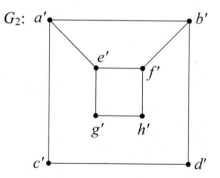

G_1: a b
e f
g h
c d

G_2: a' b'
e' f'
g' h'
c' d'

4. G_1:　　　　　　　　　　G_2:

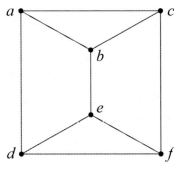 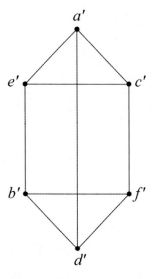

下題是應用一種較特殊之方法來判斷兩個圖形是否同構？

5. G_1:　　　　　　　　　　G_2:

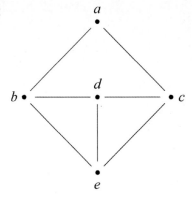 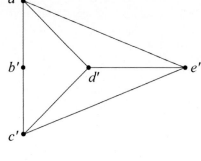

（提示：將二個次數為 2 之頂點 a, b' 除去後，比較其餘圖形）

6. 試繪出 K_3 之不同構子圖

11.6 樹基本名詞

　　在圖 G 中若兩點 a、b 間存在一條通路則稱 a、b 為連通，圖 G 中若任意兩點都是連通則我們稱圖 G 為連通圖。一個連通的且沒有任何迴路，則稱為**樹**(tree)，通常以 T 表示。若不考慮邊的方向，這種樹稱為**無向樹**(undirected tree)否則為**有向樹**(directed tree)

　　樹中之頂點為**特定**(designated)時，我們稱該點為**根**(root)，有根的樹稱為**有根樹**(rooted tree)。

　　出數(outdegree)為 0 之頂點稱為**樹葉**(leaf)，樹葉外之其他頂點為**分枝**(branch nodes)，**入數**(indegree)為 0 者為根，簡單地說，進入 a 點之邊數為 a 之入數，由 a 去到其他頂點之邊數為 a 之出數。

　　從根到頂點 v 所經之邊數是頂點 v 之**階**（level 或 height）。

例 1

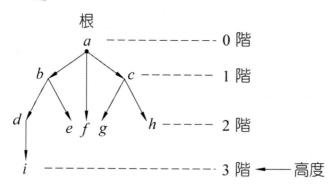

(1) 上面之樹的根為 a，共有 3 階。

(2) 在 1 階之頂點有 b，c。
　　有 2 階之頂點有 d，e，f，g，h。

(3) 頂點 b 之入數為 1。

(4) 本樹有 9 個頂點，8 個邊。

　　事實上，一個樹之頂點數 $|V|$ 與邊數 $|E|$ 有 $|V|=1+|E|$ 之關係，如下列定理所述：

定 理

▶　$G(V，E)$ 為一連通圖，若 G 為一樹，則 $|V|=1+|E|$ 之關係。

例 2

　　驗證下圖之 $|V|=1+|E|$。

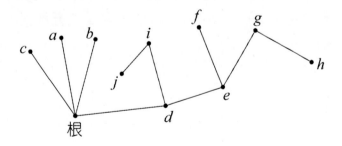

解

上圖之 $|V|=11$，$|E|=10$ $\therefore |V|=|E|+1$

G 為一個有根樹，若有邊 $a{\to}b$，則 a 稱為 b 之**父**(father)或**父母**(parent)，b 為 a 之**子**(son)或**子女**(child)，若點 a 有 $a{\to}b$，$a{\to}c$ 之二個邊，則 b、c 互為**兄弟**(brother)，a 為 b、c 之父母，若從頂點 a 有一條邊可通到頂點 c，則 a 是 c 之**祖先**(ancestor)，c 為 a 之**後代**(descendant)。讀者可把上述關係試想成族譜。例 1 中，b 為 d、e 之父母，d、e 互為兄弟，i 為 d 之子女。

二元樹

定義

(1) 若一有根樹之每一頂點之出數均小於等於 m，則稱此有根樹為一個 **m 元樹**(*m-arry tree*)。

(2) $m=2$ 的 m 元樹特稱為**二元樹**(*binary tree*)。有 2^n-1 個頂點且階數為 n 之二元樹，特稱為**全足二元樹**(*full binary tree*)。

例 3

下左圖為一階數為 2 之全足二元樹，但下右圖不為全足之二元樹。

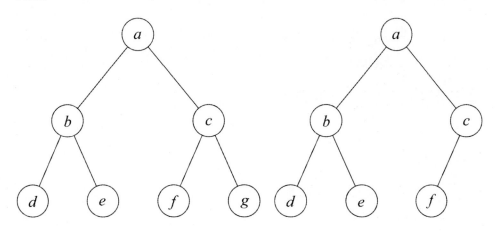

例 4

T 為一之二元樹，有 100 個頂點，問它的階數最多是多少？

解

因為二元樹每一個頂點之出數 ≤2，最大階數為發生在右圖之情況

∴最大階數為 99。

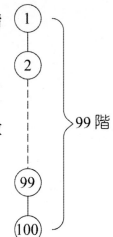

二元樹之化法

我們可循下列步驟將任一樹化成二元樹。

第一步： 將屬於同一父母之同一階的頂點以虛線連起來。

第二步： 將父母至第一頂點連結外；並去掉同一父母至其他頂點之線段。

第三步： 連結同一父母間一階之頂點。

例 5

將下列之樹化成二元樹

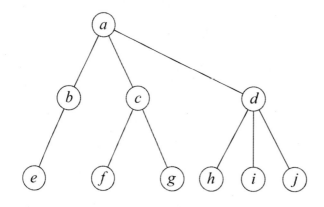

解

第一步

第二步

第三步

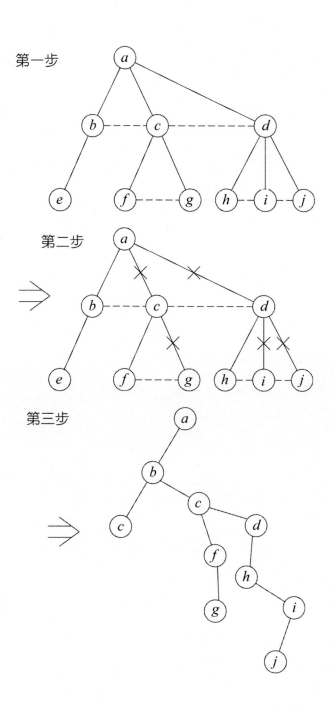

例 6

將右圖化成二元樹。

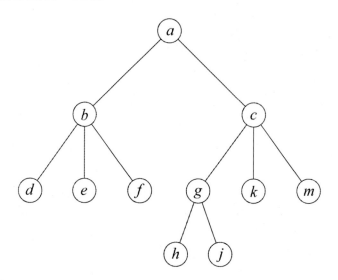

解

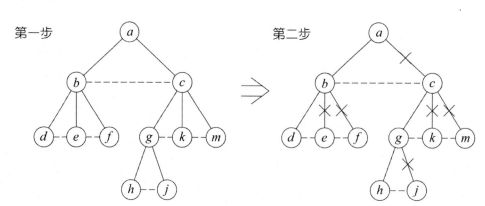

第三步

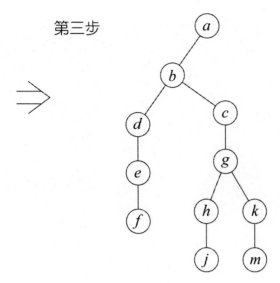

作業 11 F
Homework

1. (1) 根是？

   (2) 哪些頂點是樹葉？

   (3) m 之父是什麼？

   (4) c 之後代是什麼？

   (5) r 之兄弟是什麼？

   (6) g 所在之階數是什麼？

   (7) 哪些頂點之階數為 4？

   (8) 樹之階數？

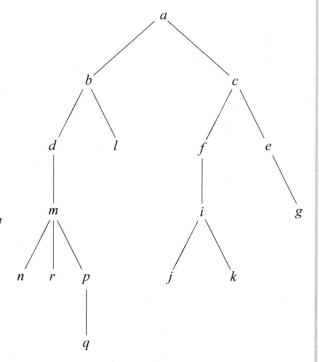

2. (1) 試說根是什麼？

   (2) 哪些頂點是樹葉？

   (3) g 之父是什麼？

   (4) g 之後代是什麼？

   (5) g 之兄弟是什麼？

   (6) b 之兄弟是什麼？

   (7) c 之後代是什麼？

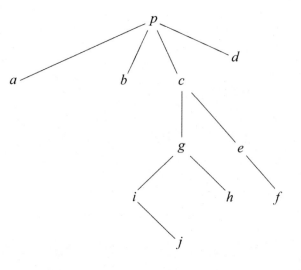

3. 化下列三元樹為二元樹。

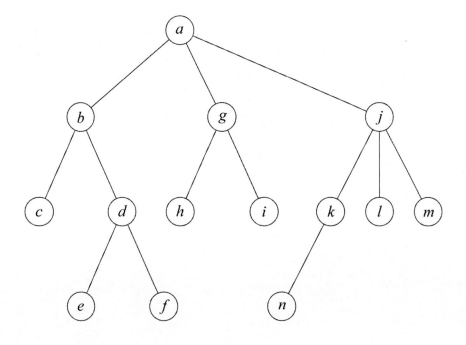

4. 化下列樹為二元樹。

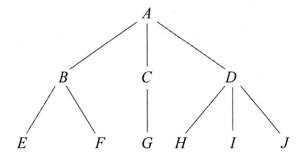

5. 判斷下列哪個圖形是樹？

(1)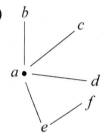

(2)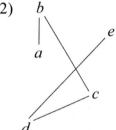

(3)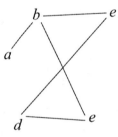

(4)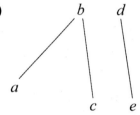

題　解（部分）

基礎離散數學
A Short Course in **Discrete Mathematics**

| Chapter 01 |

1A

1.

p	q	$p \vee (\sim p \wedge q)$
T	T	T F F
T	F	T F F
F	T	T T T
F	F	F T F

↑

2.

p	$\sim$	$[\sim (\sim p)]$
T	F	T F
F	T	F T

↑

3.

p	q	$\sim[p \vee (\sim q \wedge p)]$
T	T	F T F F
T	F	F T T T
F	T	T F F F
F	F	F T T F

↑

4.

p	q	$\sim$	$[\sim p \wedge \sim(p \wedge \sim q)]$
T	T	T	F F T F F
T	F	T	F F F T T
F	T	F	T T T F F
F	F	F	T T T F T

↑

5. (1) F (2) T (3) T

6. (1) $(p \vee q) \wedge (\sim p \vee q) \wedge (p \vee \sim q)$

   (2) $(p \vee q \wedge T) \wedge (\sim p \wedge q) \wedge (F \vee p)$

7. (1)

p	q	$p \vee (p \oplus q)$
T	T	T F
F	T	T T
T	F	T T
F	F	F F

(2)

q	p	$\sim p \oplus (p \oplus \sim q)$
T	T	F T T F
F	T	T T F F
T	F	F F F T
F	F	T F T T

8. (1),(2),(5)為真，其餘為偽。

1B

1. (1) $p \wedge (p \rightarrow q) \rightarrow q$

$\equiv [p \wedge (\sim p \vee q)] \rightarrow q$

$\equiv \sim [(p \wedge \sim p) \vee (p \wedge q)] \vee q$

$\equiv \sim [p \wedge q] \vee q$

$\equiv [\sim p \vee \sim q] \vee q$

$\equiv \sim p \vee (\sim q \vee q)$

$\equiv \sim p \vee T$

$\equiv T$（真值表法部分從略）

(2) $\sim p \rightarrow (p \rightarrow q)$

$\equiv \sim (\sim p) \vee (\sim p \vee q)$

$\equiv p \vee (\sim p \vee q)$

$\equiv (p \vee \sim p) \vee q$

$\equiv T \vee q$

$\equiv T$

2. (1) $p \vee q \rightarrow r$　(2) $r \rightarrow q$　(3) $z \rightarrow p$　(4) $\sim q \rightarrow \sim r$

3. (1)

p	q	r	$(p \rightarrow q) \wedge (r \rightarrow q)$			$(p \vee r) \rightarrow q$	
T	T	T	T	T	T	T	T
T	T	F	T	T	T	T	T
T	F	T	F	F	F	T	F
T	F	F	F	F	T	T	F
F	T	T	T	T	T	T	T
F	T	F	T	T	T	F	T
F	F	T	T	F	F	T	F
F	F	F	T	T	T	F	T

6.

p	q	r	p	$\to$	$(q$	$\oplus$	$\sim r)$
T	T	T		T		T	F
T	T	F		F		F	T
T	F	T		F		F	F
T	F	F		T		T	T
F	T	T		T		T	F
F	T	F		T		F	T
F	F	T		T		F	F
F	F	F		T		T	T

7. 逆命題：$\sim r \to (p \vee \sim q)$，否命題 $\sim p \wedge q \to r$

   逆否命題：$r \to \sim p \wedge q$

8. 設 $a_i \geq 1$，$i = 1,2,3,4,5$ 則

   $a_1 + a_2 + \cdots + a_5 = 13$，取 $b_i = a_i - 1$

   $\therefore b_1 + b_2 + \cdots + b_5 = 8$

   又 $a_1 a_2 \cdots a_5 = (1 + b_1)(1 + b_2) \cdots (1 + b_5)$

   $\geq 1 + (b_1 + b_2 + \cdots + b_5) = 1 + 8 = 9$

   已知 $a_1 a_2 \cdots a_5 = 6$ 矛盾 $\therefore a_1 \cdots a_5$ 至少有一個 ≤ 1

10. 設 $a + b > 1$ 則 $a > 1 - b$

    $-3 = a^3 + b^3$

    $> (1 - b)^3 + b^3 = 1 - 3b + 3b^2$

    $= 3(1 - b + b^2) - 2$

    ≥ -2（矛盾）$\therefore a + b \leq 1$

    $(\because 1 - b + b^2 = (b - \frac{1}{2})^2 + \frac{3}{4} \geq 0)$

1C

1. $\sim p$　2. $\sim p$　3. s　4. $\sim p$　5. t

1D

1. (1) $\sim \forall x\,(q(x){\rightarrow}p(x))$　(2) $\exists x(q(x){\rightarrow}p(x))$

　　(3) $\exists x(q(x){\rightarrow}\sim p(x))$　(4) $\forall x\,(p(x){\rightarrow}q(x))$

　　(5) $\exists x(q(x){\rightarrow}\sim p(x))$

2. (1) 每一個喜愛國文的人都喜愛英文

　　(2) 存在一個喜愛國文但不喜愛英文的人

　　(3) 存在一個若且惟若喜愛國文則他喜愛英文的人

　　(4) 存在一個若不喜愛國文則喜愛英文的命題是偽的

　　(5) 對所有的人不會既喜愛國文也喜愛英文

3. (1) 真

　　(2) 真$(y=\dfrac{4-2x}{3})$

　　(3) 偽（$x=3, y=1$ 時命題不成立）

　　(4) 真（$x=2, y=0$ 時成立）

　　(5) 偽

4. (1) 數學系全體同學都修了一些數學系開設之課程。

　　(2) 數學系有些同學修了一些數學系開設之課程

　　(3) 所有數學系開設之課程被一些數學系全體同學修了。

| **Chapter 02** |

2A

1. (4),(5),(6)　　　　2. (1),(3)　　　　　　3. (1),(2),(3)

4. $a=2, b=1, c=2$　　5. $A\subseteq\phi$ 又 $\phi\subseteq A$　$\therefore A=\phi$

6. (1),(2)　　　　　　7. (1),(2),(3)

8. B —— D —— C —— A
　　　　＼
　　　　　　E

9. $\{\phi, \{1\}, \{\{2, 3\}\}, A\}$

10. (2)

11. $\{\{a\}\}, \{\{b\}\}, \{\{a, b\}\}, \{\phi\}, \{\phi, \{a\}\}, \{\phi, \{b\}\}, \{\phi, \{a, b\}\},$
　　$\{\{a\}, \{b\}\}, \{\{a\}, \{a, b\}\}, \{\{b\}, \{a, b\}\}, \{\phi, \{a\}, \{b\}\}, \{\phi,$
　　$\{a\}, \{a, b\}\}, \{\phi, \{b\}, \{a, b\}\}, \{\{a, b\}, \{a\}, \{b\}\}, \{\{\phi, \{a\},$
　　$\{b\}, \{a, b\}, \phi\}$

12. $P(B)=\{\phi, B\}, P(C)=\phi$

13. (1),(3),(4),(5)

14. $A = \{a\}$，$B = \{a, \{a\}\}$

2B

1. (1),(2),(3),(4),(11)

2. (1) $\{x|-1\leq x\leq 4\}$　(2) $\{x|3<x\leq 4\}$　(3) $\{x|2\leq x\leq 4$ 或 $0\leq x\leq 1\}$
　　(4) ϕ　(5) A　(6) $\{x|3\geq x>1$ 或 $0>x\geq-1\}$　(7) ϕ

3. I：$A \cap B \cap C$ II：$(C \cap B) - (C \cap A)$或$(C \cap B \cap \bar{A})$

4. (1) $\{1, 2, 5\}$ (2) $\{7\}$ (3) $\{1, 2, 3, 5, 6\}$ (4) $\{3, 4, 6\}$

    (5) $\{1, 2, 5\}$ (6) C (7) $\{\phi, \{3\}, \{6\} \{3, 6\}\}$ (8)$\{\phi\}$

2C

1. $A \cup [B - (A \cap B)] = A \cup [B \cap \overline{(A \cap B)}] = A \cup [B \cap (\bar{A} \cup \bar{B})]$
$= (A \cup B) \cap [A \cup (\bar{A} \cup \bar{B})] = (A \cup B) \cap [A \cup \bar{A}] \cup \bar{B}] = (A \cup B)$
$\cap [S \cup \bar{B}] = (A \cup B) \cup S = A \cup B$，$S$為廣集合

4. $A \subseteq B \therefore x \in A \Rightarrow x \in B$，又 $B \subseteq C \therefore x \in B \Rightarrow x \in C$ 得 $A \subseteq C$

5. $B = B \cap (A \cup B) = B \cap (A \cup C) = (B \cap A) \cup (B \cap C)$
$= (A \cap C) \cup (B \cap C) = (A \cup B) \cap C = (A \cup C) \cap C = C$

10. 不成立；取 $A = C = \{a, b\}$，$B = \{a, b, c\}$，$D = \{a, b, d\}$
則 $A \cap C = \{a, b\} = B \cap D$，$(\therefore A \cap C \neq B \cap D)$

11. 設 $x \in P(A)$ 則 $x \subseteq A$ 又 $A \subseteq B \therefore x \subseteq B \Rightarrow x \in P(B)$
即 $P(A) \subseteq P(B)$

12. 取 $A = \{a, c\}$，$B = \{b, c\}$ 自行驗證之。

2D

1. (1)25 (2)3 3.(1)4 (2)2^4 4.(1)18 (2)10

6. (1)24 (2)$24 + 8 + 10 = 42$ (3)$8 + 20 + 1 = 29$

| Chapter 03 |

3A

1. 最大公約數 36，最小公倍數 720 2. $x = 3$，$y = -2$

3. $x = -2$，$y = 5$ 4. $84 = 2^2 \times 3 \times 7$

5. $g(a,b) = d \Rightarrow$ 存在 $m,n, \in z$ 使得 $am + bn = d$

   $\therefore \dfrac{a}{d}m + \dfrac{b}{d}n = 1$，但 $\dfrac{a}{d}, \dfrac{b}{d} \in z^+$

   $\therefore \gcd(\dfrac{a}{d}, \dfrac{b}{a}) = 1$，即 $\dfrac{a}{d}, \dfrac{b}{d}$ 互質

7. 設 $d \mid a$ 且 $d \mid a+1$，$a \in z^+$

   則 $d \mid ((1-a) + (a+1)) = d \mid 1$，又 $1 \mid d$ $\therefore d = 1$

   即 $a, a+1$ 互質

3B

1. (2),(3) 均正確。

2. $\because a \equiv b \pmod m$，$a - b = km$，$k \in z$

   又 $a^2 - b^2 = (a+b)(a-b) = k(a+b)m$

   $\therefore a^2 \equiv b^2 \pmod m$

3. $a(x) + b(x) = x^2 + x$，$a(x)b(x) = x^3 + x^2 + x + 1$

   又在 $Z_2[x]$ 下，$(x+1)^2 = x^2 + 1$ $\therefore$ 在 $Z_2[x]$ 下，$b(x) = x^2 + 1$

   $= (x+1)^2 \therefore b(x)$ 與 $a(x)$ 之公因式為 $x+1$

4. [8]   5. [2]   6. [3]   7. [11]   9. [7]

3C

5. $n=1$ 時　左式$=11^3+12^3=3059=133\times23$　$\therefore n=1$ 時原式成立。

　　$n=k$ 時　設 $11^{k+2}+12^{2k+1}=133p,\ p\in Z^+$

　　$n=k+1$ 時　$11^{(k+1)+2}+12^{2(k+1)+1}=11\cdot11^{k+2}+12^2\cdot12^{2k+1}$

　　　$=11(11^{k+2}+12^{2k+1})+133\cdot12^{2k+1}$

　　　$=11\cdot133p+133\cdot12^{2k+1}$

　　　$=133(11p+12^{2k+1})$

　　　$\therefore 11^{n+2}+12^{2n+1}$ 為 133 之倍數

6. $k=1$ 時　左式$=|\sin x|=$右式

　　$k=m$ 時　設$|\sin mx|\le m|\sin x|$

　　$k=m+1$ 時

　　$|\sin(m+1)x|$

　　$=|\sin mx\cos x+\cos mx\sin x|\le|\sin mx||\cos x|+|\cos mx||\sin x|\le m|\sin x|+|\sin x|$

　　$=(m+1)|\sin x|$

　　$\therefore k$ 為任意正整數時原關係式均成立。

7. 只證 $n=k+1$ 部分：

　　$(1+\dfrac{1}{\sqrt{2}}+\dfrac{1}{\sqrt{3}}+\cdots+\dfrac{1}{\sqrt{k}})+\dfrac{1}{\sqrt{1+k}}>\sqrt{k}+\dfrac{1}{\sqrt{1+k}}$

　　現在要證 $\sqrt{k}+\dfrac{1}{\sqrt{1+k}}>\sqrt{1+k}$

　　$\because(\sqrt{k(k+1)}+1)-(1+k)$

　　　$=\sqrt{k(k+1)}-k=\sqrt{k(k+1)}-\sqrt{k^2}>0$

　　得 $1+\dfrac{1}{\sqrt{2}}+\dfrac{1}{\sqrt{3}}+\cdots+\dfrac{1}{\sqrt{k}}+\dfrac{1}{\sqrt{k+1}}>\sqrt{k+1}$

9. 只證 $n = k+1$ 部分

$\because 5^k > 3^k + 4^k \therefore 5^{k+1} = 5 \cdot 5^k > 5(3^k + 4^k) > 3 \cdot 3^k + 4 \cdot 4^k = 3^{k+1} + 4^{k+1}$

| Chapter 04 |

4A

1. (1) $\{(a,1),(b,1)\} \times \{b,c\} = \{(a,1,b),(a,1,c),(b,1,b),(b,1,c)\}$

(2) $\{3\} \times \{1,2,3,4\} = \{(3,1),(3,2),(3,3),(3,4)\}$

(3) $\{1,2\} \times \{4\} = \{(1,4),(2,4)\}$

2. $x = 3$, $y = 4$

3. (1)3   (2)12   (3)24

4. 若 $A \neq B$ 則 $A \times A \neq B \times B$，但 $A \times A = B \times B \therefore A = B$

5. 設 $A = \phi$ 則 $A \times B = \phi \times B = \{(x,y) \mid x \in \phi, y \in B\} = \phi$

同理 $B = \phi$ 則 $A \times B = A \times \phi = \{(x,y) \mid x \in A, y \in \phi\} = \phi$

6. (1) 設 $(x,y) \in A \times (B \cap C) \Leftrightarrow x \in A$ 且 $y \in B \cap C$

$\Leftrightarrow x \in A$ 且（$y \in B$ 且 $y \in C$）

$\Leftrightarrow$（$x \in A$ 且 $y \in B$）且（$x \in A$ 且 $y \in c$）

$\Leftrightarrow (x,y) \in (A \times B) \cap (A \times C)$

7. $|A \times P(B)| = |A| \cdot |P(B)| = 3 \cdot 2^2 = 12$

4B

1. (1)

$$a \begin{array}{c} & \overset{b}{\begin{array}{ccc} 2 & 4 & 6 \end{array}} \\ \begin{array}{c} 1 \\ 3 \\ 5 \\ 7 \end{array} & \begin{bmatrix} 1 & 0 & 0 \\ 1 & 1 & 0 \\ 1 & 1 & 1 \\ 1 & 1 & 1 \end{bmatrix} \end{array}$$

(2)

$$a \begin{array}{c} & \overset{b}{\begin{array}{ccc} 2 & 4 & 6 \end{array}} \\ \begin{array}{c} 1 \\ 3 \\ 5 \\ 7 \end{array} & \begin{bmatrix} 1 & 1 & 1 \\ 1 & 1 & 0 \\ 0 & 0 & 0 \\ 0 & 0 & 0 \end{bmatrix} \end{array}$$

(3)

$$a \begin{array}{c} & \overset{b}{\begin{array}{ccc} 2 & 4 & 6 \end{array}} \\ \begin{array}{c} 1 \\ 3 \\ 5 \\ 7 \end{array} & \begin{bmatrix} 1 & 1 & 1 \\ 0 & 1 & 0 \\ 0 & 0 & 1 \\ 0 & 0 & 0 \end{bmatrix} \end{array}$$

2. R 具遞移性：$<a,b>\in R \land <b,c>\in R \Rightarrow (a,c)\in R$ 但 R 又有對稱性 $\therefore (a,c)\in R \Rightarrow (c,a)\in R$，

3. (1) R 具對稱性：$<a,b>\in R$ 且 $<b,b>\in R \Rightarrow (b,a)\in R$

   (2) R 具遞移性：$<a,b>\in R$ 且 $<b,c>\in R \Rightarrow (c,a)\in R$ 又，R 具對稱性 $\therefore (a,c)\in R$，即 $<a,b>\in R$ 且 $<b,c>\in R \Rightarrow (a,c)\in R$ $\therefore R$ 具遞移性。

4. $<a,b>\in (\overline{R})^{-1} \Leftrightarrow <b,a>\in \overline{R} \Leftrightarrow <b,a>\in A\times B \land (b,a)\notin R$

   $\Leftrightarrow <a,b>\in (A\times B)^{-1} \land (a,b)\notin R$

   $\Leftrightarrow <a,b>\in (A\times B)^{-1} - R$

5. (1)

$$M_R = \begin{matrix} & \begin{matrix} 1 & 2 & 3 & 4 & 6 & 8 \end{matrix} \\ \begin{matrix} 1 \\ 2 \\ 3 \\ 4 \\ 6 \\ 8 \end{matrix} & \begin{bmatrix} 1 & 1 & 1 & 1 & 1 & 1 \\ 0 & 1 & 0 & 1 & 1 & 1 \\ 0 & 0 & 1 & 0 & 1 & 0 \\ 0 & 0 & 0 & 1 & 0 & 1 \\ 0 & 0 & 0 & 0 & 1 & 0 \\ 0 & 0 & 0 & 0 & 0 & 1 \end{bmatrix} \end{matrix}$$

(2)

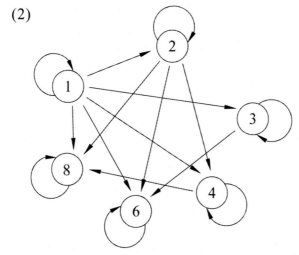

(3) $\mathrm{Dom}R = \mathrm{Ran}R = \{1, 2, 3, 4, 6, 8\}$

6. (1), (2) $\mathrm{Dom}R = \mathrm{Ran}R = R$

(3) $R^{-1} = \{(x, y) | 2x + y = 10, \quad x, y \in R\}$

(4) R 不具對稱性。

7. (1) $\mathrm{Dom}R = [-3, 3]$

(2) $\mathrm{Dom}R = [-2, 2]$

(3) $R^{-1} = \{(x, y) | \dfrac{x^2}{4} + \dfrac{y^2}{9} = 1, x, y \in R\}$

(4)、(5)無反身性（$\because (a, a) \in R$ 未必成立）且不具對稱性。

(6) 不是函數（$\because$ 在$[-3,\ 3]$作任一垂線必交 $\dfrac{x^2}{9}+\dfrac{y^2}{4}=1$ 之圖形於 2 個交點）

9. $R = \{(1,3),\ (1,7),\ (2,6),\ (4,4),\ (5,7),\ (8,4)\}$

10. (1) 反身性：$\because (a,a)\in R_1$，$(a,a)\in R_2 \therefore (a,a)\in R_1\cap R_2$，即 $R_1\cap R_2$ 有反身性。

(2) 對稱性：$\because (a,b)\in R_1\cap R_2$，則 $(a,b)\in R_1$ 且 $(a,b)\in R_2$，因 R_1，R_2 有對稱性 $\therefore (b,a)\in R$，且 $(b,a)\in R_2$ 即 $(b,a)\in R_1\cap R_2$ $\therefore R_1\cap R_2$ 有對稱性

(3) 遞移性：若 $(a,b)\in R_1\cap R_2$，$(b,c)\in R_1\cap R_2$ 則有 $(a,c)\in R_1$，$(b,c)\in R_1 \Rightarrow (a,c)\in R_1$ 又 $(a,c)\in R_2$，$(b,c)\in R_2 \Rightarrow (a,c)\in R_2$ $\therefore R_1\cap R_2$ 有遞移性。

11. (1) 反身性：$\because R_1$ 具反身性 $\therefore (a,a)\in R_1$，$\forall a\in A$，由 R_2 之定義 $<a,a>\in R_1 \wedge <a,a>\in R_1 \Rightarrow <a,a>\in R_2$，即 R_2 具反身性。

(2) 對稱性：若 $<a,b>\in R_2$ 則存在一個 $c\in A$ 使得 $<a,c>\in R_1 \wedge <c,b>\in R_1$，又 R_1 具對稱性 $\therefore <c,a>\in R_1 \wedge <b,c>\in R_1$，即 $<b,c>\in R_1$ 且 $<c,a>\in R_1 \Rightarrow <b,a>\in R_2$ $\therefore R_2$ 具對稱性

(3) 遞移性：若 $<a,b>\in R_2$，$<b,c>\in R_2$ 則存在 $d,e\in A$ 使得 $\begin{cases} <a,d>\in R_1, <d,b>\in R_1 \\ <b,e>\in R_1, <e,c>\in R_1 \end{cases}$

又 R_1 具遞移性 $\therefore <a,b>\in R_1$，$<b,c>\in R_1$ 必有 $<a,c>\in R_2 \Rightarrow R_2$ 具遞移性。

4C

1. (1) $M_{R \cup S} = \begin{bmatrix} 1 \vee 0 & 0 \vee 0 & 1 \vee 0 \\ 1 \vee 1 & 1 \vee 0 & 0 \vee 0 \\ 1 \vee 1 & 0 \vee 1 & 1 \vee 1 \end{bmatrix} = \begin{bmatrix} 1 & 0 & 1 \\ 1 & 1 & 0 \\ 1 & 1 & 1 \end{bmatrix}$

$R \cup S = \{(1, 1), (1, 3), (2, 1), (2, 2), (3, 1), (3, 2), (3, 3)\}$

(2) $M_{R \cap S} = \begin{bmatrix} 1 \wedge 0 & 0 \wedge 0 & 1 \wedge 0 \\ 1 \wedge 1 & 1 \wedge 0 & 0 \wedge 0 \\ 1 \wedge 1 & 0 \wedge 1 & 1 \wedge 1 \end{bmatrix} = \begin{bmatrix} 0 & 0 & 0 \\ 1 & 0 & 0 \\ 1 & 0 & 1 \end{bmatrix}$

$R \cap S = \{(2, 1), (3, 1), (3, 3)\}$

(3) $M_{R \circ S} = \begin{bmatrix} 0 & 0 & 0 \\ 1 & 0 & 1 \\ 1 & 1 & 1 \end{bmatrix}$

2. (1) $M_{R \cup S} = \begin{bmatrix} 1 & 1 & 1 & 0 \\ 0 & 0 & 1 & 1 \\ 1 & 1 & 0 & 1 \\ 0 & 1 & 1 & 1 \end{bmatrix}$

(2) $M_{R \cap S} = \begin{bmatrix} 0 & 0 & 0 & 0 \\ 0 & 0 & 1 & 0 \\ 1 & 0 & 0 & 0 \\ 0 & 0 & 0 & 0 \end{bmatrix}$

(3) $M_{R^{-1}} = \begin{bmatrix} 1 & 0 & 1 & 0 \\ 0 & 0 & 0 & 1 \\ 1 & 1 & 0 & 0 \\ 0 & 1 & 0 & 1 \end{bmatrix}$

(4) $M_{\bar{R}} = \begin{bmatrix} 0 & 1 & 0 & 1 \\ 1 & 1 & 0 & 0 \\ 0 & 1 & 1 & 1 \\ 1 & 0 & 1 & 0 \end{bmatrix}$

(5) $M_{\bar{R} \cup S} = \begin{bmatrix} 0 & 1 & 0 & 1 \\ 1 & 1 & 1 & 0 \\ 1 & 1 & 1 & 1 \\ 1 & 0 & 1 & 0 \end{bmatrix}$

(6) $M_{R \circ R} = \begin{bmatrix} 1 & 0 & 1 & 0 \\ 1 & 1 & 0 & 1 \\ 1 & 0 & 1 & 0 \\ 0 & 1 & 1 & 1 \end{bmatrix}$

(7) $M_{R \circ S} = M_S \odot M_R = \begin{bmatrix} 0 & 0 & 1 & 1 \\ 1 & 0 & 0 & 0 \\ 1 & 1 & 1 & 1 \\ 1 & 0 & 0 & 0 \end{bmatrix}$

(8) $M_{S \circ S^{-1}} = M_{S^{-1}} \odot M_S = \begin{bmatrix} 1 & 1 & 0 & 1 \\ 1 & 1 & 0 & 1 \\ 0 & 0 & 1 & 0 \\ 1 & 1 & 0 & 1 \end{bmatrix}$

3. (1) $R=\{(1, 1), (1, 2), (2, 3)\}$, $S=\{(1, 1), (1, 2), (2, 1), (2, 3), (3, 2)\}$

   $\therefore R \subseteq S$

   (2) $R^{-1}=\{(1, 1), (2, 1), (3, 2)\}$, $S^{-1}=\{(1, 1), (2, 1), (1, 2), (3, 2), (2, 3)\}$

   $\therefore R^{-1} \subseteq S^{-1}$

   (3) $\overline{R}=\{(1, 3), (2, 1), (2, 2), (3, 1), (3, 2), (3, 3)\}$

   $\overline{S}=\{(1, 3), (2, 2), (3, 1), (3, 3)\}$

   $\therefore \overline{S} \subseteq \overline{R}$

   (4) 讀者可自行驗證之。

   (5) $R \cap S=\{(1, 1), (1, 2), (2, 3)\}$, $(R \cap S)^{-1}=\{(1, 1), (2, 1), (3, 2)\}$

   $R^{-1} \cap S^{-1}=R^{-1}=\{(1, 1), (2, 1), (3, 2)\}$

   $\therefore (R \cap S)^{-1}=R^{-1} \cap S^{-1}$

4. 若$(a, b) \in R \cap S$ 則$(a, b) \in R \Rightarrow (b, a) \notin R \Rightarrow (b, a) \notin R \cap S$

   $\therefore R \cap S$ 為 asymmetric

5. $(x,z) \in T \circ R$ 則存在一個 $y \in B$ 使得 $(x,y) \in T$ 且 $(y,z) \in R$，又

   $R \subseteq S \therefore (x,y) \in T$ 且 $(y,z) \in S \Rightarrow (x,z) \in T \circ S$ 即 $T \circ R \subseteq T \circ S$

6. (1) $\because a \equiv a \bmod m \therefore$ 反身性成立

   (2) $\because a \equiv b \bmod m \Rightarrow b \equiv a \bmod m \therefore$ 對稱性成立。

(3) $\because a \equiv b \bmod m \wedge b \equiv c \bmod m \Rightarrow a \equiv c \bmod m$

　　$\therefore$ 遞移性成立。

7. $\{(a, a), (b, b), (c, c)\}$

8. $I_A \circ R = \{(1, 1), (2, 2), (3, 3), (4, 4)\} \circ \{(1, 2), (2, 3), (2, 4)\}$

　　　　$= \{(1, 2), (2, 3), (2, 4)\}$

　$R \circ I_A = \{(1, 2), (2, 3), (2, 4)\} \circ \{(1, 1), (2, 2), (3, 3), (4, 4)\}$

　　　　$= \{(1, 2), (2, 3), (2, 4)\}$

9. $(x, y) \in I_A \circ R$ 則存在一個 $z \in I_R$ 使得 $(x, z) \in I_A$ 且 $(z, y) \in R$ .... ①

　$(x, z) \in I_A \therefore$ ①式相當於 $z = x$，即存在一個 $x \in I_R$ 使得 $(x, x) \in I_A$

　且 $(x, y) \in R \Rightarrow (x, y) \in R$

4D

1. (1)

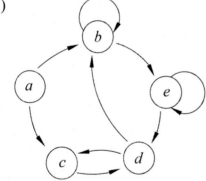

(2) $M_R = \begin{bmatrix} 0 & 1 & 1 & 0 & 0 \\ 0 & 1 & 0 & 0 & 1 \\ 0 & 0 & 0 & 1 & 0 \\ 0 & 1 & 1 & 0 & 0 \\ 0 & 0 & 0 & 1 & 1 \end{bmatrix}$

(3) $a \rightarrow b$, $a \rightarrow c$, $b \rightarrow b$, $b \rightarrow e$, $c \rightarrow d$, $d \rightarrow b$, $d \rightarrow c$, $e \rightarrow d$, $e \rightarrow e$。

(4) $c \rightarrow d \rightarrow c \rightarrow d \rightarrow c$；$c \rightarrow d \rightarrow b \rightarrow a \rightarrow c$。

(5) $b \rightarrow b \rightarrow b \rightarrow b \rightarrow b \rightarrow b$；$b \rightarrow b \rightarrow b \rightarrow e \rightarrow d \rightarrow b$，$b \rightarrow e \rightarrow e \rightarrow e \rightarrow d \rightarrow$

　　b

　　$b \rightarrow e \rightarrow d \rightarrow c \rightarrow d \rightarrow b$

(6) f 之解答有無限多個，在此只舉 3 個：

$b \to b$ ； $b \to e \to d \to b$ ， $b \to e \to d \to c \to d \to b \cdots$

(7) $M_{R^2} = M_R \odot M_R = \begin{bmatrix} 0 & 1 & 0 & 1 & 1 \\ 0 & 1 & 0 & 1 & 1 \\ 0 & 1 & 1 & 0 & 0 \\ 0 & 1 & 0 & 1 & 1 \\ 0 & 1 & 1 & 1 & 1 \end{bmatrix}$

（註：$R^2 = \{(a, b), (a, d), (a, e), (b, b), (b, d), (b, e), (c, b),$

$(c, c), (d, b), (d, d), (d, e), (e, b), (e, c), (e, d), (e, e)\}$ ）

(8) $M_{R^3} = \begin{bmatrix} 0 & 1 & 1 & 1 & 1 \\ 0 & 1 & 1 & 1 & 1 \\ 0 & 1 & 0 & 1 & 1 \\ 0 & 1 & 1 & 1 & 1 \\ 0 & 1 & 1 & 1 & 1 \end{bmatrix}$ (9) $R^\infty = \begin{bmatrix} 0 & 1 & 1 & 1 & 1 \\ 0 & 1 & 1 & 1 & 1 \\ 0 & 1 & 1 & 1 & 1 \\ 0 & 1 & 1 & 1 & 1 \\ 0 & 1 & 1 & 1 & 1 \end{bmatrix}$

2. (1) $M_R = \begin{bmatrix} 1 & 0 & 1 & 0 \\ 0 & 0 & 1 & 0 \\ 0 & 1 & 1 & 0 \\ 1 & 0 & 1 & 1 \end{bmatrix}$

(2) $M_{R^2} = M_R \odot M_R = \begin{bmatrix} 1 & 1 & 1 & 0 \\ 0 & 1 & 1 & 0 \\ 0 & 1 & 1 & 0 \\ 1 & 1 & 1 & 1 \end{bmatrix}$

$R^2 = \{(a, a), (a, b), (a, c), (b, b), (b, c), (c, b), (c, c), (d, a),$

$(d, b), (d, c), (d, d)\}$

(3) $M_{R^3} = M_{R^2} \odot M_R = \begin{bmatrix} 1 & 1 & 1 & 0 \\ 0 & 1 & 1 & 0 \\ 0 & 1 & 1 & 0 \\ 1 & 1 & 1 & 1 \end{bmatrix}$

(4) $M_{R^\infty} = \begin{bmatrix} 1 & 1 & 1 & 0 \\ 0 & 1 & 1 & 0 \\ 0 & 1 & 1 & 0 \\ 1 & 1 & 1 & 1 \end{bmatrix}$

3. $R^2 = \{(c, a), (d, b)\}$，$R^3 = \{(d, a)\}$，$R^4 = \phi$

4. (a) $R^+ = \{(a, a), (a, b), (a, c), (a, e), (b, a), (b, b), (b, c), (b, e),$
  $(c, e), (d, a), (d, b), (d, c), (d, e)\}$

(b) R 之關係圖　　　　　　　R^+ 之關係圖

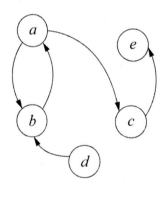 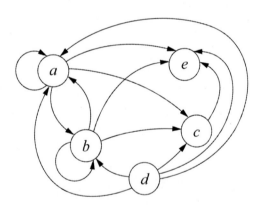

5. $r(R) = \{<a, a>, <a, b>, <b, b>, <b, c>, <c, a>, <c, c>\}$
  $s(R) = \{<a, b>, <a, c>, <b, a>, <b, c>, <c, a>, (c, c)\}$
  $t(R) = \{<a, a>, <a, b>, <a, c>, <b, a>, <b, b>, <b, c>, <c, a>,$
  $<c, b>, <c, c>\}$

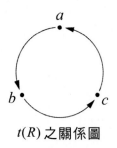

$t(R)$ 之關係圖

6. $sr(R) = s(<a, a>, <a, b>, <b, b>, <b, c>, <c, a>, <c, c>)$

$\quad = \{<a, a>, <a, b>, <b, a>, <b, b>, <b, c>, <c, b>,$

$\quad <c, a>, <a, c>, <c, c>\} = t(R)$

$tsr(R) = t(sr(R)) = t(R)$

7. (1) $R^+ = \{(a, b), (b, c), (a, c)\}$

(2) $rs(R) = r[s(R)] = s(R) \cup I_A$

$\quad = \{(a, b), (b, a), (b, c), (c, b)\} \cup \{(a, a), (b, b), (c, c)\}$

$\quad = \{(a, b), (b, a), (b, c), (c, b), (a, a), (b, b), (c, c)\}$

$\quad r(R) = R \cup I_A = \{(a, b), (b, c), (a, a), (b, b), (c, c)\}$

(3) $sr(R) = r(R) \cup r(R^{-1})$

$\quad = \{(a, b), (b, c), (a, a), (b, b), (c, c)\} \circ \{(b, a),$

$\quad (c, b), (a, a), (b, b), (c, c)\}$

$\quad = \{(a, b), (b, c), (a, a), (b, b), (c, c), (b, a), (c, b)\}$

(4) $ts(R) = t\{(a, b), (b, c), (b, a), (c, b)\}$

$\quad = \{(a, b), (b, c), (a, c), (a, a), (b, a), (b, b), (c, c), (c, a), (c, b)\}$

(5) $st(R) = \{(a, b), (a, c), (b, a), (b, c), (c, a), (c, b)\}$

| Chapter 05 |

5A

1. （參考用）

(1)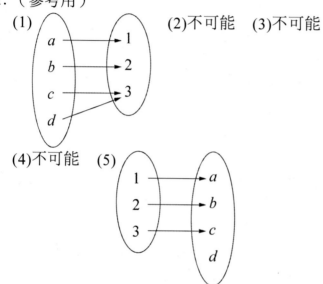
(2)不可能　(3)不可能

(4)不可能　(5)

2. (1)錯　(2)錯　(3)錯

3. 上題中僅(2)為函數，定義域 = $\{a, b, c, d\}$，值域 $\{1, 2, 4\}$

4. (1) 由 A 到 B 之函數有 $2^3 = 8$ 個

   (2) 若 $f: A \to B$ 為函數，則其非映成之情形只有 $a \to x$，$b \to x$，$c \to x$ 或 $a \to y$，$b \to y$，$c \to y$ 二種，故 A 到 B 之函數映射有 8 個扣掉非映成得映成有 $8 - 2 = 6$ 種

   (3) 不可能即 0 種

5. 設 $y \in f(X)$，則存在一個 $x \in X$ 使得 $f(x) = y$，但 $f(x) \in C$
   $\therefore f(X) \subseteq C$

6. (1) Dom $f_1 = \{a, b, c, d\}$，Ran $f_1 = \{1, 2\}$，非一對一亦非映成。

   (2) Dom $f_1 \neq x$ ∴非函數

   (3) ∵ $b \to 3$ 且 $b \to 1$ ∴非函數

7. (1) $x_{A \cup B \cup C} = x_A + x_B + x_C - x_A x_B - x_A x_C - x_B x_C + x_A x_B x_C$

   (2) ∵ $A - (B - C) = A \cap \overline{(B \cap \overline{C})} = A \cap (\overline{B} \cup C) = (A \cap \overline{B}) \cup (A \cap C)$

   $x_{A-(B-C)} = x_{(A \cap \overline{B}) \cup (A \cap C)} = x_{A \cap \overline{B}} + x_{A \cap C} - x_{A \cap \overline{B} \cap C}$

   $= x_A(1 - x_B) + x_A + x_C - x_A(1 - x_B)x_C$

   $= x_A - x_A x_B + x_A x_B x_C$

8. $f(A) = \{\alpha, \beta, \gamma\}$，$f(B) = \{\alpha, \beta\}$

   $f(A) \cap f(B) = \{\alpha, \beta\}$

   又 $A \cap B = \{e\}$ ∴ $f(A \cap B) = f(\{e\}) = \beta$

   顯然 $f(A) \cap f(B) \subseteq f(A \cap B)$ 不成立。

9. $x_{A \cap (A \cup B)} = x_A x_{A \cup B} = x_A(x_A + x_B - x_A x_B)$

   $= x_A x_A + x_A x_B - x_A x_A x_B$

   $= x_A + x_A x_B - x_A x_B = x_A$

   ∴ $A \cap (A \cup B) = A$

10. 利用反證法，若 f 不為映成，則 A 中之元素，在 B 中至多有 $n-1$ 個像，亦即 A 中至少有二個元素映射 B 中某一元素，此與 f 為一對一之假設矛盾 ∴ f 為映成。

5B

2. f 定義於 A 之冪等函數有 4 個：

$$\begin{cases} f_1(a) = a \\ f_1(b) = a \end{cases}, \quad \begin{cases} f_2(a) = b \\ f_2(b) = b \end{cases}, \quad \begin{cases} f_3(a) = b \\ f_3(b) = a \end{cases}, \quad \begin{cases} f_4(a) = a \\ f_4(b) = b \end{cases}$$

3. (1) $f \circ g = \{(a,b),(b,a),(c,c),(d,d)\}$

   (2) $g \circ h = \{(a,b),(b,a),(c,b),(d,c)\}$

   (3) $h \circ g = \{(a,c),(b,c),(c,b),(d,a)\}$

   (4) $g^2 = g \circ g = \{(a,b),(b,c),(c,a),(d,d)\}$

4. $f^{-1} = \{(a,a),(b,c),(c,b),(d,d)\}$

   $g^{-1} = \{(a,b),(b,c),(c,a),(d,d)\}$

   $f^{-1} \circ g^{-1} = \{(a,c),(b,b),(c,a),(d,d)\}$

   $g \circ f = \{(a,c),(b,b),(c,a),(d,d)\}$

   $\therefore (g \circ f)^{-1} = \{(a,c),(b,b),(c,a),(d,d)\} = f^{-1} \circ g^{-1}$

5. 仿例 11，將 $\cap$ 改為 $\cup$ 即得。

6. 由反證法，若 $g \neq h$ 則存在一個 $a \in A$ 使得 $g(a) \neq h(a)$，又 f 為一對一 $\therefore f(g(a)) \neq f(h(a))$ 但此與 $f(g(a)) = f(h(a))$ 之假設矛盾 $\therefore g = h$

7. $f(f(x)) = x+6$， $f(g(x)) = 2x+3$， $g(f(x)) = 2x+6$，

   $h(g(x)) = h(2x) = 0$， $g(h(x)) = \begin{cases} 0, & x\text{為偶數} \\ 2, & x\text{為奇數} \end{cases}$

8. (1) $\dfrac{x-3}{2}$ (2) $\sqrt[3]{x-1}$ (3) $\log x$

9. (1) $f^{-1}(f(x)) = f^{-1}(y) = x$， $f(f^{-1}(x))$ 因 $f^{-1}(x)$ 未必是 A 之元素 $\therefore f(f^{-1}(x))$ 未必存在

   (2) $A = B$ 時， $f^{-1}(f(x)) = f(f^{-1}(x)) = x$，

10. 未必，取 $A = \{a,b\}$， $B = \{1,2,3\}$， $e = \{m,n,p\}$，

   $f = \{(a,1),(b,3)\}$， $g = \{(1,m),(2,m),(3,n)\}$，即得

5C

1. $\begin{pmatrix} 1 & 2 & 3 & 4 \\ 1 & 3 & 4 & 2 \end{pmatrix}$　　2. $\begin{pmatrix} 1 & 2 & 3 & 4 \\ 3 & 4 & 1 & 2 \end{pmatrix}$　　3. $\begin{pmatrix} 1 & 2 & 3 & 4 & 5 \\ 4 & 5 & 1 & 2 & 3 \end{pmatrix}$

5. $\begin{pmatrix} 1 & 2 & 3 & 4 & 5 \\ 5 & 2 & 3 & 1 & 4 \end{pmatrix}$

5D

1. 取 $f : z^+ \to S$，定義 $f : n \to \dfrac{1}{n}$，f 為一對一且映成 $\therefore Z^+ \sim S$ 即 S 為

無限可付番。

2. 取 $f : N \to S$，定義 $f : n \to 10^n$，f 為一對 -1 且映成 $\therefore Z^+ \sim S$，

即 S 為無限可付番。

5E

1. $|a_0 + a_1 n + a_2 n^2 + \cdots + a_m n^m| \leq |a_0| + |a_1||n| + |a_2||n^2| + \cdots + |a_m||n^m|$

$\leq |a_p||n^m| + |a_p||n^m| + \cdots + |a_p||n^m|$，$|a_p| = ma\,x(|a_1|, \ |a_2|, \cdots |a_m|)$

$\leq |a_p||m||n^m| \cdot$ 取 $c = m|a_p|$

2. (4) $2^n \geq n!$，（可用數學歸納法）

　　$\therefore 2^n = 0(n!)$，取 $c = 1$

(5) $\log_3 n! \leq \log_3 n^n$

　　$\therefore |\log_3 n!| \leq |n\log_3 n|$，$c = 1$，即 $\log_3 n! = 0(n\log_3 n)$

3. $T(x) \in 0(x^2)$ 時 $T(x) \in 0(x)$ 不成立

(1) $|n| \leq |n+3| \leq |2n|$，$n \geq 3$ 成立

　　取 $c_1 = 1$，$c_2 = 2$

5. $|f(n) + g(n)| \leq |f(n)| + |g(n)| \leq c_1 |h(n)| + c_2 |h(n)|$

$= (c_1 + c_2) |h(n)|$

$\therefore f(n) + g(n) = 0(h(n))$

5F

3. 將正方形四等分，每一小四方形任意二點之長度一定小於對角線長度 $\sqrt{\left(\dfrac{1}{2}\right)^2 + \left(\dfrac{1}{2}\right)^2} = \dfrac{\sqrt{2}}{2}$，由左圖易知 5 點中至少有 2 點落在同一小四方形中，而落在小四方形存在二點距離 $\leq \dfrac{\sqrt{2}}{2}$

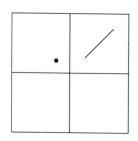

4. 提示：可將正三角形分割如下（連接各邊中點而成四個小正三角形）。

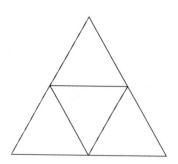

| Chapter 06 |

6A

1. 是

2. (1) $P(A)=\{\{a\}, \{b\}, \{c\}, \{a, b\}, \{a, c\}, \{b, c\}, \{a, b, c\}, \phi\}$

(2) 它是偏序（理由同例 1）

(3)

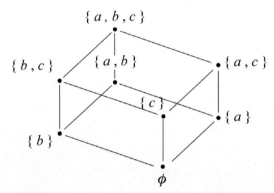

(4) 不是全序，至少「$\{b\}\subseteq\{c\}$」或「$\{c\}\subseteq\{b\}$」之敘述不成立。

3. (1)

$$\therefore R=\{(a, a), (b, b), (c, c), (d, d), (a, d), (a, b), (b, d), (a, c)\}$$

(2) $\therefore R=\{(a, a), (b, b), (c, c), (d, d), (a, c), (a, d), (b, c), (b, d),$
$(c, d)\}$

(3) $R=\{(a, a), (b, b), (c, c), (d, d),(a, b),(a, c),(a, d),(b, c),$
$(b, d),(c, d)\}$

4. (1)

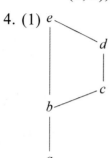

9. 設 a,b 均為最大元素；a 為最大元素則 $b \preceq a$，b 為最大元素則 $a \preceq b \therefore a = b$

10. 設 B 有二個相異極大元素 a, b 則 $a \preceq b$，又 $b \preceq a$，若 a, b 均為最大元素，則 $a \preceq b \Rightarrow b = a$，$b \preceq a \Rightarrow a = b$，但 $a \preceq b$ 與 $b \preceq a$ 只能一個成立 $\therefore a \neq b$。

6B

1. (1) $\because$ 整除關係中滿足反身性 $(a|a)$，反對稱性（$a|b$ 則 $b \nmid a$，$a \neq b$），遞移性 $(a|b \wedge b|c \Rightarrow a|c\} \therefore < A, |>$ 為 $-$POS。

(2)

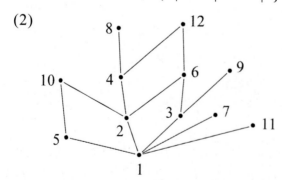

(3) 因 A 中不存在一個元素 a 能滿足 $8|a$，$12|a$ ∴ $\{8, 12\}$ 無上界，當然也就沒有 lub。$\{1, 12\}$ 之下界為 $\{1, 2, 4\}$，又 $1|2$，$1|4$ 且 $2|4$ ∴ glb = 4

(4) $\{1, 2\}$ 為 $\{4, 6\}$ 之下界，又 $1|2$ ∴ glb = 2
$\{4, 6\}$ 之 lub 是 12

2. (1)

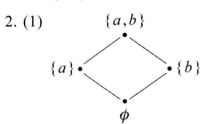

(2) 均為 a

(3) B 之上界 $\{a\}$、$\{a, b\}$，下界 $\{a\}$ 與 ϕ，$\{a\}$ 是最小上界與最大下界。

6C

1. (1) $a \wedge b = a \Rightarrow a \leq b$：$a = a \wedge b \leq b$。

(2) $a \leq b \Rightarrow a \wedge b = a$：
$a \leq b$ 又 $a \leq a$ ∴ $a \leq a \wedge b$ 但 $a \wedge b \leq a$ ∴ $a \wedge b = a$。

2. 不是格

3. (1) $(a \wedge b) \vee (b \wedge c) = a \vee b = b$
$(a \vee b) \wedge (b \vee c) = b \wedge b = b$
∴ $(a \wedge b) \vee (b \wedge c) = (a \vee b) \wedge (b \vee c)$

(2) $a \wedge b = a$ ∴ $a \leq b \Rightarrow a \vee b = b$

(3) $a \vee b = b$，$b \wedge c = b$ ∴ $a \vee b = b \wedge c$

4. $c \wedge (e \vee d) = c \wedge b = c$

$(c \wedge e) \vee (c \wedge d) = 0 \vee d = d$

5. $a \wedge (b \vee c) = a \wedge 1 = a$

$(a \wedge b) \vee (a \wedge c) = 0 \vee 0 = 0$

6. (1) $(a \vee c) \wedge (b \vee c) = c \vee (a \wedge b) = c \vee a = a \vee c \therefore b \vee c \leq a \vee c$

(2) 「$a \leq c \wedge b \leq c \Rightarrow a \vee b \leq c$」：

$(a \vee b) \wedge c = (a \wedge c) \vee (b \wedge c) = a \vee b \therefore a \vee b \leq c$

(3) 由(1)，$a \leq b \therefore a \vee c \leq b \vee c$ 又 $c \leq d \therefore b \vee c \leq b \vee d$

7. $\because a \wedge (b \vee c) = a \wedge 1 = a$，$(a \wedge b) \vee (a \wedge c) = 0 \vee 0 = 0$

$\therefore a \wedge (b \vee c) \neq (a \wedge b) \vee (a \wedge c)$ 故不為分配格。

別解

a 有二個補元 b, c 故不為分配格（若 L 為分配格，$a \in L$ 則 a 之補元素若存在則必惟一。因此若一個格它的補元不只一個時，它必不為分配格）。

8. (1) $x \leq x \vee y = 0$　$\therefore x \leq 0$ 又 $x \geq 0$ 得 $x = 0$，同法 $y = 0$

(2) $1 = x \wedge y \leq x \therefore 1 \leq x$ 又 $1 \geq x$ 得 $x = 1$，同法 $y = 1$

9. (1) $b \wedge (a \vee c) = b \wedge 1 = b$，$(b \wedge a) \vee (b \wedge c) = 0 \vee c = c$

$\because b \wedge (a \vee c) \neq (b \wedge a) \vee (b \wedge c) \therefore$ 不為分配格。

(2) a 之補元素為 b, c

c 之補元素為 a, d

10. (1) d, e 有上界 a, b, f，但因 a, b 是不可比較，$\therefore d, e$ 無 lub。因此圖(a)所示之 POS 不為格。

(2) $\because a, e$ 無最大下界故圖(b)所示之 POS 不為格。

| Chapter 07 |

7A

1. (1)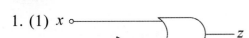

(2)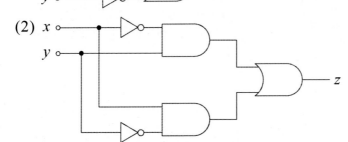

(3)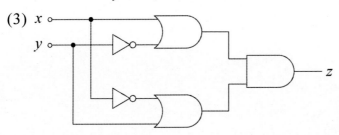

2. (1)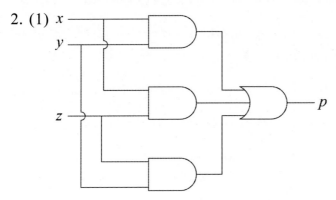

(2)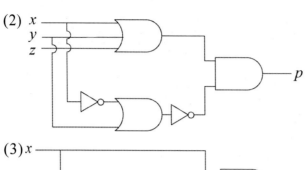

(3)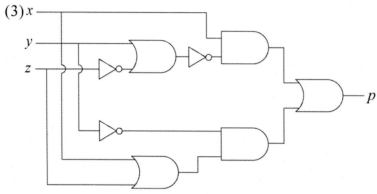

3. (1) $xy + (\overline{x+y})$　　(2) $(\overline{x}+z)y + x\overline{y}$

7B

1. $a + \overline{a}b = (a+\overline{a})(a+b) = 1(a+b) = a+b$，二邊取對偶：$a(\overline{a}+b) = ab$

2. $ab + bc + ac = b(a+c) + ac = (b+ac)(a+c+ac)$
$$= (b+a)(b+c)(a+c)$$

3. $c = c + ac = c + ab = (c+a)(c+b) = (a+b)(c+b) = ac+b = ab+b = b$

7. $b = b + (a+\overline{a}) = (b+\overline{a}) + a = (\overline{a}+c) + a = (a+\overline{a}) + c = 1 + c = c$

8. $(a+\overline{b})(b+\overline{c})(c+\overline{a}) = (ab + a\overline{c} + \overline{b}c)(c+\overline{a}) = abc + \overline{a}\overline{b}\overline{c}$
同法可證 $(\overline{a}+b)(\overline{b}+c)(\overline{c}+a) = \overline{a}\overline{b}\overline{c} + abc$
$\therefore (a+\overline{b})(b+\overline{c})(c+\overline{a}) = (\overline{a}+b)(\overline{b}+c)(\overline{c}+a)$
兩邊取對偶：$a\overline{b} + b\overline{c} + c\overline{a} = \overline{a}b + \overline{b}c + \overline{c}a$

9. (1)將第 7 題之結果取對偶即得。

10. $\begin{cases} a+x=1=a+\bar{a} \\ ax=0=a\cdot\bar{a} \end{cases}$

　　由第 3 題 $x=\bar{a}$

12. $\bar{a}+b=\bar{a}+(a+b)=(\bar{a}+a)+b=1+b=1$

7C

1. $a\le b \therefore ab=a$ 從而 $(b+c)a=ab+ac=a+ac=a(1+c)=a$
　　得 $a\le b+c$

2. $a\le b \therefore ab=a$ 從而 $a+bc=ab+bc=b(a+c)$

4. $a\le b \therefore ab=a$ 得 $\bar{a}=\bar{a}+\bar{b} \therefore \overline{ab}=(\bar{a}+\bar{b})\bar{b}=\overline{ab}+\bar{b}=\bar{b}(1+\bar{a})=\bar{b}$
　　故 $\bar{b}\le\bar{a}$

5. $a\oplus 0=a\bar{0}+\bar{a}\cdot 0=a$

6. $a+(a\oplus b)=a+(a\bar{b}+\bar{a}b)=(a+a\bar{b})+\bar{a}b=a(1+\bar{b})$
　　$+\bar{a}b=a+\bar{a}b=(a+\bar{a})(a+b)=a+b$

| Chapter 08 |

8A

1. (1) $k=7$, 或 14（不合）
　　(2) $k=33$
　　(3) $k=15$
　　(4) $k=\pm 1$

2. $\displaystyle\sum_{k=1}^{n} k(k!) = \sum_{k=1}^{n}\left[(k+1)-1\right](k!) = \sum_{k=1}^{n}\left[(k+1)k!-k!\right] = \sum_{k=1}^{n}\left[(k+1)!-k!\right]$

$=(2!-1)+(3!-2!)+(4!-3!)+\cdots+(n+1)!-n!=(n+1)!-1$

3. (1) 7!

(2) 6!

(3) 5!

(4) $2(6!)-5!$

(5) $\left|\overline{A}\cup\overline{C}\right| = |S| - |A\cap C| = 7!-5!$

(6) $\left|\overline{A}\cap\overline{C}\right| = |S| - |A\cup C| = 7!-2(6!)+5!$

$$
\begin{array}{cccc}
A & B & C & D \\
\hline
\end{array}
$$

A	B	C	D	
	a ——— d ——— c			(1)
b	c ——— d ——— a			(2)
	d ——— a ——— c			(3)
	a ——— d ——— b			(4)
c	b ——— a			(5)
d	a ——— b			(6)
	a ——— b ——— c			(7)
d	b ——— a			(8)
c	a ——— b			(9)

4. 設夫 A 妻為 a，夫 B 妻為 b，夫 C 妻為 c，夫 D 妻為 d 則其可能配成舞伴共有 9 種，如右樹枝圖。

5. (1) $\dbinom{10}{4}$ (2) $\dbinom{6}{3}\dbinom{4}{1}$ (3) $\dbinom{6}{2}\dbinom{4}{2}$ (4) $\dbinom{10}{4}-\dbinom{6}{4}$（全部

組合數減全部由男生組成之組合數） (5) $\dbinom{9}{3}$

6. (1) $P_5^5 = 5!$ (2) $2!\times 3!$ (3) $2\times 2!\times 3!$ (4) 同(2)

7. (1) $\dbinom{10}{7}$ (2) $\dbinom{4}{4}\dbinom{6}{3}=\dbinom{6}{3}$ (3) $\dbinom{4}{3}\dbinom{6}{4}+\dbinom{4}{4}\dbinom{6}{3}$

8B

1. (1) $-\dbinom{10}{5}$ (2) $\dbinom{21}{3}$ (3) $\dbinom{60}{35}(7)^{35}\cdot 5^{25}$

(4) $-\dbinom{28}{11}2^{11}(3)^{17}$ (5) $\dbinom{31}{4}$ (6) 1215

2. 10   3. 36 項   4. $\binom{n+1}{k+1}$ 是為所求。   5. $\displaystyle\sum_{k=0}^{n}\binom{n}{k}^2\alpha^k\beta^{n-k}$

8C

1. (1) 3^7 是為所求   (2) $\dfrac{7!}{3!2!2!}$

2. (1) 120   (2) 5^4 (3) 35 種

3. (1) 5^4 (2) $5\times4\times3\times2$ 4. 70

6. $4\times4\times4\times4\times4=4^5$

7. (1) $\binom{4}{4}\binom{48}{1}=48$ (2) $\binom{13}{2}\binom{13}{1}\binom{13}{1}\binom{13}{1}$ (3) $4\binom{13}{4}\binom{39}{1}$

   (4) $4\binom{13}{5}$ (5) $13\times12\times\binom{4}{2}\binom{4}{3}$ 種

8. (1) $5\times5\times5\times5=5^4$ 種   (2) 5^4 種

9. (1) 2^{15} 種   (2) $\binom{15}{6}$ 種

10. (1) $\binom{5}{3}\binom{5}{1}$ (2) $\binom{5}{3}\binom{5}{1}$（3 男 1 女）$+\binom{5}{4}\binom{5}{0}$（4 男 0 女）

    (3) $\binom{5}{2}\binom{5}{2}$（2 男 2 女）$+\binom{5}{1}\binom{5}{3}$（1 男 3 女）$+\binom{5}{0}\binom{5}{4}$（0 男 4 女）

    (4) $\binom{5}{1}\binom{4}{2}2^4$ (5) $\binom{5}{4}2^4$ 11. $\binom{8}{5}2^5$

12. $A\times B$ 共有 mn 個元素 $\therefore$ 定義由 A 到 B 之關係可有 2^{mn} 個。

8D

1. 23

2. 21

3. 141

4. 137

5. 45

6. (1)13 (2)150

7. (1) $\begin{pmatrix} 9 \\ 6 \end{pmatrix}$

(2) $\begin{pmatrix} 13 \\ 10 \end{pmatrix}$

(3) $\begin{pmatrix} 14 \\ 10 \end{pmatrix}$

8. (1) 6 種

(2) 150 種

9. (1) 10

(2) 60

10. 210

| Chapter 09 |

9A

1. (1) $a_0=1$, $a_1=5$, $a_2=13$, $a_3=29$

(2) $a_0=0$, $a_1=1$, $a_2=4$, $a_3=49$

(3) $a_0=2$, $a_1=\sqrt{2+\sqrt{2}}$, $a_2=\sqrt{2+\sqrt{2+\sqrt{2}}}$, $a_3=\sqrt{2+\sqrt{2+\sqrt{2+\sqrt{2}}}}$

(4) $a_0=\dfrac{1}{2}$ $a_1=\dfrac{2}{3}$, $a_2=\dfrac{3}{5}$ $a_3=\dfrac{5}{8}$

2. 13

4. (1) $n=89$

(2) $5F_{87} + 3F_{86} = 3(F_{86} + F_{87}) + 2F_{87} = 3F_{88} + 2F_{87} = \cdots = F_{91}$

5. $A(1, 1) = A(0, A(1, 0)) = A(0, A(0, 1)) = A(0, 2) = 3$

6. $F_0 + F_1 = F_2$ $\therefore F_0 + (F_1 + F_3 + \cdots + F_{2n+1}) = F_{2n+2}$

   $F_2 + F_3 = F_4$ $\Rightarrow F_1 + F_3 + \cdots + F_{2n+1} = F_{2n+2} - F_0 = F_{2n+2} - 3$

   $F_4 + F_5 = F_6$

   $\vdots$

   $F_{2n} + F_{2n+1} = F_{2n+2}$

7. 依提示：$\displaystyle\sum_{n=0}^{\infty} \frac{F_{n+2}}{F_{n+1}F_{n+3}} = \sum_{n=0}^{\infty} (\frac{1}{F_{n+1}} - \frac{1}{F_{n+3}})$

   $= (\frac{1}{F_1} - \frac{1}{F_3}) + (\frac{1}{F_2} - \frac{1}{F_4}) + (\frac{1}{F_3} - \frac{1}{F_5}) + (\frac{1}{F_4} - \frac{1}{F_6})$

   $+ (\frac{1}{F_5} - \frac{1}{F_7}) + \cdots = \frac{1}{F_1} + \frac{1}{F_2} = 2$

8. (a) $A(2, 2) = A(1, A(2, 1)) = A(1, 2) = A(0, A(1, 1)) = 2A(1, 1) = 4$

   (b) $A(2, 3) = A(1, A(2, 2)) = A(1, 4)$（由(a)）$= A(0, A(1, 3)) = 2A(1, 3)$

   $= 2A(0, A(1, 2)) = 4A(1, 2) = 4 \cdot 4 = 16$ 由(a)

9. $m = 1$ 時 $A(1, 2) = A(0, A(m, 1)) = 2A(0, 2) = 4$

   $m = k$ 時   設 $A(k, 2) = 4$

   $m = k + 1$ 時 $A(k + 1, 2) = A(k, A(k + 1, 1)) = A(k, 2) = 4$

   $\therefore A(m, 2) = 4$，$m \geq 1$

9B

1. $n = 1$ 時 $a_1 = 2 < \dfrac{7}{2}$，$n = 2$ 時：$a_2 = \sqrt{7} < \dfrac{7}{2} \therefore n = 1, 2$ 時成立

   設 $1 \leq n \leq k$，$k \geq 2$ 時原式成立，即 $a_k < \dfrac{7}{2}$

   $F_{k+1} = \sqrt{3a_k - 1} < \sqrt{3(\dfrac{7}{2} - 1)} = \sqrt{\dfrac{19}{2}} = \sqrt{\dfrac{38}{4}} < \sqrt{\dfrac{49}{4}} = \dfrac{7}{2}$

2. $n=3$ 時　$a_3 = a_1 + a_0 = 2 < \dfrac{64}{27}$

設 $1 \leq n \leq k$，$k \geq 3$ 時 $a_k \leq (\dfrac{4}{3})^k$

$F_{k+1} = a_{k-1} + a_{k-2} \leq (\dfrac{4}{3})^{k-1} + (\dfrac{4}{3})^{k-2} = (\dfrac{4}{3})^{k-2}(\dfrac{4}{3}+1)$

$= \dfrac{7}{3}(\dfrac{4}{3})^{k-2} \leq (\dfrac{4}{3})^3(\dfrac{4}{3})^{k-2} = (\dfrac{4}{3})^{k+1} (\because (\dfrac{4}{3})^3 = \dfrac{64}{24} \geq \dfrac{7}{3})$

4. $a_2 = 2a_1 + 3a_0 = 5 < 2 \cdot 3 = 6$

$a_3 = 2a_2 + 3a_1 = 2 \cdot 5 + 3 \cdot 1 = 13 < 2 \cdot 3^2$

設 $1 \leq n \leq k$，$k \geq 3$ 時均有 $a_k < 2 \cdot 3^{k-1}$

$\therefore a_{k+1} = 2a_k + 3a_{k-1} < 2(2 \cdot 3^{k-1}) + 3(2 \cdot 3^{k-2})$

$= 4 \cdot 3^{k-1} + 2 \cdot 3^{k-1} = 6 \cdot 3^{k-1} = 2 \cdot 3^k$

9C

3. (1) $a_n = \dfrac{2}{5}(4)^n + \dfrac{3}{5}(-1)^n$

(2) $a_n = c_1(2)^n + c_2$

(3) $a_n = \dfrac{6}{7}(4)^n + \dfrac{1}{7}(-3)^n$

5. (1) $a_n = c_1 \cdot 2^n + (c_2 + c_3 n)4^n$

(2) $a_n = (c_1 + c_2 n)2^n + (c_3 + c_4 n + c_5 n^2)4^n$

(3) $a_n = (c_1 + c_2 n + c_3 n^2)2^n + (c_4 + c_5 n)3^n + (c_6 + c_7 n)4^n$

6. (1) $a_n = c_1 3^n + c_2 4^n + 8 \cdot 4^n$

(2) $a_n = c_1 2^n + c_2 3^n - 2n2^n$

(3) $a_n^P = n5^n$

(4) $a_n^P = -\dfrac{3}{4}$

(5) $a_n^P = -n-1$

9D

1. $a_n = -\dfrac{3}{4}(-1+5^n)$

2. $a_n = 4 - 2^n$

3. $a_n = 3^n - 2^n$

4. $a_n = 2^{n+1} - 1$

5. $a_n = \dfrac{3}{2}(3)^n - \dfrac{1}{2}$

6. $a_n = \dfrac{1}{2} + \dfrac{1}{2}3^{n+1} - 2^{n+1}$

| Chapter 10 |

10A

1. (1) 否　(2)β　(3)是　(4)是

2. (1) 否。　　　　　　　　(2)即不具交換性亦不具結合性。

　 (3) 不具結合性　　　　　(4)不具封閉性。

3. (1) 具交換性。　(2)滿足結合性。

4. $x=c, y=b, z=b$

5. (1) 滿足交換性。

　 (2) $e=0$

　 (3) $a^{-1} = \dfrac{-a}{1-a}$

6. 可交換。

10B

1. 為半群，但不為單群。

4. 否。

5. (1) 為半群。　(2)為單群。

6. (1) $\{A, \bigstar\}$為半群。　(2)單位元素為 b。

10C

1. $\{A, \bigstar\}$為一群。

2. (1) 否。　(2)否。　(3)否。　(4)$\{A; \bigstar\}$為一個群。

3. (1) c, d。　(2)是。　(3)$\{A; \bigstar\}$為一個交換群。

| Chapter 11 |

11A

1. (1) 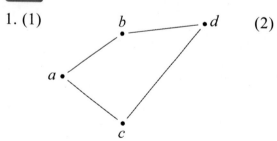　(2)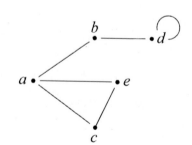

2.

3. (1) 奇頂點不為偶數個　(2) $|E|=14$，$|V|=5$，$|E|\neq 2|V|$

4.
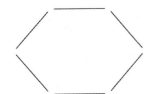

5. (1)
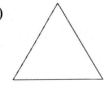
(2)
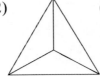
(3)
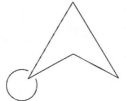

(4)

7. 15

8. (1) 14　(2)10

9. (1) $A=c$
$$\begin{array}{c} \\ a \\ b \\ c \\ d \\ e \end{array} \begin{array}{ccccc} a & b & c & d & e \\ \left[\begin{array}{ccccc} 0 & 1 & 0 & 1 & 0 \\ 1 & 0 & 1 & 0 & 0 \\ 0 & 1 & 1 & 1 & 0 \\ 1 & 0 & 1 & 1 & 1 \\ 0 & 0 & 0 & 1 & 0 \end{array}\right] \end{array}$$

(2)
$$\begin{array}{c} \\ a \\ b \\ c \\ d \\ e \end{array} \begin{array}{cccccc} e_1 & e_2 & e_3 & e_4 & e_5 & e_6 \\ \left[\begin{array}{cccccc} 1 & 1 & 0 & 0 & 0 & 0 \\ 1 & 0 & 1 & 0 & 0 & 0 \\ 0 & 0 & 1 & 1 & 1 & 0 \\ 0 & 1 & 0 & 1 & 0 & 1 \\ 0 & 0 & 0 & 0 & 0 & 1 \end{array}\right] \end{array}$$

(3) $A^2=c$
$$\begin{array}{c} \\ a \\ b \\ c \\ d \\ e \end{array} \begin{array}{ccccc} a & b & c & d & e \\ \left[\begin{array}{ccccc} 2 & 0 & 2 & 1 & 1 \\ 0 & 2 & 1 & 2 & 0 \\ 2 & 1 & 3 & 2 & 1 \\ 1 & 2 & 2 & 3 & 1 \\ 1 & 0 & 1 & 1 & 1 \end{array}\right] \end{array}$$

(4) 頂點 d 之次數為 3

10.

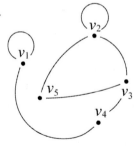

11.

12. G 之相鄰矩陣 A 為一對稱陣，即 $A^T = A$，由數學歸納法，設 $n = k$ 時 $(A^k)^T = A^k$，$n = k+1$ 時 $(A^{k+1})^T = (A^k \cdot A)^T = A^T \cdot (A^k)^T = A \cdot A^k = A^{k+1}$ ∴ A^{k+1} 為對稱陣

13.

14.

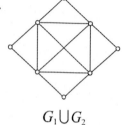

$G_1 \cup G_2$

$G_1 \cap G_2$

15.

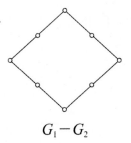

$G_1 - G_2$

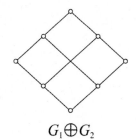

$G_1 \oplus G_2$

11B

1.
$$
\begin{array}{c}
\quad\ \ e_1\ \ e_2\ \ e_3\ \ e_4\ \ e_5\ \ e_6\ \ e_7 \\
\begin{array}{c}
A \\
B \\
C \\
D \\
E
\end{array}
\begin{bmatrix}
1 & 1 & 1 & 0 & 0 & 0 & 0 \\
0 & 0 & 1 & 1 & 1 & 0 & 1 \\
0 & 0 & 0 & 0 & 0 & 1 & 0 \\
1 & 1 & 0 & 1 & 0 & 0 & 0 \\
0 & 0 & 0 & 0 & 1 & 1 & 0
\end{bmatrix}
\end{array}
$$

2.

$p = 0$ $p = 1$ $p = 2$ 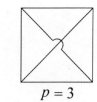 $p = 3$

4. (1) $A = \begin{bmatrix} 0 & 1 & 1 & 1 & 1 \\ 1 & 0 & 1 & 1 & 1 \\ 1 & 1 & 0 & 1 & 1 \\ 1 & 1 & 1 & 0 & 1 \\ 1 & 1 & 1 & 1 & 0 \end{bmatrix}$
(2) $A^2 = \begin{bmatrix} 4 & 3 & 3 & 3 & 3 \\ 3 & 4 & 3 & 3 & 3 \\ 3 & 3 & 4 & 3 & 3 \\ 3 & 3 & 3 & 4 & 3 \\ 3 & 3 & 3 & 3 & 4 \end{bmatrix}$

(3) 第 2 個結點次數為 4

5. 12

6. mn

7. 可能，$|V|=5$，$|E|=10$ 之 4-regular 圖之可能圖形之一為

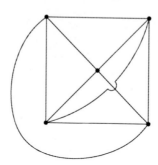

8.

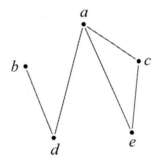

9. $\because G(m,n)$ 為二分圖，設 G 之頂點集合 $V=X_1 \cup X_2$，G 之任一邊均連接 X_1，X_2 之一組頂點，$|X_1| \geq 1$，$|X_2| \geq 1$，設 $|X_1| = n_1$ 則

$|X_2| = n - n_1$ 則 $m \leq |X_1||X_2| = n_1(n-n_1) = \dfrac{n^2}{4} - (n_1 - \dfrac{n}{2})^2 \leq \dfrac{n^2}{4}$

$\therefore m \leq \dfrac{n^2}{4}$

11C

1. (1) $x(G_1) = 2$ (2) $x(G_2) = 3$

 (3) $x(G_3) = 2$ (4) $x(G_4) = 3$

2. 3

11D

1. (1) 是（因為均是偶頂點）　(2) 是

2. 是（因為均是偶頂點）（e_7-e_1-e_2-e_3-e_4-e_5-e_6），是

3. 無 *Euler* 迴路，但有 *Euler* 路徑（*a-e-c-e-b-e-d-b-a-c-d*）

4. (1) 可　(2)否

5. (1) 　(2) 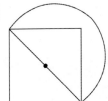　(3)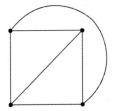

(4)

6. (1) 可（有 2 個奇頂點）

（ $c \rightarrow b \rightarrow e \rightarrow c \rightarrow d \rightarrow a \rightarrow b \rightarrow f \rightarrow d \rightarrow e$ ）

(2) 不可（有 4 個奇頂點）

7. 為一 Hamilton 迴路

8. 是（均有偶頂點）

11E

1. 否　2. 否　3. 否　4. 是　5. 是

6.

	b •	b •	b • /	b • /	b • ∧	b • ∧
a•	a•	a• • c	a•/	a• • c	a•/ \• c	a•——•c

11F

1. (1) a (2)n,r,q,l,j,k,g (3)d (4)f,e (5)n,p (6)3
   (7) n,r,p,j,k (8)5

2. (1)p (2)a,b,j,h,f,d (3)c (4)h,i,j (5)e (6)a,c,d (7)e,f,g,i,h,j

3.

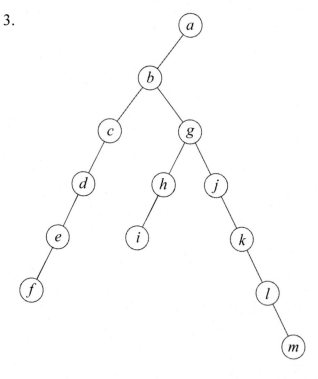

4.

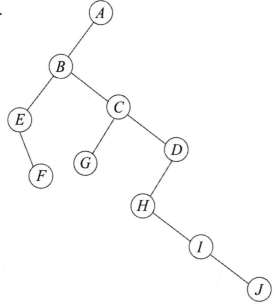

5. (1),(2)是樹

(3)不是樹（∵ $b-c-d-e-b$ 形成迴路）

(4)不是樹（∵圖形非連結）

MEMO

國家圖書館出版品預行編目資料

基礎離散數學 / 黃中彥編著. -- 第四版. -- 新北市：新
文京開發, 2014.09
　　面；　　公分

ISBN 978-986-236-932-6(平裝)

1.離散數學

314.8　　　　　　　　　　　　　　　103014271

基礎離散數學（第四版）　　　　　　　（書號：C109e4）

編 著 者	黃中彥
校 閱 者	黃玉枝
出 版 者	新文京開發出版股份有限公司
地　　址	新北市中和區中山路二段 362 號 8 樓（9 樓）
電　　話	(02) 2244-8188（代表號）
F A X	(02) 2244-8189
郵　　撥	1958730-2
初　　版	西元 2004 年 08 月 30 日
二　　版	西元 2007 年 08 月 10 日
三　　版	西元 2011 年 12 月 10 日
四　　版	西元 2014 年 09 月 30 日